«i gran

Elizabeth Buchan

Il museo
delle promesse infrante

Romanzo

Traduzione di
Valentina Zaffagnini

Per informazioni sulle novità
del Gruppo editoriale Mauri Spagnol visita:
www.illibraio.it

TEA - Tascabili degli Editori Associati S.r.l., Milano
Gruppo editoriale Mauri Spagnol

www.tealibri.it

Titolo originale
The Museum of Broken Promises

Prima edizione «I Grandi» TEA febbraio 2021

IL MUSEO DELLE
PROMESSE INFRANTE

Per Annie e Duncan

« Lentamente giunsi alla conclusione che c'erano due diversi tipi di libertà: una interna e una esterna. »

Ivan Klíma, *My Crazy Century*

Una ragazza di vent'anni con una mano bendata aspetta al binario di una stazione austriaca. Ai suoi piedi c'è una valigia con dentro una sacca e nient'altro, perché è solo per scena.

La banchina è grigia e così malridotta che le erbacce spuntano dalle crepe dell'asfalto. Anche sui binari la vegetazione cresce rigogliosa fra le traversine.

Scruta a destra e a sinistra, cercando di capire se è osservata da uno di quegli infami – ma a volte sono solo disperati – che sopravvivono facendo la spia. Sta diventando un'esperta a individuarli.

Guarda in lontananza. La stazione è piccola e isolata, circondata dagli alberi. Frassini e pini e meravigliose betulle. Attraverso un varco nel bosco, vede un assembramento di tetti rossi al cui centro svetta il campanile di una chiesa barocca, con la cima a forma di cipolla. Così tipica dell'Europa centrale, pensa, con una stretta al cuore. Così tipica dell'Europa libera.

Una coppia la raggiunge sul binario. La donna ha con sé un borsone da viaggio, l'uomo una valigia, che appoggia a terra. Lei è snella e indossa un cappotto color cammello. Lui è tarchiato e porta un cappello da alpino ornato da una penna. Hanno un'aria benestante e compiaciuta e lei li odia all'istante. Loro sì che possono appoggiare le natiche sui sedili del treno e viaggiare beati e tranquilli fino a Vienna.

La ragazza si gira nella direzione da cui arriverà il treno. A nord e a est c'è il confine con la Cecoslovacchia comunista. Sebbene la linea ferroviaria risalga all'epoca degli Asburgo e sia ben tracciata, non sarà un viaggio semplice. Non lo sarebbe mai stato.

Se gli orari saranno rispettati – impossibile contarci, in Cecoslovacchia –, la sudicia, minacciosa locomotiva del blocco sovietico, con la sua stella rossa sulla camera a fumo, dovrebbe raggiungere a momenti la stazione di Gmünd, l'interscambio che si trova sul confine tra Cecoslovacchia e Austria. Ha già viaggiato da Praga a Vienna nello stesso modo una settimana fa e sa che c'è un binario apposito, delimitato da un muro e dal filo spinato, dove i funzionari controllano i passaporti e le merci da dichiarare alla dogana.

Non è ceca. Il suo permesso di viaggiare è fuori discussione. Tuttavia, durante quel viaggio, si è resa conto di essere stata contagiata dal virus della repressione. Mani sudate. Il bisogno impellente e continuo di urinare. Lo studio dei compagni di viaggio. La paranoia è promiscua. Non le interessa la filosofia di cui si nutre.

Quand'è arrivata a Gmünd, gli sgherri cecoslovacchi hanno setacciato il treno da cima a fondo, come stanno facendo di certo anche in questo momento. Lei e gli altri passeggeri sono rimasti seduti in silenzio. Sul binario, i cani e i poliziotti hanno controllato sotto il treno alla ricerca di viaggiatori abusivi.

Quando hanno dato il segnale di via libera, la locomotiva ceca è stata sganciata e sostituita da una fiammante locomotiva occidentale.

Ricorda di avere stretto il passaporto inglese nella mano ferita, cercando di non pensare ai viaggiatori clandestini. Invece si è concentrata su di lui, ripensando alla prima volta in cui l'aveva visto e a tutto ciò che era successo dopo.

Poi, come sta facendo adesso, ha pensato all'amore, a

quanto sia straordinario e incendiario e a come l'abbia consumata. A come abbia trasformato la sua vita.

Se chiude gli occhi, riesce a vederlo. A sentire le sue carezze, il suo profumo, il suo corpo.

Si siede sulla panca accanto alla sala d'attesa, che è libera. Il legno è nodoso e scheggiato, e di sicuro le smaglierà le calze.

Accende una sigaretta.

Milos avrà visto e rivisto il piano con Tomas. *Sono i dettagli che contano.* Ripensa a Milos che le racconta il suo progetto di fuga. *Imparali bene.* Il posto giusto, la stazione giusta, i vestiti giusti... *Devi convincerli che il tuo sia un viaggio normale e che abbia il permesso di farlo.*

Manderanno una cassa di champagne alla torre di guardia.

Di solito funziona, aveva detto Milos. *Falli bere.*

Un passo alla volta. L'architettura di una fuga è dolorosamente rischiosa da costruire, perché implica fiducia.

Il suo cuore batte più forte. *Non pensare al fallimento.*

È una follia cercare di fuggire da Gmünd. Un suicidio. Lo sanno tutti. Per questo l'anonima stazione in cui si trova ora, dall'altra parte del confine, è il posto giusto.

On arrive, aveva promesso lui, nel suo pessimo francese. «Lo farò.»

Il vento autunnale frusta la cima degli alberi. La sua sigaretta divampa e poi si spegne. La butta per terra, schiaccia il mozzicone col tacco e rabbrividisce.

Le spie che sorvegliano ogni tua mossa. Chi sono? Risposta: chiunque, anche tua nonna. Quando impari che una donna anziana con una sporta di verdure è pericolosa quanto un prepotente col giubbotto di pelle, diventa ovvio che chiunque può essere manipolato. Sa pure che molto spesso le spie sono spaventate quanto i loro obiettivi.

L'attesa.

L'attesa è una forma d'arte. Chi vive nell'Europa dell'Est ne conosce ogni più recondito aspetto. La bocca riarsa. Il cuore che sembra esplodere nel petto.

Infila le mani fredde in tasca. Nella sinistra c'è il biglietto del treno che ha usato per fuggire. *Praga, Brno, Gmünd...* Si rifiuta di buttarlo.

La vecchia Volkswagen che ha comprato in un'officina è parcheggiata fuori dalla stazione. Chissà in che condizioni è. Ma, se riesce a portarli in Inghilterra, non ha nessuna importanza. Sul sedile posteriore ci sono una pagnotta, delle salsicce, mele e birra.

«Dovrai sposarmi, se vuoi restare in Inghilterra.»

«Ah, davvero?»

Una fitta di dolore le attraversa lo stomaco. Incomincia a tremare.

È consapevole di ciò che ha fatto.

Lo sa.

Guarda l'orologio. Nel mondo da cui è appena fuggita ci sono tante barzellette sui ritardi dei treni. Ma ora non fanno più ridere.

Guarda di nuovo l'orologio.

Se tutto procede regolarmente, la nuova locomotiva sta attraversando il confine, dove la polizia di frontiera è pronta ad aprire la barriera di cemento, consentendo così al treno di sfrecciare verso Vienna.

Se tutto procede regolarmente.

Le istruzioni sono state precise. Lui avrebbe dovuto tagliarsi i capelli e indossare giacca e cravatta. Non è affatto il suo stile. Avrebbe dovuto tenere sempre il passaporto falso a portata di mano.

«Spero non ti farai chiamare Wilhelm. Mi rifiuto di amare un Wilhem. Meglio Viktor, in segno di vittoria», gli aveva detto, quando si erano separati.

Ora prega che abbia trovato un posto sul corridoio: è una

posizione migliore, in caso di fuga. Nella ventiquattrore dovrebbe esserci un'agenda di finti appuntamenti di lavoro per la sua visita di quattro giorni a Vienna e una prenotazione falsa per l'albergo.

Scruta l'orizzonte. Sopra gli alberi vede del fumo e, in lontananza, scorge un treno che si muove su un paesaggio verdeggiante. Pian piano diventa sempre più grande e avanza minaccioso verso la stazione, con le ruote che stridono mentre rallenta.

Cos'è l'amore? E com'è, il suo amore? Profondo, infinito, bruciante, tenero... quante parole.

Colpevole?

Stringe i pugni.

I passeggeri cominciano a scendere dagli scalini ripidi delle carrozze. Un bambino viene fatto scendere di malavoglia. Un anziano si aggrappa al corrimano e cerca di farsi forza.

Poco lontano, la coppia benestante aspetta di salire.

Il vento cambia e una fitta nube bianca di vapore scende come un velo sul binario. Un uomo in completo gessato e un paio di eleganti scarpe stringate scende dalla terza carrozza. Il cappello gli copre il viso, ma ha i capelli corti e un fazzoletto rosso nel taschino.

Il fumo granuloso la fa lacrimare.

Il suo cuore ha un sussulto.

Poi...

La figura si ferma davanti a lei. « Laure. »

Il fumo si dirada. *Oh, Dio.*

Ha le ginocchia molli, le viscere strette in una morsa. Ancora pochi secondi e crollerà sul cemento grigio.

Petr le porge la mano.

Le sue restano lungo i fianchi. « Dov'è Tomas? Dimmi dov'è. »

« Non posso. »

«È vivo?»

«Non posso dirtelo.» La guarda con un misto di pietà e disprezzo.

In un momento di lucidità, capisce che a Petr non preme la sua felicità. Ha la sua vita. La sua famiglia. Le sue idee. Fa un passo indietro, incerta. «Mio Dio... l'hai tradito.»

Lui la prende per il braccio ferito e lei soffoca un grido. «*Io* l'ho tradito?»

1

La sua vita non era del tutto completa. Probabilmente non lo sarebbe mai stata, ma non era male. Aveva la sua routine. Aveva il museo.

Alle nove, Laure aprì gli scuri nella Sala 2 e guardò una Parigi illuminata dal sole del mattino. Un piccolo stormo di piccioni si spostò sul tetto accanto con un gran baccano.

In estate, il sole faceva brillare i tetti. In autunno le tegole erano lucide di pioggia, in inverno a volte orlate di brina, che le faceva sembrare decorate da Fabergé.

Quasi tutto il resto restava identico nel corso dell'anno, e a Laure andava benissimo così. Voleva affacciarsi sulla stessa veduta, aprire gli stessi scuri e voltarsi verso le vetrine in cui era custodita l'inquietudine di chi cercava una conclusione.

Potevano essere oggetti perturbanti. O commoventi. O divertenti. Quasi sempre lasciavano il segno. Non era insolito che un visitatore dicesse di avere provato un senso di *déjà vu*, osservando le vetrine. Alcuni confessavano di avere sentito una presenza nella stanza. Altri dicevano che gli oggetti sembravano avere un'anima, con tutta la sua imperfezione e il suo mistero. Si fermò a pulire una macchiolina sulla vetrina vicino alla porta e passò nella stanza accanto. La giornata era cominciata.

Poco prima di pranzo, nell'edificio si udì un grido soffocato.

Nell'ufficio al piano di sopra, Laure e il suo assistente,
Nic Arnold, alzarono lo sguardo dalle rispettive scrivanie.
Un'altra volta. Il momento cruciale in cui una diga cedeva
dentro un visitatore, liberando... be'... molte cose.

Laure indicò la porta. «Vai tu o vado io?» Si levò un altro
grido e lei prese una decisione. «Tutti e due, credo.»

Era fine settembre e i visitatori stavano diminuendo, come succedeva sempre, dopo l'estate. Tecnicamente era una
giornata normale. Tuttavia, le giornate normali potevano
trarre in inganno. Potevano generare inquietudine, persino
una specie di violenza. Emozioni violente, di sicuro. Gli oggetti esposti nell'umile, dimesso museo di Laure avevano il
potere di suscitarle, soprattutto in coloro che erano vicini al
punto di rottura.

Prese il kit di pronto soccorso. Nic prese il portablocco.
Insieme, si precipitarono al piano di sotto. Se il personale
stava rispettando le procedure, in quel momento Chantal
si stava affrettando su per le scale, pronta ad allontanare i
visitatori dalla stanza in cui si era verificato l'incidente.

Nella Sala 3 un uomo e una donna stavano litigando. O
meglio, lui si stava difendendo mentre lei lo colpiva al volto
col catalogo del museo. Laure e Nic si scambiarono uno
sguardo. Nic posò il portablocco e intervenne, allontanando
la donna il più educatamente possibile, per quanto le circostanze lo permettevano.

L'uomo si ritrasse, con una maschera di rabbia e delusione in viso. Si toccò la guancia, dove il catalogo aveva lasciato un segno rosso. «Cosa credi di fare, Odile?»

«Vorrei ucciderti. Magari lo farò, uno di questi giorni.» Il
tono pragmatico della donna rese la frase ancora più ag-
ghiacciante. Teneva una mano sulla cintura dei jeans, che
aveva una grossa fibbia di metallo.

Erano francesi. Non era strano, dal momento che si trovavano a Parigi, ma era impossibile prevedere la nazionali-
tà dei visitatori, in quel museo. Forse era così in ogni museo.

La donna vacillò, costringendo Nic a rinsaldare la presa.
Laure prese la sedia collocata accanto al muro per quel tipo
di emergenze e la mise sotto la donna, poi l'aiutarono entrambi a sedersi.

Il kit di pronto soccorso era stato pensato per aprirsi con
facilità e Laure tirò fuori un bicchiere e una bottiglietta d'acqua. «Vuole un po' d'acqua?» le chiese in tono calmo e mi-
surato. «Non mi è permesso somministrare medicinali, ma
posso chiamare un dottore o il pronto soccorso, se pensa di
averne bisogno.»

Nic prese il portablocco e appuntò ora e data sul modulo
degli incidenti, mentre Laure si chinava e accostava il bicchiere alle labbra della donna.

Lei bevve un sorso d'acqua e poi allontanò il braccio di
Laure. «Grazie.»

Laure si tirò su e si rivolse all'uomo. «Possiamo parlare
con lei?»

Alto. Jeans e giacca di velluto. Sulla quarantina. «Se mi
sta chiedendo se sono suo marito, la risposta è sì. Mi chiamo
Yves Brun.» Scontroso, anche.

Nic scrisse il nome sul modulo. «Sua moglie non stava
bene, o è stato qualcosa nel museo a turbarla?»

L'uomo s'incupì. «Sospetto che sia stato qualcosa qui.»

Persino agli occhi di un ignaro osservatore – e Laure e
Nic erano abituati a ogni possibile forma d'inganno da parte del pubblico – era ovvio che Yves stesse aggirando la verità.

Odile rabbrividì. «Lo sa, cosa c'è che non va.»

Nic scrisse anche quello. Il regolamento esigeva un resoconto dettagliato, così chiese a Yves il loro numero di telefono.

Yves si chinò sulla moglie. «Non puoi fare così in pubblico. Sta diventando un problema.»

Odile alzò lo sguardo e, senza preavviso, gli sputò ai piedi. «Questo tipo di problema?»

«*Putain!*»

Nic e Laure si guardarono di nuovo. La situazione sembrava più complicata del previsto.

Odile si pulì la bocca. «Le scarpe... Appartengono a mia figlia.»

Sala 3. Incidente coniugale, scrisse Nic.

Laure sapeva a cosa si riferiva Odile. Nella vetrina era esposta una scatola rettangolare in cui era accuratamente piegato un corredo da neonato. Includeva una copertina di cashmere, due minuscole tutine, un paio di calzini e uno di scarpine verdi e bianche. La didascalia era scritta in francese, inglese e italiano.

La mia bambina non è mai venuta alla luce a causa della negligenza altrui.

Laure si mise tra Odile e la vetrina. «Volete che chieda aiuto?»

Il marito ebbe un sussulto. «No.»

«Abbiamo tutti bisogno di aiuto. Il mondo ha bisogno di aiuto. E lui ha preso le cose di mia figlia e le ha messe qui senza il mio permesso», disse Odile.

«Sono le medicine. Non se lo ricorda più.» La rabbia di Yves era stata sostituita da una tristezza che a Laure sembrava sincera.

«Grazie a Dio! Chi vuole più ricordare cosa significa essere vivi? Tu lo vuoi?» Odile si rivolse a Laure. «Non sembra il ritratto della felicità.»

«Odile... posso chiamarla per nome? Quei vestiti da neonato sono stati mandati da qualcuno che vive in Italia. Ho i documenti.» Laure aspettò che la donna metabolizzasse l'informazione e aggiunse dolcemente: «Gli oggetti del museo possono turbare chi li guarda, per questo è confusa».

«Non mi tratti come una bambina.» Ignorando il marito, Odile aprì la borsa e tirò fuori un blister di pillole, prendendone un paio.

Yves si lasciò sfuggire un'esclamazione e si voltò.

«Sta' zitto.»

Yves infilò le mani in tasca. «Quando sei uscita dall'ospedale mi hai fatto una promessa.»

«Oh, sì, ti ho fatto una promessa.» Lei mise le pillole in bocca, deglutendole con difficoltà. «La mia bambina... la nostra bambina... è venuta al mondo, ma soltanto per poche ore. Le avevo comprato quei vestiti. Proprio quelli.» Indicò la vetrina. «Non sono mai riuscita a metterglieli.»

Gestire. Annotare. Facilitare. Lei e Nic conoscevano bene la procedura.

Chantal aveva bloccato i visitatori nella Sala 4, catturando la loro attenzione coi suoi capelli viola e coi molti piercing, e chiedendo loro di attendere cinque minuti. Subito dopo, Laure e Nic aiutarono una provata Odile a scendere le scale.

Yves li seguì e prese controvoglia l'altro braccio della moglie, facendola uscire.

«Siete sicuri di stare bene?» chiese Laure.

L'uomo scrollò le spalle.

«Mi dispiace.»

Odile si liberò della stretta del marito e si avviò lungo la strada. «A cosa serve? Può dire che le dispiace finché non le cade la lingua, non cambierà le cose. Non riporterà indietro i morti.»

Yves rivolse uno sguardo mortificato a Laure e raggiunse la moglie.

Laure fece per rientrare, quando una voce chiese: «Lei è Laure Carlyle, la curatrice, vero?»

Era stata avvicinata da una ragazza alta e dall'aria nordica, che portava un paio di occhiali scuri, anche se a giudicare dall'accento proveniva dagli Stati Uniti del Sud. Tennessee? Georgia?

Normalmente il personale del museo proteggeva Laure dai postulanti più folli ed estremi. Ma quella ragazza sembrava a posto. E piena di energie. Sembrava pure che non sapesse cosa fosse la paura.

Attaccare bottone le veniva naturale, in ogni caso. «Sono una giornalista freelance in cerca di storie. Ho sentito parlare del suo museo e mi piacerebbe molto saperne di più.» Frugò in uno zaino di neoprene nero e diede a Laure un biglietto da visita. «L'ho appena visitato. È un posto speciale. Qualcuno deve parlarne. E qualcuno deve parlare di *lei*. Non si preoccupi, al lavoro pesante penso io. Lei deve soltanto raccontarmi la sua storia.»

Non era insolito. Il numero dei visitatori era aumentato e il museo si era guadagnato una certa popolarità sulle guide turistiche e sulla stampa. I giornalisti erano affascinati dall'idea e dalla sua posizione: oh, ma è a *Parigi*! Sui social se ne parlava. Anche *Newsweek* le aveva scritto, facendole una proposta: *La faremo diventare famosa.*

Laure mise il biglietto in tasca senza guardarlo. «Non concedo interviste.»

«Ho fatto una ricerca su Google. Ha rilasciato un'intervista a una rivista italiana qualche mese fa. Non crede che sia ora di concederne un'altra?»

Laure era irritata. «No.»

«Ho un aggancio importante a *Vanity Fair*. Credo che sarebbero molto interessati.»

Un'offerta quasi irresistibile. La ragazza era a caccia di successo. In carriera. Era disposta a correre rischi, persino a mentire. O a distorcere la verità, magari. Laure si era scontrata spesso con gente come lei. «La prego, non mi consideri scortese, ma no.»

La ragazza non si fece dissuadere dal rifiuto e continuò a insistere, cortese e affascinante. «No, scortese no. Protettiva, magari? La gente deve sapere di questo posto. Fa del bene.»

Era vero. «È così.»

«Se fossi stata io ad allestire un posto del genere, l'avrei fatto per esorcizzare il passato. È d'accordo?» La domanda era posta in modo goffo, palesemente ambizioso, ma era intelligente.

«Si sbaglia. Devo tornare al lavoro.» Laure non lasciò trapelare il suo sgomento e si avviò verso l'ingresso. Sulla soglia, si guardò un'ultima volta alle spalle.

Chantal, che era tornata alla sua scrivania, guardò Laure con un'espressione in parte rapita e in parte sconvolta che a Laure era familiare. «*Quelle scène.* Secondo Nic, era un po' matta.»

«Forse. Di sopra è tutto a posto?»

Il sorriso di Chantal rivelò la sua dentatura perfetta. «Volevano sapere tutti cosa stava succedendo e perché. Non è una visita che dimenticheranno facilmente. Lo racconteranno a tutti e domani avremo il doppio delle presenze. Non sappiamo mai come andrà a finire.»

«No. Ma è proprio questo il punto.»

«*Dommage.* Stai bene?» I capelli viola e i piercing nascondevano alla perfezione la sua indole materna, ma in cuor suo Chantal sperava che Laure ammettesse di non sentirsi affatto bene, consentendole di prendersi cura del suo capo.

«Sei un tesoro, Chantal, ma sto bene.»

«Ah, le persone. Pensano di potersi sfogare dove capita.»

«Qui però possono. E va bene. Va benissimo.» Laure andò di sopra.

Le Sale 3 e 4 erano piene di visitatori in fermento. Un nutrito gruppo di turisti giapponesi con berretti da baseball arancioni stava transitando dalla 6 alla 7. Laure si fece da parte per farli passare. La maggior parte di loro la ignorò, determinati com'erano ad arrivare alla fine del percorso.

La Sala 5 era vuota. Dei monitor collocati a entrambi i lati della stanza proiettavano due video in loop. Nel primo si vedeva un giardino cinto da mura. Nelle prime immagini era sotto una coltre di neve e una sequenza di alberi e cespugli congelati fiancheggiava un prato centrale. Le riprese seguenti erano state fatte in primavera e l'aspro paesaggio invernale era stato sostituito da fiori rigogliosi e dalla vegetazione. L'estate aveva portato con sé peonie dai bordi increspati e sgargianti dalie arancioni e cremisi. Le immagini autunnali mostravano cespugli e meli carichi di frutti in fondo al giardino.

Nell'ultima immagine, il giardino non era più un giardino. I fiammeggianti colori autunnali delle aiuole e le vespe che banchettavano sulle mele cadute erano svaniti, e tra i muri erano spuntate quattro case. Edifici banali con le dozzinali finestre in vetro laminato utilizzate dai costruttori tirchi. Non erano case costruite per bellezza, né per piacere, ma per fare soldi. Sotto il video, c'era una didascalia:

Mio fratello maggiore aveva promesso ai nostri genitori di non vendere mai il giardino. Sei mesi dopo la loro morte, l'ha fatto per una grossa somma di denaro. Non lo perdonerò mai per aver distrutto quell'angolo di paradiso.

Un paio di anni prima, Laure aveva tenuto una conferenza ai tirocinanti, la cui età andava dai venti ai quarant'anni, in cui aveva descritto il secondo video della Sala 5. «Il filmato è in bianco e nero e mostra una stanza di piccole dimensioni, arredata con un tavolo e due sedie l'una di fronte all'altra. Non ci sono finestre. In mezzo al tavolo c'è un ingombrante telefono a disco di bachelite nero, di quelli antiquati, col cavo e con la cornetta. Le sedie di plastica sono piene di bruciature di sigaretta e il pavimento è di legno grezzo. Non è possibile capire dove si trovi la stanza. L'inquadratura è fissa sulla *mise en scène* e l'unico rumore che si sente è quello della telecamera.

« All'improvviso, il silenzio è rotto dallo squillo del telefono. È un filmato potente e inquietante e l'immagine del telefono che squilla sembra attingere a un malessere collettivo che molti di noi portano con sé. L'ho guardato e riguardato, ma sobbalzo ogni volta. Alcuni spettatori gridano. Alla fine della visita, facciamo compilare ai visitatori un questionario in cui, tra le altre cose, chiediamo quale sia l'oggetto che li ha più colpiti. La maggior parte risponde il telefono.

« Abbiamo ricevuto delle lettere in cui ci chiedono se è un film horror. O di argomento politico. O soltanto un'installazione. » A quel punto aveva mostrato il video al pubblico. « La verità è che si tratta di tutto questo. Ecco ciò che lo rende un pezzo da esposizione di successo, secondo me. Immagino che vi chiederete perché questo video si trovi nel Museo delle promesse infrante. »

Si levò un mormorio e le donne presenti – di solito erano loro che prendevano appunti – impugnarono la penna.

« Dovrei aggiungere che è stato mandato in forma anonima poco dopo l'apertura del museo e, non appena leggerò la didascalia, che è in francese, inglese e cecoslovacco, capirete perché. 'Dal 1948 al 1989 la Cecoslovacchia comunista ci ha promesso lavoro, pace, uno stile di vita dignitoso e nessuna corruzione. Questo è ciò che abbiamo ricevuto.' »

A metà pomeriggio, Laure si accomodò nella sala colloqui. Sul tavolo che la separava dalla donna sorridente di mezza età seduta di fronte a lei c'era una tortiera proveniente dalla Sala 1. «Che piacere rivederti, Myrna.»

«È un bel viaggio, da St. Louis. Ma dovevo vederti. E recuperare questa.»

Il cambiamento era sorprendente. Tre anni prima, fresca di divorzio ed esausta, Myrna si era seduta in quella stanza e aveva pianto così a lungo che Laure aveva dovuto aprire una seconda confezione di fazzolettini. Quel giorno, invece, pur essendo sempre sciupata e dimessa, sembrava più forte, ironica, sicura di ciò che era e di ciò che voleva. Era una trasformazione molto seducente.

Allora era stata tutta un'altra cosa. Era scoppiata in un pianto intenso e profondo, che aveva condotto faticosamente a una spiegazione. «Mio marito non riusciva a capire che dentro la testa avevo una vita tutta mia. Quando ci siamo sposati, mi aveva promesso che mi avrebbe lasciato dipingere, ma non l'ha fatto. Ha fatto di tutto per rendermelo quasi impossibile. Poi ho capito che non voleva che dipingessi perché lo privavo della mia attenzione. Non vuole che dipinga perché mi ama.»

La tentazione di giudicare era sempre dietro l'angolo. «Non fatelo mai, in nessun caso», aveva detto Laure ai suoi assistenti.

La tortiera era decorata con un motivo di scene domestiche, la prima delle quali mostrava una donna ai fornelli. Sopra, c'era la stessa donna, coi capelli increspati da una permanente e con una camicetta coi volant, intenta a dipingere un cielo color lapislazzuli.

Ogni scena ripeteva lo stesso schema: Myrna alle prese con le faccende domestiche e il suo alter ego che si librava sopra di lei a creare una scena trascendente o magica. Laure aveva pensato che, se avesse aperto la tortiera, ne sarebbero usciti tutti i desideri infranti, insieme con le torte sulle quali Myrna aveva sparso abbondanti lacrime.

«Non è che avessi chissà quali ambizioni. Ho soltanto bisogno di dipingere in pace.» Myrna aveva cercato di ricomporsi. «Ho lasciato mio marito. Le scene su questa tortiera spiegano perché. Dentro c'è una torta paradiso. Rosa e bianca, con la glassa. Spero che le piaccia.» Poi si era alzata. «Lo amo. Ma non è abbastanza.»

«Sono tornata a prendere la tortiera», stava dicendo Myrna in quel momento. «Mi ha chiesto di perdonarlo. Mi ha detto che ha capito. Ricominciamo da capo.»

Forse il marito di Myrna era arrivato a una nuova consapevolezza perché la bellissima, splendente tortiera esposta nel museo aveva portato alla moglie una discreta notorietà e molto lavoro. Laure non era cinica – be', magari soltanto un po' –, così prese atto con piacere di quel miscuglio vincente di amore, perdono e... denaro. «Sono molto contenta», disse, sincera.

Myrna le lanciò un'occhiata complice. «Ti va di conoscerlo? È qui fuori. Non aveva il coraggio di entrare, non so se mi spiego.»

Era una tipica giornata al Museo delle promesse infrante.

2

Laure non faceva mai colazione a casa, ma, se aveva tempo, si preparava un bel caffè nero.

Il suo appartamento, al secondo piano di un ex magazzino, era un tipico frutto della moderna riconversione edilizia parigina: piccolo (per non dire angusto), con le finestre in vetro piano e le porte in legno laminato. Nella cucina c'era appena spazio per un forno e un frigorifero e, quando il tavolo a ribalta era aperto, si faceva fatica a raggiungere il lavello.

A parte le scatole impilate e rigorosamente etichettate che riempivano il minuscolo armadio della camera da letto, l'arredamento era ridotto all'essenziale. A volte c'erano un vaso di fiori, un cappotto buttato su una sedia, un romanzo francese con la sovraccoperta gialla. Di solito, però, l'atmosfera era minimalista.

Trovare un posto in cui vivere era un incubo, a Parigi e, per quanto fosse piccolo, era pur sempre un appartamento. Il suo anonimato, per quanto deprimente, per lei era perfetto. Inoltre era poco distante dal lavoro.

In cortile, Madame Poirier, la *concierge*, era nel mezzo di una delle sue conversazioni punteggiate di sillabe esplosive. «È contro le regole, Monsieur.»

Quale regola, quella volta? Le regole di Madame Poirier andavano e venivano. Quale Monsieur stava tiranneggiando? La portinaia non stava zitta un attimo, ma, come le porte e le finestre orribili, faceva parte di un allestimento in cui

Laure si era inserita di sua volontà. Quei modi prepotenti, le manipolazioni del regolamento, le seccature erano ancore di salvezza. Erano gli ingredienti della vita che aveva scelto.

Lavò la caffettiera, la mise ad asciugare su uno strofinaccio steso sullo scolapiatti e controllò che l'unico coltello affilato fosse nel cassetto della cucina. Non soddisfatta, riaprì il cassetto e infilò un tappo di sughero sulla punta del coltello, per sicurezza. I coltelli affilati la mettevano a disagio. Era raro che cucinasse o invitasse ospiti, e possedeva soltanto quattro mobili buoni, incluso il divano. Ma era difficile che qualcuno ci si accomodasse per bere un bicchiere a tarda sera o leggere il giornale della domenica. A volte i suoi amici inglesi – come Jane di Brympton – facevano commenti sul fatto che casa sua non sembrava vissuta.

Charlie, suo fratello minore, era più diretto. «Potresti almeno aprire le scatole, Laure.»

«Stanno bene dove sono. Lo voglio tenere sgombro.»

«La maggior parte delle persone possiede qualcosa. Una foto, dei libri, una poltrona ereditata dalla nonna. Sembra che tu viva in una scatola da scarpe.»

Laure lo aveva guardato di traverso. Neanche Charlie era proprio un tipo casalingo e si divertivano a prendersi in giro. «Senti un po' da che pulpito.»

«Hai ragione.»

Se a occhi anglosassoni quel *modus vivendi* poteva sembrare bizzarro, i francesi non ci trovavano niente di strano. A loro non interessava sapere come aveva scelto di vivere Laure e, se volevano mangiare con lei, si andava al ristorante.

Laure ascoltò distrattamente il notiziario mentre beveva il caffè e si asciugava i capelli. Il meteo prevedeva ventisei gradi a mezzogiorno e sperò che la temperatura non salisse ancora, perché i suoi capelli ne avrebbero sofferto. *Dommage*. Diede un ultimo colpo di fon, infilò gli orecchini pendenti con le perle e controllò lo smalto, un rosso scuro provocante che richiedeva molta cura. Ma era il colore della ribellione e del sesso, ne valeva la pena.

Inclinò la testa, guardandosi allo specchio.

Ciò che vide le disse che i suoi sforzi erano stati ripagati. A volte sentiva altre donne lamentarsi del proprio aspetto, però lei ne aveva viste troppe, per indulgere in atteggiamenti del genere. Erano solo una zavorra. Si sfiorò la guancia. La sua pelle, di cui andava fiera, era ancora pulita e giovanile. Tanto tempo prima, in un altro Paese, Tomas le aveva detto che gli ricordava la madreperla. Applicò un velo di crema solare, poi prese il portatile e la borsa e uscì.

In strada svoltò in direzione del canale, guardando a destra e a sinistra e controllando i palazzi. Era la vecchia abitudine del « lavaggio a secco »: l'arte di liberarsi della sorveglianza, che non aveva mai abbandonato. O meglio, era l'abitudine a non volerne sapere di abbandonare lei.

S'incamminò e partì la suoneria del telefono. Era Xavier, il suo ex marito. « *Oui, mon brave.* »

« *Ma belle.* »

Quei saluti erano formule vuote. Erano il linguaggio e il tono che avevano deciso entrambi di adottare da quando si erano separati, diversi anni prima. Xavier si era risposato e aveva avuto il figlio che tanto desiderava. Il divorzio era stato così civile che Maria, la nuova moglie, ogni tanto invitava Laure a cena. Forse per tenere d'occhio la sua antesignana?

« Se ci fossimo amati di più, vederci sarebbe stato un problema. Invece non è così », aveva osservato una volta Xavier.

« È strano pensare che sia tutto acqua passata, ora. »

« Strano, ma vero. E tuttavia non si sta così male, credo. »

« No, caro Xavier, non si sta affatto male. »

Poi si erano guardati. Laure non aveva potuto fare a meno di pensare che lo sguardo gentile e navigato del suo ex marito racchiudesse un'accusa: *Hai un cuore arido.*

In sottofondo sentiva il rumore del traffico e immaginò che Xavier fosse per strada. Dopo dieci anni di matrimonio, era inevitabile che alcune informazioni sul carattere del proprio coniuge restassero impresse. Laure era sicura che in quel momento Xavier indossasse un paio di pantaloni beige e il giubbotto nero cui era tanto affezionato. Di certo aveva i capelli pettinati indietro e lo sguardo un po' perso di chi è troppo vanitoso per mettersi gli occhiali.

« Oggi è uno di quei giorni in cui sento la tua mancanza, Laure. Tua e dei tuoi begli occhi verdi. »

Lei sorrise. Il rimpianto per il fallimento del matrimonio riaffiorava più spesso di quanto volesse ammettere. Xavier aveva le sue manie, ma era un uomo di sani principi e spesso molto divertente. « Anch'io sento la tua, Xavier. Però sei sposato. »

« A quanto pare. »

Sapere che Xavier le voleva ancora molto bene le era di conforto, pensò mentre schivava le cartacce per terra.

« Resterai sempre un'inglese. Anche se parlerai un francese perfetto e vivrai qui per sempre, avrai bisogno di qualcuno che ti sostenga », le aveva detto una volta.

Stronzate. Laure era più francese – anzi, più parigina – di quanto Xavier volesse credere. « *J'aime deux choses seulement... vous et la plus belle ville du monde* », gli aveva risposto. Era il verso di una vecchia poesia romantica, ma andava dritta al punto: il suo cuore apparteneva alla città.

L'allusione di Xavier al suo bisogno di sostegno l'aveva colpita e affondata. Se si fossero sostenuti un po' di più, durante il matrimonio, forse l'esito sarebbe stato diverso. Di quello incolpava se stessa. Quasi completamente.

Nonostante le chiacchiere, Xavier non chiamava mai senza un motivo. « Ho visto sul *Figaro* che il Louvre sta facendo pressioni per accaparrarsi il Museo delle promesse infrante.

Il suo portavoce sostiene che il tempo della gestione privata è finito. Ritengono che sareste un'accoppiata perfetta. »

Lei sospirò. « A quanto pare. »

« Per fare una metafora: il Louvre è un vecchio e sudicio libertino e tu soltanto una sposa bambina. È la solita storia. I soldi sono la chiave di tutto, e loro la usano per aprire le porte. Come faresti a conciliarlo con Nos Arts en France? »

Nos Arts en France era un ente parastatale che erogava sovvenzioni alle imprese culturali. Qualcuno l'aveva avvertita che sarebbe stato complicato averci a che fare, ma con lei erano sempre stati chiari e diretti.

« Il consiglio di Nos Arts valuterà la situazione e mi farà sapere se vogliono continuare a finanziare il museo. Se lo faranno, non cambierà niente e ne sarò felice. »

« Sono stati generosi con te. »

« Non saremmo potuti sopravvivere senza di loro. »

« Come ti senti alla prospettiva che abbiano la meglio quelli del Louvre? »

Lei alzò lo sguardo al cielo, attraversato da scie di panna montata. « Lotterò con le unghie e coi denti. »

« *Chérie*, potresti non avere scelta. Sei diventata forte, ma non così tanto. »

Non era la prima volta che Laure doveva affrontare una minaccia – teorica o no –, e aveva imparato a gestirle separandosi in persone diverse. C'era la Laure che, grazie alle esperienze passate, era in grado di trattare con le complicate strutture dell'amministrazione pubblica senza troppe difficoltà. Poi c'era la Laure che voleva a tutti i costi far funzionare il suo museo alla perfezione, perché il passato era ancora vivo in lei e in tutti quelli che rischiavano di essere stritolati dagli ingranaggi della burocrazia. « Ho una buona notizia. La Maison de Grasse diventerà nostro sponsor. »

Nata come piccolo laboratorio di profumeria a conduzione familiare, la Maison de Grasse era diventata una multinazionale che forniva fragranze per una vasta gamma di prodotti, dai detergenti per la casa – che altrimenti sarebbero stati inutilizzabili – alle candele e ai deodoranti per ambiente. Continuavano a creare e a produrre anche profumi esclusivi, naturalmente. Molte grosse aziende francesi compensavano gli oneri fiscali diventando partner economici di un museo. La Maison de Grasse si era comportata allo stesso modo, quando aveva deciso che finanziare un progetto artistico alternativo fosse un prudente compromesso tra programmazione di bilancio e munificenza. Per Laure, erano in arrivo aiuti in denaro sotto forma di pubblicità per il museo e materiale promozionale.

«Fantastico! Davvero fantastico», disse Xavier, colto di sorpresa.

Un uomo con lo sguardo fisso sul suo cellulare andò a sbatterle contro e le fece cadere a terra il telefono, interrompendo la conversazione. «Mi scusi, mi scusi. Non l'avevo vista.»

Nitidissimi.

La memoria di Laure era contraffatta e carica d'angoscia, ma i primi ricordi di Canal Saint-Martin e delle strade che si diramavano da quel nastro d'argento erano così: nitidissimi.

Dieci anni prima, alcune zone erano malridotte ed era stupido avventurarvisi da soli a tarda sera. Ma il punto era un altro: il *quartier* aveva conservato il proprio fascino. Le sue ricerche avevano rivelato che, in passato, brulicava di vita – abbastanza dissoluta – e di sesso – mercenario o di altro tipo –, e possedeva un'eleganza unica ed equivoca. Era una zona che annunciava ai suoi visitatori: *Vanto un pedigree impeccabile e molti dei miei vecchi palazzi sono sopravvissuti alle rivoluzioni e alla distruzione del barone Haussmann. O* qualcosa del genere. La formulazione del pensiero cambiava spesso, però il concetto restava identico.

I poveri e i senzatetto lo amavano. E anche i residenti. E pure Laure, in fuga dal divorzio. Ascoltare lo sciabordio dell'acqua contro le rive del canale la faceva sentire radicata nella vita interiore della città. Provava la stessa sensazione quando percorreva i ponti pedonali di ghisa che attraversavano il corso d'acqua grigio-verde punteggiato di rifiuti, o tracciava la topografia delle strade, respirandone l'atmosfera sinistra, o passava accanto ai negozi e ai caffè che resistevano ostinatamente e per i quali provava un forte istinto di protezione.

Ma quello era il passato. Negli ultimi tempi, erano arrivati una gelateria che offriva ogni possibile gusto conosciuto e un negozio di abbigliamento di lusso, oltre a una *chocolaterie* e a un *salon de beauté*. Forse era stato il suo museo a contribuire alla rinascita del quartiere, però, ora che era diventata un'autentica *canaliste*, Laure teneva d'occhio gli avidi imprenditori edili. Per quanto fosse arretrato, il *quartier* esigeva lealtà assoluta dai suoi abitanti, in un modo che nelle aree moderne e risanate non era possibile. Nemmeno, come sostenevano i *canalistes* più agguerriti, nella stessa *rive gauche*.

S'incamminò lungo l'argine del canale, accompagnata dall'odore familiare e ineluttabile dell'acqua. Un sentore monotono, salmastro, che portava con sé una nota di decomposizione, poiché era inizio autunno. (La prima volta che aveva notato l'odore dell'acqua era stato a Praga, durante l'estate rovente in cui lei e Tomas passavano il tempo lungo il fiume.) Un *bateau mouche* vuoto scivolò verso est, lasciando dietro di sé una risacca di bucce d'arancia, bottiglie di plastica e resti di hamburger.

Su rue de la Grange aux Belles, Madame Becque stava aprendo la serranda del negozio di alimentari. Lei e il marito lo avevano appena verniciato di un blu acceso e avevano tinto di azzurro i cappotti dei loro barboncini perché vi s'intonassero, contribuendo vistosamente all'allegria generale. L'amato bar d'angolo che serviva alcolici fino a tarda sera aveva abbassato la saracinesca, ritagliandosi qualche ora di riposo. Fuori c'era un senzatetto seduto a gambe incrociate. Laure gli passò davanti e lasciò cadere nel suo bicchiere una moneta da un euro.

Più avanti, Laure si fermò davanti a una striscia di terreno trasandato e disseminato di spazzatura tra due palazzi. «Kočka.» Voleva dire «gatta» in ceco: non era una scelta molto originale, ma era l'unica che le era venuta in mente quando aveva visto quella randagia, due settimane prima.

Una micia tigrata emerse dall'ombra proiettata dal muro. Minuscola. Quasi scheletrica. Sfinita dalla fatica di sopravvivere e fragilissima. Laure sfiorò il musetto triangolare e la schiena, accarezzando delicatamente ogni singola vertebra, fino alla coda. Assaporò quel momento di comunione. Di conforto. Un piccolo scambio di fiducia tra un animale e un essere umano.

Forse non le stava facendo un favore, dandole da mangiare. C'era chi sosteneva che per un randagio fosse meglio morire. La morte non era la cosa peggiore. La morte poteva essere accolta con gratitudine.

Fu in quel momento che notò i capezzoli rosa e turgidi sotto la pancia denutrita dell'animale.

Le si strinse il cuore. *Gattini.*

Kočka stava aspettando, composta e impassibile (a differenza di Laure), che la sua benefattrice le servisse il pasto. Laure versò il costoso cibo in scatola arricchito con vitamine nella vaschetta che aveva portato con sé e la guardò avventarsi sul cibo. Kočka faceva le fusa.

«Non ti prometto niente.» Poi Laure proseguì verso nord, lungo rue de la Grange aux Belles.

La prima volta che aveva percorso quella strada, la sentenza di divorzio era appena finita sulla scrivania dell'avvocato. Era inverno e aveva gelato. Le sue scarpe erano troppo leggere e i suoi piedi ghiacciati si rifiutavano di collaborare. A mano a mano che s'inzuppavano, le suole facevano *ciaf ciaf* sul marciapiede.

Aveva visto una ragazza con un cappotto rosso e un mucchietto di fondi di caffè sul marciapiede. Dal supermercato asiatico provenivano voci impegnate in un'accesa discussione. Un cane aveva abbaiato. C'era un freddo impietoso, tutt'altro che tonificante, e il cielo minacciava nevicate grigie e furiose.

Esplorare il *quartier* significava ricevere un miscuglio d'impressioni. Soltanto dopo, molto dopo, quelle prime immagini si sarebbero incastrate come pezzi di un puzzle a formare il suo panorama personale: le serrande, la pulizia delle strade ogni mattina, il ferro battuto delle case più vecchie e, nella sua edicola di pietra, una statua della Vergine che trafiggeva da parte a parte i passanti coi suoi occhi bovini.

Una volta era certa che il pessimismo fosse una condizione di vita e anche il più piccolo intoppo rovesciava i pensieri fuori dalla scatola in cui cercava di tenerli chiusi. La fine del suo matrimonio l'aveva fatta sentire ancora di più perseguitata da un senso di fallimento. Non riusciva ad affrontare il passato. Stando alla fisica quantistica, un atomo in un labirinto non segue un solo cammino per uscire. Percorre in parallelo tutte le strade possibili. Quell'immagine descriveva perfettamente quello che faceva Laure: percorrere tutte le strade senza sapere perché, cadendo a ogni ostacolo, ritrovandosi col viso nel fango.

La casa a tre piani in fondo alla strada ci aveva messo meno di trenta secondi a catturare la sua attenzione. Diverse tegole erano scivolate e la vernice era scrostata e piena di bolle. Aveva guardato quello spettacolo logoro e malridotto mentre i primi fiocchi di neve si posavano sul tetto, e aveva pensato che la casa doveva essere sopravvissuta almeno a duecento anni di Storia e che non le importava un fico secco se Laure era un fallimento oppure no. Poi nella sua testa si era fatta largo l'idea che la vita all'interno di quelle stanze tarlate potesse essere creativa e serena.

Cosa più importante di tutte: la casa era in vendita.

Non aveva un soldo. Nessuna competenza. Niente, a parte un'idea che le era balenata in testa mentre guardava la casa dall'altra parte della strada e muoveva le dita del piede destro e poi quelle del sinistro nel tentativo di riattivare la circolazione.

Dopo avere organizzato una visita alla casa, si era presa il tempo di percorrerla in lungo e in largo. Aveva esaminato le finestre a ghigliottina e saggiato i pavimenti di legno, aveva salito le scale anguste e sbirciato nei bagni antiquati, aveva raggiunto il sottotetto. C'era odore d'incuria, disfacimento e guai, ed era trasalita quando aveva aperto una porta rigonfia con un cigolio e dei topi erano scappati al piano di sopra.

L'atmosfera suggeriva lotte per vivere e prosperare, alcune fallimentari, altre trionfanti. Non voleva altro disordine, nella sua vita. Mai più. Mentre entrava nelle stanze gelide e disperate, si era chiesta: è meglio evitare un posto come questo?

La redenzione era più di una parola. Era il nirvana. Era uno stato di grazia che le sfuggiva continuamente di mano. Ma forse poteva trovarlo nella solidità di un edificio.

A causa del freddo, le sue dita dei piedi erano rigide come mollette per il bucato. E tuttavia, mentre ascoltava la sinfonia di scricchiolii e assestamenti della casa, la risposta era divenuta chiara.

Era stata tinteggiata e stuccata, il tetto era stato riparato e sull'ingresso era appesa un'insegna che diceva: MUSÉE. Sotto, in francese e in inglese, c'era un'altra scritta: MUSEO DELLE PROMESSE INFRANTE.

La seconda riga recitava: CURATRICE: LAURE CARLYLE.

3

L'ufficio all'ultimo piano era minuscolo. Forse in origine era l'alloggio della domestica, che doveva considerarlo una reggia, ma ora poneva il problema di come farci stare le scartoffie del museo.

Una soluzione era stata dipingere le pareti – comprese quelle della stanzetta accanto, che veniva utilizzata per i colloqui – di un giallo imperiale, che aveva lo strano effetto di far sembrare i locali più spaziosi. Un'altra tattica era stata pretendere dai dipendenti un ordine draconiano.

Erano le nove e Nic era già alla scrivania. Lavorava al museo da diciotto mesi, era inglese, bilingue, single, determinato a farsi strada nel settore dei beni culturali e parte della generazione che dava per scontato di fare armi e bagagli e andare a vivere all'estero come se niente fosse. « È stato facile andarsene. Siamo in tanti a farlo », aveva detto.

Certo, per la generazione di Nic era vero. L'Europa non era altro che un prolungamento del territorio nazionale. E per lei era stata la stessa cosa.

Nic la salutò. « Un uomo entra in banca con due mollette da bucato in mano. Sai cosa dice? Mani in alto o vi stendo. »

Facevano a gara a chi diceva la battuta peggiore scovata su Internet.

Laure pensò a Nos Arts en France e incrociò le dita. « E se ti dicessi che non potrai mai fare di meglio? »

Nic sgranò gli occhi. « Ma tutto quello che so l'ho imparato da te. Dimmi che sono diventato indispensabile. »

« Lo sei. » Era sincera.

Sebbene non avesse ancora trent'anni, Nic possedeva l'insolita capacità di leggere nell'animo delle persone. Osservarlo mentre negoziava una via di fuga da una conversazione difficile era molto istruttivo. Anche se le costava ammetterlo, Laure aveva imparato molto da lui e gliene era grata. L'amore poteva coglierti di sorpresa, ma – per quanto fosse inaspettato – anche l'affetto.

« Ho della schiuma da barba sul mento? »

« No, perché? »

« Mi stai fissando. »

Laure gli sorrise. « È perché mi piaci. »

« A qualcuno dovrò pur farlo, questo effetto. »

Nic era in perfetta sintonia col museo. Capiva che gli oggetti avevano delle cose da dire. La prima volta in cui l'aveva accompagnato nelle stanze, lo aveva guardato prenderne coscienza.

Nic aveva versato il caffè del mattino in un thermos e l'aveva messo sulla scrivania di Laure, insieme con l'elenco degli appuntamenti. Lei si sedette, mise la borsa sotto la scrivania e digitò *veterinario canal saint-martin* su Google. Qualche istante dopo era al telefono a fissare un appuntamento.

« Non sapevo che avessi un gatto », osservò Nic.

« Non ce l'ho. »

Le lanciò un'occhiata. « L'agenda ha bisogno della tua approvazione. »

Laure le diede un rapido sguardo. A metà mattina era fissata un'intervista con una giornalista freelance. « Oh, Dio. »

Nic era diventato esperto nel gestire le reazioni di Laure. « Si concluderà prima di pranzo. Così potrai divorare le tue *frites* in pace. »

« *Frites!* »

Nic stava sorridendo.

Lei ricambiò, suo malgrado. « Chi è? »

« Dice che ha ottimi contatti che potrebbero essere interessati alla sua storia. »

Laure alzò gli occhi al cielo. « In una vita precedente devo avere commesso molti peccati. »

Quand'era girato bene, Nic era flessibile. Altre volte, se la giocava con Caligola e Stalin. « Questa non dovrebbe essere male. Devi farlo. Al telefono mi ha fatto una buona impressione e ho controllato le sue referenze. Le hanno pubblicato dei pezzi sul *New York Times*, tra le altre cose. È giovane. Sta cercando di farsi strada. »

« Sono i peggiori. »

« Davvero? Detto da una donna che rifiuta di dirmi se a colazione preferisce la marmellata di arance o di ciliegie? »

Laure si lasciò sfuggire una risatina imbarazzata. « Forse. »

Xavier le aveva sempre detto che era pazza.

In precedenza Nic aveva detto che il suo atteggiamento era comprensibile, ma ciò che intendeva davvero era « poco lungimirante ». « Almeno provaci: un bell'articolo su un giornale importante garantirà visibilità al museo. Quei parrucconi alla direzione del museo saranno costretti a prendere atto dei tuoi meriti. » Stava giocando sporco, ricorrendo a ogni espediente pur di convincerla.

« Non m'interessa. »

« Pensa a Gianni di Roma. »

« Era un'eccezione. »

Gianni Rovere, il giornalista italiano, si era comportato in modo educato e spiritoso e le aveva fatto la cortesia di riflettere sulle risposte, prima di passare alla domanda successiva. « Qualcuno potrebbe considerare questo posto in modo negativo », aveva osservato, alla fine dell'intervista.

« No. Il museo dà spazio a chi vuole ricominciare », aveva risposto Laure.

Nic partì con l'affondo finale. « I dirigenti della Maison

de Grasse ne saranno entusiasti. È il tipo di visibilità che li convincerà di avere preso la decisione giusta.»

Aveva a cuore l'interesse del museo e Laure si fidava di lui. «Se accetto, poi fino a Natale non se ne parla più?»

Il sorriso di Nic illuminò la stanza. A metà mattina, accompagnò la giornalista nell'ufficio.

Laure alzò lo sguardo e si rabbuiò. «Oh. Ci conosciamo.» Prese il biglietto da visita che aveva messo nella vaschetta della posta. «May Williams?»

Senza occhiali da sole, gli occhi grigio-azzurri della ragazza erano stupefacenti; sembrava avere tramortito Nic con uno sguardo. Indossava jeans attillati, una maglietta aderente e scarpe da ginnastica all'ultima moda, ma aveva l'aria nervosa. A un esame più attento, quegli occhi sorprendenti erano segnati da due leggere occhiaie. «Vorrei tanto scrivere un pezzo sul museo. Potrebbe essere una storia importante.»

La sua serietà era disarmante e in parte cancellò l'irritazione di Laure per il modo in cui le aveva strappato l'intervista.

Guardò Nic, che si diede un contegno. «Caffè, immagino.»

La ragazza tirò fuori dallo zaino nero una pila di fogli. «Ho pensato che le facesse piacere dare una occhiata a quello che ho scritto. Non sono una dilettante, glielo garantisco.» Aveva un tono pratico, ma le unghie rosicchiate raccontavano un'altra storia.

Laure diede una scorsa a un paio di fogli. Quello che vide denotava un'intelligenza brillante e uno stile provocatorio.

Oh, Dio, pensò. Non voglio che ficchi il naso.

Quando arrivò il caffè, May chiuse gli occhi e ne inspirò l'aroma. Ne bevve un sorso e un velo di latte le sporcò il labbro superiore. «Mi sono innamorata del caffè francese.»

«Se vuoi ti accompagno ad assaggiarlo in un paio di posti famosi», disse Nic.

May gli sorrise.

Nic non aveva mentito, quando aveva assicurato a Laure che aveva indagato sulla ragazza. A quanto pareva, al telefono non avevano parlato soltanto dell'intervista.

« Ti faccio fare un giro, così puoi prendere confidenza col museo prima dell'intervista », disse Laure.

May scattò in piedi e prese la tazza di caffè.

« Lascia qui il caffè, per favore. Dobbiamo fare molta attenzione a evitare gli incidenti. »

« Certo. » May finì di bere e si pulì la bocca. La sua postura sembrò farsi più determinata. « Andiamo? »

Laure fece strada fino al negozio di souvenir del pianoterra, dove Chantal stava controllando le scorte.

La donna alzò lo sguardo dal tablet e parlò in francese. « Ci servono altre calamite con le manette. Non ci stiamo dietro. Questa è l'ultima. » Sulla calamita alzata da Chantal c'era l'immagine di un paio di manette di peluche tigrate con la scritta: CI AVEVANO PROMESSO IL PARADISO.

Prima di entrare nel museo vero e proprio, Laure tradusse e May scoppiò a ridere.

« È bilingue, vero? Come mai? »

« Mia madre è francese, mio padre inglese. »

Durante la visita, May si limitò a chiedere quante sale ci fossero. « Tre su questo piano, quattro al piano di sopra. Sette in tutto, più gli uffici. È difficile gestirle, perché hanno dimensioni diverse e siamo sempre a corto di spazio. La stanza più grande probabilmente era un salone e pensiamo che la più piccola fosse un bagno. La maggior parte dei pavimenti è originale. Lo si capisce dalla larghezza delle assi di legno. Dal momento che hai già visto il museo, saprai che il percorso inizia qui e prosegue nelle tre stanze, seguendo le indicazioni. Poi si sale per la scala posteriore, si visitano le quattro stanze del piano superiore e si torna giù dalla scala principale. È molto stretta, ma non possiamo farci niente.»

May fece il giro della stanza. «È molto pittoresco e suggestivo. Un po' inquietante, forse.»

«Gli oggetti in esposizione sono tutt'altro che 'pittoreschi'.» Il tono di Laure era diventato aspro.

May si fermò di colpo, costernata. «Oh, santo cielo. Mi sono data la regola di evitare le espressioni americane, ma mi è sfuggita. Non intendevo dire che il museo è pacchiano.»

«Di dove sei?»

«Alabama. *Mint julep*, *Alabama pie*, Jim Crow. Sofferenza. Caldo. Segregazione. Quelle cose lì.» Dalla smorfia con cui lo disse, May Williams sembrava contenta di esserne fuggita.

«Quindi sei una rifugiata?»

La ragazza si strinse nelle spalle e si avvicinò alla vetrina principale. «È un biglietto ferroviario? Che lingua è?»

Trascorse qualche secondo prima che Laure rispondesse. «Ceco.»

«Ah, sì, credo di averlo visto fotografato nell'intervista che ha fatto con l'italiano. Ha sollevato un polverone, in Repubblica Ceca. Sono un po' suscettibili, quando si tratta di ricordare i tempi bui del regime comunista.»

«Lo credo bene.»

Nella seconda sala c'erano tre vetrine. May indicò la prima. «Volevo chiederglielo. Cosa significa quella scatola di fiammiferi?»

«Se ci guardi meglio, dentro c'è un dentino. L'ha portata qui Jamie, di sette anni.»

«Un bambino?»

«Conosci molti bambini? Io no, ma si dà il caso che si ricordino benissimo le promesse, specialmente quelle non mantenute. Il padre di Jamie gli aveva promesso che la Fatina dei denti gli avrebbe lasciato un soldino per ogni dente caduto. È stato così per i primi due, però, quand'è caduto il terzo, il padre di Jamie se n'era andato e con lui anche la Fatina.»

May fece per posare la mano sul vetro, ma ci ripensò. «Non poteva pensarci la madre di Jamie?»

«Credo che volesse far capire al figlio che tipo era il suo papà. Ha accompagnato Jamie al museo e lui mi ha dato la scatola di fiammiferi, dicendomi che la Fatina era una gran bugiarda.» Le tornò in mente l'espressione del piccolo, ferita e furiosa. «In realtà stava parlando del padre.»

«Quindi sono esposte la sofferenza e la tristezza di Jamie.»

«È interessante vedere come un bambino abbia razionalizzato una cosa simile.» Laure accompagnò May nella sala accanto.

«O magari è stata la madre.»

Laure fu allarmata dal tono aspro della ragazza. «I tuoi genitori approvano le tue scelte?»

«A mio padre piace soltanto il bourbon. A fiumi. Per quanto riguarda quel dinosauro di mia madre, sarebbe anche una buona donna, se non fosse che non le va per niente a genio sua figlia... Se le chiedesse qual è la cosa che odia di più al mondo, sarebbe costretta a sorbirsi una tiritera sulle donne nubili che pagano affitti astronomici per vivere in una topaia puzzolente in quel luogo di perdizione che è New York, in attesa della grande occasione.» May guardò una vetrina, mentre sul suo viso affioravano emozioni contrastanti. «Ha detto che non avevo nessuna speranza. Che sarebbe stata dura. E aveva ragione.»

«Sono sicura che sia difficile. Però ti sei fatta dei contatti. È ovvio. E sembrano ottimi contatti.»

«È vero. È stato un modo per vendicarmi di una madre nata centocinquant'anni fa ma che casualmente vive in quest'epoca, e il cui bersaglio preferito sono i liberali e le femministe.» Gli occhi di May s'illuminarono. «Tutto questo per dire che mia madre è distante anni luce da una come lei.»

Laure impiegò un istante per assimilare il fatto che May l'avesse inserita nella stessa fascia anagrafica di sua madre. Non sapeva se ridere o piangere. «Ho capito.»

«Oh, santo cielo...» May si rese conto della gaffe e rovistò nel suo arsenale di giornalista alla ricerca di un complimento. «So benissimo che lei è il tipo di donna che indosserà maglioncini attillati e ombretto anche a novant'anni.»

Laure sorrise suo malgrado. «Bene.»

«Non ha figli?»

«No.»

Una tacita domanda restò sospesa nell'aria. Li ho negati a me stessa, pensò Laure. Forse non è stata una scelta consapevole, ma in qualche modo è come se non ci fosse mai la persona giusta, il momento giusto, lo stato d'animo giusto.

Proseguirono.

Qualche minuto dopo, May chiese: «Allora, perché il ceco?»

«Ho vissuto in Repubblica Ceca per un'estate.»

«Ed è una promessa infranta?»

«In effetti sì, col senno di poi.»

Entrarono nella sala più piccola, dove May sembrava un animale in gabbia, con la sua figura alta e dinoccolata. «Qual è il criterio espositivo del museo?»

«È una bella domanda. Abbiamo impiegato molto tempo a capire quale fosse il più efficace. Alla fine, abbiamo optato per un principio di appartenenza. Gli oggetti domestici, per esempio. L'abbigliamento. Non funziona sempre. Ma esporre gli oggetti in ordine cronologico era troppo difficile, dal momento che le sale circostanti cambiano di continuo.»

May chiuse il taccuino. «Certo.»

Laure si diresse verso la scala. «Abbiamo un nuovo sponsor e stiamo pensando di svecchiarci. I criteri espositivi museali stanno cambiando. È in atto una vera e propria rivoluzione. I musei stanno diventando luoghi interattivi. Divertenti. Imprevedibili. Dobbiamo stare al passo coi pezzi grossi. »

Arrivarono nell'ultima sala. May indicò la targhetta a caratteri dorati, sull'architrave della porta. «Il sette è un numero speciale. Uno dei numeri primi più interessanti. È il più piccolo numero naturale il cui cubo è palindromo. Almeno credo. »

«La matematica non è il mio forte. »

«Quindi dev'essere difficile far quadrare i conti? »

«Non ho detto questo. »

May non insistette e partì alla carica con la domanda successiva. «Ciò che è assente ha la stessa importanza di ciò che è presente, giusto? »

La luce che filtrava dalla finestra restaurata illuminava i capelli di May, facendo spiccare ciocche biondo platino. Era una domanda innocente? Probabile. Permetterle di scrivere un articolo su Laure significava cederle potere. May avrebbe fatto delle ricerche. Laure guardò fuori dalla finestra. Affrontare la paura di ciò che si nascondeva tra le pieghe della sua mente era una battaglia antica ed estenuante, che non aveva mai vinto. «Sì. Ciò che viene omesso è altrettanto importante. »

«Cosa volete dimostrare, con questi oggetti? »

Aveva colto una nota di scetticismo? «Si tratta di un processo di elaborazione. »

«Per chi? Qualcuno potrebbe considerarlo soltanto vecchio ciarpame. »

«Ognuno è libero di pensare ciò che crede. Donare un oggetto a questo museo è un modo di affrontare qualcosa che è andato storto nella nostra vita. » Laure indicò un orribile vaso colorato che dominava la vetrina più piccola. «La società attuale sta dimenticando l'importanza della ritualità, purtroppo. »

May guardò il vaso, scettica. « Se lo dice lei. »

Laure sorrise suo malgrado. La maggior parte delle volte la miscela di fantasia, desiderio, rabbia e profonda delusione racchiusa dentro le teche era difficile, se non impossibile, da quantificare, e il vaso di sicuro non sembrava all'altezza del suo compito.

« È così brutto che non riesco a smettere di guardarlo », ammise May.

« Nelle giornate no, preghiamo che si rompa, ma sembra che non funzioni. » Poi si affrettò ad aggiungere: « Questo non scriverlo ».

May spostò lo sguardo su una sagoma incorniciata appesa tra le finestre. Era di carta nera e un po' rudimentale, tagliata con colpi di forbici grossolani. Raffigurava un uomo esile coi capelli pettinati all'indietro e con un naso aquilino, con una chitarra in mano. « È bellissimo. È ancora vivo? »

« No », rispose Laure.

« Cosa gli è successo? »

« Be'... »

May si passò una mano tra i capelli. Era un concentrato di energia, faccia tosta e vulnerabilità. Anche Laure era così, una volta? Sì, e il pensiero la fece sentire bene.

Di solito, a quella domanda, rispondeva sempre: « Non so chi sia. » Quella volta le parole le uscirono di bocca senza volerlo. « Non so dove sia. Vorrei saperlo. »

May Williams avrebbe indagato su quella risposta. Ne era certa.

L'idea continuò a tormentarla per tutto il giorno. Un'unghia affilata aveva fatto breccia nel suo guscio e, quando succedeva, ne era sempre turbata.

Su rue de la Grange aux Belles, Monsieur Becque stava effettuando la solita svendita tardopomeridiana. Invitò Laure a comprare un mango, quattro pomodori e una melanzana per un paio di euro. Non male. Lei pagò, salutò, e proseguì per la sua strada.

Era una tipica, calda serata autunnale europea e i parigini erano stati attirati all'aria aperta. Sebbene fosse ancora giorno, le finestre erano illuminate e i bar e le caffetterie erano pieni di gente. Le ragazze erano sbracciate e, spesso, a schiena scoperta. Le donne indossavano gonne di pelle e tacchi alti, gli uomini pantaloni casual e giubbotti. Andavano a gruppetti verso i canali e le loro conversazioni si mescolavano nell'aria della sera. Qualcuno si era rifugiato su una panchina, con la testa china sul cellulare.

Laure s'incamminò verso nord, controcorrente, diretta alla casa di riposo all'angolo tra rue Martat e rue Louis Capet. In quella sera, in cui la vita in tutte le sue forme si offriva al suo sguardo, stava per andare a trovare qualcuno in punto di morte.

Come il museo, la casa di riposo era uno degli edifici più vecchi del quartiere Saint-Martin. Aveva finestre lunghe e strette, muri di pietra e mattoni, e canali di scolo che facevano pensare a un passato medievale. Era una vista familiare, ma Laure non era mai entrata. Quando lo fece, si ritrovò in un angusto corridoio così tetro e claustrale che le sembrò inadatto a ospitare delle persone anziane.

E tuttavia aveva sentito dire che era un buon posto in cui trascorrere gli ultimi giorni.

« Sono gentili. »

« Capiscono cosa significa essere vecchi. »

All'accettazione le venne incontro la direttrice, Madame Maupin, leggermente spettinata e trafelata, ma con l'aria di una persona concreta. O almeno sembrava. « Mi scusi, stavo aiutando un nuovo ospite a sistemarsi. Non era soddisfatto della posizione del suo letto e abbiamo dovuto spostarlo finché non siamo riusciti ad accontentarlo. » Le porse la mano. « Mi fa piacere che sia venuta. Spero che non le dispiaccia se l'abbiamo contattata. »

« No, affatto. »

Madame Maupin si accorse di avere la gonna macchiata e si lasciò sfuggire un gridolino, poi cercò di ripulirsi. « A Madame Raoul non resta molto da vivere. Ha sentito parlare del museo e vuole fare una donazione. Ho pensato che fosse meglio andare dalla diretta interessata. Sperava di arrivare a compiere i cent'anni. Ma è impossibile sapere cos'ha in serbo per noi il destino. »

« Davvero. » Laure sperò che il suo tono non fosse troppo caustico.

Madame Maupin accompagnò Laure all'ascensore, che le portò all'ultimo piano. Nonostante le finestrelle, il piano era più luminoso degli altri e gli ultimi raggi di sole filtravano dal lato sud dell'edificio.

La stanza di Madame Raoul era piccola e stretta. C'era a malapena spazio per un lettino d'ospedale, ma su un telo bianco in cima a una cassettiera erano disposti con precisione chirurgica le medicine, la sveglia, il rosario e la Bibbia. Accanto al letto c'era una sedia. Quando entrarono nella stanza, la donna appoggiata a una pila di cuscini girò la testa.

Madame Maupin si chinò su di lei, con gentilezza. « Non c'è bisogno di convenevoli, Madame. Dica soltanto quello che si sente. »

Laure si accomodò all'altro lato del letto.

Madame Raoul tenne lo sguardo fisso sulla direttrice. « La federa, Madame. Può portarmela? » chiese con un filo di voce.

Madame Maupin aprì il comò e prese un oggetto avvolto nella carta velina, posandolo sul petto dell'anziana donna. Era una federa quadrata, con gli orli di pizzo, ricamata. Dall'involucro si sprigionarono una nota di lavanda e l'odore stantio della vecchia biancheria inutilizzata caratteristico dei negozi di anticaglie, mescolato all'odore di medicinali e vecchiaia.

Madame Raoul indicò la federa con una mano scheletrica. «L'ho fatta io. Quando avevo diciassette anni e stavo per sposarmi.» Tra una frase e l'altra faceva una pausa per prendere il respiro. «Ci è stato insegnato dalle nostre madri e dalle nostre nonne. Da dove vengo io era una tradizione. Ogni ragazza doveva farlo. Era un simbolo del nostro ruolo di mogli e madri.»

Laure accarezzò il tessuto con un dito. «È meravigliosa.»

L'anziana donna alzò gli occhi a cercare lo sguardo di Madame Maupin. «Quello che sto per dire non le piacerà, *chère* Madame. Non voglio rattristarla.»

«In questo caso tolgo il disturbo.» Madame Maupin accostò la sedia al letto e fece segno a Laure di sedersi. «Si metta comoda, così riuscirà a sentire meglio. Quando ha finito, suoni il campanello.»

Da seduta, Laure aveva il viso all'altezza di Madame Raoul. «Stia tranquilla. Se decide di volerla donare al museo, so già dove metterla. Mi racconti la sua storia.»

Madame Raoul si lasciò sfuggire un sospiro.

Laure appoggiò la borsa sul pavimento e mise le mani in grembo. Se voleva che la conversazione si svolgesse in modo sereno, sapeva di dover rimanere vigile e immobile.

«Essere una donna significa essere la bestia da soma di Dio.»

Laure raddrizzò la schiena. Si aspettava parole di devozione, non iconoclaste.

«Lei è una donna in carriera, e lo sa di sicuro. Io ero una ragazza di campagna che non aveva scelta. Non è mai giunta alla conclusione che, creando la donna, Dio ci abbia giocato uno scherzo tremendo? Lo scherzo di un Dio sadico.» Aveva il respiro affannoso.

Laure le posò una mano sulla spalla, guardando poi l'armamentario devozionale disposto in bell'ordine sul comò. «Vuol dire che non è credente?»

Un altro sospiro. «È per farli stare tranquilli. Il mio odio nei confronti di Dio è insostenibile, per loro. Lo capisco. È difficile. Siamo stati educati a credere, a considerare la fede una chiave appesa al collo. Ci credevo. Dio era il Padre e mi è stato insegnato di obbedire a lui e a mio marito.»

Laure aspettò.

«La fede è una menzogna.»

La fede di Madame Raoul? O tutte le fedi, di qualsiasi forma, anche quella politica?

«Dio si è portato via due dei miei bambini. Non gli è bastata Lucia, si è preso anche Jean. Dio voleva tutto ciò che per me era più prezioso e ha fatto in modo di prenderselo.»

«E suo marito?»

Madame Raoul accarezzò la federa. «Se potesse guardare... se potesse vedere sotto la mia pelle, si accorgerebbe che ci sono lividi e cicatrici causati dall'uomo che aveva promesso di amarmi e onorarmi.» Parlare era uno sforzo enorme e si appisolò.

Laure guardò fuori dalla finestra il cielo farsi sempre più buio. Le persone in punto di morte devono poter esprimere i propri dubbi e dar sfogo alla propria sofferenza, naturalmente. Devono poter formulare domande che, forse, non hanno avuto la forza di fare durante la loro vita.

Madame Raoul si risvegliò e guardò Laure. «Nessuna promessa è stata mantenuta, nella mia vita. Questa federa è un esempio di come vengono tradite le donne.»

«Non tutte, però. Soltanto qualcuna», protestò Laure in tono gentile.

Madame Raoul si rabbuiò.

«Ci siamo appena conosciute, ma non mi piace saperla

così amareggiata. C'è qualcosa che posso dire per aiutarla?»

L'anziana girò la testa dall'altra parte. «Non si preoccupi. Ora che ho detto ciò che volevo dire, sono tranquilla. Non darò più pena a nessuno.»

Le iniziali di Madame Raoul e del marito disegnavano un arabesco sul tessuto. Laure avvolse la federa nella carta velina. «Sembra che non sia mai stata usata.»

«Se guarda più attentamente, vedrà che è sporca di sangue.»

«Di chi?»

«Il mio. Mi sono punta con l'ago. Non sono mai riuscita a toglierlo.»

Laure tornò a casa, immersa nei suoi pensieri. Decise che erano le macchie di sangue, per quanto minuscole, a raccontare la vera storia della federa di Madame Raoul, e non la perfezione di quel tessuto rifilato, lavorato e impreziosito dai ricami.

A casa, Laure fece una doccia, si asciugò e indossò un abito smanicato, raccolse i capelli in uno chignon e prese un taxi per il Marais, dove l'aspettavano degli amici per cena. Durante il tragitto decise d'incorniciare la federa e appenderla nella Sala 7.

Il mattino seguente, prima che uscisse per andare a lavorare, le squillò il cellulare.

Era Madame Maupin. «Volevo soltanto avvisarla che questa notte Madame Raoul si è spenta serenamente nel suo letto.»

«Mi dispiace. Che donna singolare. Non aveva nessun parente? Ho bisogno di sapere a chi restituire la federa, quando sarà il momento.»

«Non aveva nessuno. Ha trascorso molti anni in prigione e la sua famiglia l'ha ripudiata.»

Laure le rivolse la domanda successiva a malincuore. « In prigione per cosa? »

All'altro capo del telefono si udì un sospiro. « Per omicidio. Madame Raoul ha ucciso suo marito. »

4

May aveva fatto un buon lavoro e la settimana seguente arrivò la conferma che *Vanity Fair* le aveva commissionato un servizio. Dopo avere discusso un po', decisero che avrebbe seguito Laure per tre giorni e assistito ai colloqui, a patto che firmasse un documento con cui s'impegnava a garantire l'anonimato dei donatori.

May telefonò per confermare le date e Laure disse che le avrebbe passato Nic per i dettagli.

«Oh, *bene*», disse May.

Con la coda dell'occhio, Laure guardò Nic prendere la telefonata, tutto agitato.

May si presentò puntualissima, con indosso un paio di jeans attillati, un giubbotto di raso nero con un motivo di dalie rosse e il suo zainetto di neoprene. Aveva portato dei caffè da asporto e ne offrì uno a Nic. «Un americano con un goccio di latte, giusto?»

«Giusto.» Il sorriso di Nic era disarmante.

May si girò verso Laure. «Latte macchiato?»

Laure scoppiò a ridere e indicò il giubbotto. «Non avevamo detto che non dovevi dare nell'occhio?»

«Oh, scusa.» May si sfilò il giubbotto e lo mise nello zaino. «Meglio?»

Incredibilmente, quando May si sedette nella stanza dei colloqui, sembrò mimetizzarsi con la parete.

Nic accompagnò Joseph Broad e lo fece accomodare a una scrivania, di fronte a Laure. Era un bell'uomo sulla trentina, di etnia mista, e sembrava profondamente infelice. Aveva un'espressione che Laure aveva imparato a riconoscere, quella di un uomo che non era in pace con se stesso.

Nell'ufficio accanto, Nic era al telefono e i visitatori salivano e scendevano le scale del museo. Nella stanza dei colloqui, però, regnavano la calma e il silenzio. Era voluto.

«Non so perché sono qui. Anzi, sì, lo so.»

Laure conosceva bene anche il conflitto interiore che lacerava le persone, combattute tra il desiderio di parlare e quello di non farlo. «Potrebbe essere utile cominciare dall'inizio», disse lei, in tono gentile. «Faccia con calma, sono qui per ascoltarla.»

Joseph Broad tirò fuori un portafogli dall'aria costosa e ne estrasse un biglietto del treno. Lo lasciò cadere sul tavolo come se scottasse. «Come sa, il mio nome è Joseph Broad, ma dovrebbe essere Joseph Murry.»

Con la coda dell'occhio, Laure vide May sistemarsi sulla sedia. I suoi capelli si confondevano con la parete gialla della stanza.

«Murry è il nome della mia madre biologica, che ho rintracciato.»

Laure restò seduta con le mani in grembo, in attesa.

Joseph Broad abbassò gli occhi e poi guardò Laure.

«Vive in una zona degradata di Nottingham. In un condominio. Sono andato a vedere, prima di contattarla. È stato sconvolgente. Nessuno dovrebbe vivere così. Il contrasto con la mia vita è stato terribile.» Il portafogli, la camicia di sartoria, le scarpe costose lo confermavano.

Laure aspettò che si ricomponesse. L'esperienza le aveva insegnato che il silenzio era molto potente, come una spugna che assorbiva tutto il dolore. Spesso, quando decidevano di fare quel passo, i donatori pensavano che qualunque cosa li avesse spinti a venire da lei fosse stata imbrigliata e domata.

Sapevano cosa avrebbero detto. Parola per parola. Si erano preparati il discorso. Sapevano quello che provavano.

Soltanto che non era così. Quando si arrivava al punto, molto spesso i serbatoi di dolore e angoscia tracimavano e spazzavano via le buone intenzioni.

Laure gli rivolse un sorriso d'incoraggiamento.

« L'ho cercata. Abbiamo parlato al telefono. Mi ha detto che all'epoca non poteva tenermi con sé. Aveva toccato il fondo e pensava che se mi avesse dato in adozione mi avrebbe garantito una vita migliore. »

Si alzò e andò alla finestra, in preda all'angoscia: sarebbe stato sorpreso di apprendere che era una reazione molto comune.

Lo starnuto di May ruppe il silenzio. « Scusate, scusate. » Prese un fazzoletto e si soffiò il naso.

« Conosce Parigi? » gli chiese Laure.

Joseph tornò a sedersi. « Soltanto le attrazioni principali. Vengo spesso per lavoro, ma vedo soprattutto camere d'albergo. »

« Non le dispiace lasciare la sua storia a una città che le è estranea? »

« Dovrebbe? »

« Vale la pena chiederselo. » Laure aprì il fascicolo su Joseph Broad che aveva preparato Nic. « Potrebbe essere collegato al motivo per cui vuole fare la donazione e al motivo per cui ha deciso di cercare sua madre. »

Joseph Broad sbiancò. « È stata una sensazione, tutto qui. E va bene, ho fatto un sogno in cui ero senza gambe. Ho avuto una notte difficile, ma il sogno ha continuato a tormentarmi per settimane. Quando ne ho parlato con la mia compagna, Paula, mi ha detto che è perché non ho radici. » Si sforzò di ridere. « Le ho detto che la sua era psicologia da quattro soldi. »

« Posso fare un'osservazione banale? Il fatto che sia r

noico non significa che non ci sia qualcuno che la sta spiando. Paula potrebbe avere ragione.»

Joseph si prese una decina di secondi per metabolizzare il suggerimento. «Sono stato adottato quando avevo sei settimane e ho vissuto nel Surrey, con persone buone e gentili. Mi hanno trattato bene e gli ho voluto bene, ma ho sempre sentito questa disperazione e non ho mai capito perché. Sempre. Da quando sono morti ho sentito il bisogno di scoprire chi fossi. Ho pagato un investigatore per fare le ricerche preliminari e ha individuato mia madre e l'agenzia che mi ha messo in adozione. Poi l'ho contattata e abbiamo parlato al telefono.»

«È andato tutto bene?»

«Sì.» Joseph non stava dicendo la verità che, probabilmente, a quel punto era troppo difficile da reggere.

Non era compito di Laure indagare. May tirò fuori il portatile dallo zainetto e Laure le lanciò un'occhiata di avvertimento.

«Il biglietto?»

Joseph s'irrigidì. «Mi ha promesso di venire a Londra. Le ho offerto un'auto, ma non ne ha voluto sapere. Abbiamo deciso che sarebbe venuta in treno e le ho mandato il biglietto per Londra.» Spinse il biglietto verso Laure. «Questo è il ritorno. Prima classe.»

Laure e May non fiatarono. Il finale della storia era prevedibile: e trasudava tristezza.

«Mi ha promesso che sarebbe venuta. Me l'ha *promesso*.» Guardò un punto dietro le spalle di Laure. «Non riesco a dimenticare la sua gioia, quando l'ho chiamata. Mi ha detto che non aveva mai smesso di pensare a me, sebbene mi avesse dato in adozione. Mi ha detto che il mio nome non era Joseph, ma Barney, come mio nonno. Le ho detto che poteva chiamarmi così.»

Nella stanza calò il silenzio.

« E lei cosa le ha risposto? »

Mosse le labbra, ma non uscì nessun suono. Ci provò di nuovo, però le parole erano sfuggenti, inafferrabili. « Le ho detto che volevo tanto conoscerla. »

Laure abbassò lo sguardo sul fascicolo. La sua capacità di restare impermeabile alla sofferenza altrui non era ancora perfetta.

Joseph guardò fuori dalla finestra. Poi il pavimento. Poi unì le mani curate e le posò in grembo. « Ho aspettato tre treni. Niente. » Aveva gli occhi lucidi. « Pensavo che... »

« Sarebbe stata curiosa di vedere a cosa aveva rinunciato? »

May tossì e Laure le lanciò un'altra occhiataccia, poi sistemò il fascicolo di Joseph Broad. « Ho parlato con molte persone che si sono comportate così e so che... Ho capito che il senso di colpa e il rimpianto sono pesi difficilissimi da portare. Ci vuole coraggio per farsene carico e a volte le persone non riescono a trovare la forza per farlo. Sono troppo ferite. O logorate. Non sono una psicologa, soltanto un'osservatrice esterna, ma vorrei che prendesse in considerazione la possibilità che sua madre abbia semplicemente bisogno di altro tempo. »

« Forse. Io no, invece. » Tra un'affermazione e l'altra, il suo volto s'indurì per la rabbia.

Laure prese una decisione. « Tre cose. Le offriamo la possibilità di mettere l'oggetto nella vetrina. Alcuni donatori lo considerano una parte importante della procedura. In secondo luogo, le chiediamo di descrivere il motivo per cui si trova nel nostro museo. Infine deve indicarci cosa fare dell'oggetto, quando il suo tempo qui sarà terminato. »

« Scrivete: 'Sono tuo figlio e non mi hai voluto incontrare'. Potete metterlo dove volete. Io parto stasera. »

« È sicuro? »

« Sicurissimo. » Aveva le lacrime agli occhi. In quella risposta era racchiuso tutto il senso di fallimento di Joseph, qualcosa cui evidentemente non era abituato. La sua rabbia e la sua confusione erano dolorose per lui e dolorose da guardare.

May cambiò di nuovo posizione, a disagio.

Joseph porse il biglietto del treno a Laure, che lo prese. Non conteneva nessuna delle emozioni che il suo donatore aveva cercato di mascherare.

Nic accompagnò Joseph Broad al piano di sotto e quando tornò riferì che, prima di andarsene, il donatore aveva lasciato una generosa somma di denaro nella cassetta delle offerte.

«Poveretto. Però gli ha fatto bene venire qui. Non pensate?» chiese May.

Né Nic né Laure risposero.

«Non ci sono mai momenti in cui tutto questo vi turba e vi risucchia le energie?»

Non che Laure ne avesse mai dubitato, però May era davvero perspicace.

Nic guardò May e fu lui a rispondere. «A volte.»

Laure infilò il biglietto ferroviario in una busta di plastica e lo catalogò col nome *Joseph Broad/Murry* e con la data.

May aveva le dita sulla tastiera del suo portatile. «Ricevete molti commenti?»

«Sì, molti. Posso farti vedere, se vuoi», disse Nic.

I commenti dei visitatori erano scrupolosamente conservati negli archivi. *Visitare il museo mi ha purificato*, aveva scritto una persona. *Ora sono in grado di affrontare me stesso*, aveva scritto qualcun altro. Prima di andarsene, quella sera, Laure fece il solito giro, passando da una sala all'altra per controllare che fosse tutto al suo posto.

Suo fratello Charlie la prendeva sempre in giro, dicendole che aveva i geni di Florence Nightingale.

Forse era vero.

Conoscere se stessi era un compito enorme, un percorso in salita. E non finiva mai.

«Ottima risposta, ma io e te siamo più frammentari della maggior parte di quelli che conosciamo», aveva risposto Charlie.

A eccezione delle risate che provenivano dall'ufficio al piano di sopra, dove si erano rintanati Nic e May, il silenzio era rotto soltanto dal ticchettio dell'orologio e da quello dei suoi tacchi sulle assi del pavimento.

Stranamente titubante, si fermò sulla soglia della Sala 3. Dove doveva mettere il biglietto ferroviario di Joseph Broad? Accanto alla bambola col volto sfasciato? Insieme con la scatola di fiammiferi col dentino da latte? Erano tutti legati da un filo conduttore, come aveva intuito velocemente anche May. La rabbia di Jamie e la disperazione infantile di Joseph si alimentavano entrambe del tradimento da parte di un adulto.

Il pavimento della sala era sconnesso ed era stato necessario puntellare una gamba della vetrina all'interno della quale era esposto il biglietto ferroviario cecoslovacco. Sotto, c'era una didascalia che indicava la data, il luogo in cui era stato emesso e la sua destinazione. Era scritta in inglese, francese e ceco: *Biglietto ferroviario per la linea usata negli anni '80 dalle persone che scappavano in Austria dalla Cecoslovacchia. Era la via di fuga preferita da coloro che fuggivano dal regime. Molti non ce la fecero.*

I primi tempi, c'erano stati visitatori curiosi di conoscere la sua storia e Laure aveva raccontato dei dissidenti dell'Europa dell'Est che erano stati catturati dai cani o dalle guardie al confine con l'Austria: narrazioni di fughe, paura e incertezza. Quando le avevano chiesto in che modo quel biglietto rappresentasse una promessa infranta, aveva risposto: «Non mi è permesso scendere nei particolari». Aveva dato così adito a nuove supposizioni.

A mano a mano che il museo s'ingrandiva e si riempiva di oggetti, l'interesse per il biglietto si era affievolito, ma lei ci si era aggrappata più a lungo del dovuto.

Aprì la vetrina e prese la cornice di legno grezzo, che aveva scelto perché Tomas amava la foresta.

La tenne stretta al petto.

5

Praga, 1986

Mio Dio, che grigiore. Laure vedeva la città per la prima volta dai finestrini della limousine mandata all'aeroporto a prendere la famiglia Kobes. Così diversa dalla Parigi multicolore che conosceva bene. O dallo Yorkshire verde e marrone della sua infanzia.

Nei giorni seguenti, cambiò opinione. Il colore c'era eccome, a cercarlo bene. Illuminava le pietre barocche di Hradčany, l'enorme castello che incombeva sulla città e che vedeva dall'appartamento dei suoi datori di lavoro a Malá Strana, il quartiere degli stranieri. Più avanti imparò a riconoscere lo scaltro scintillio della Moldava, che separava Malá Strana dal dedalo di stradine di Staré Město, la città vecchia, e il rigoglio estivo della collina di Letná.

Non era una città sexy come Parigi. E tuttavia aveva un alone profondo e misterioso che nemmeno il sole estivo dissipava. Sepolta nel suo cuore c'era una storia di conversioni, persecuzioni, demoni e musica. Era un luogo ammaliante e infestato, con un passato disseminato di paradossi.

Sulla guida della città di cui si era munita, per esempio, c'era scritto: «Un tempo centro nevralgico del Sacro Romano Impero, Praga è una capitale protestante con una meravigliosa cattedrale cattolica.»

Petr Kobes, il suo datore di lavoro, le aveva raccontato che i cechi chiamavano la loro città *matička*, «la piccola madre». Poi, col suo sorriso affascinante, aveva aggiunto che uno dei suoi scrittori più famosi, Kafka, aveva scritto: «Questa piccola madre ha gli artigli.»

A Staré Město, un paio di ubriachi erano appoggiati a una porta borchiata. Lungo la strada, un altro era accasciato su una panchina, con una bottiglia vuota di Becherovka che rotolava triste ai suoi piedi.

Si sentiva puzza d'alcol. Niente di nuovo, pensò Laure. Sulla strada di casa, gli ubriachi erano sempre presenti.

«Gli inglesi sono tutti alcolizzati.» Era stata sua madre, una francese bellissima ma arrogante, a dirglielo. Laure le aveva fatto presente che anche Parigi era piena di ubriaconi, ma sua madre aveva una risposta anche per quello: «I parigini hanno più stile».

Quei tre sembravano particolarmente depressi e abbattuti, però. Non la degnarono di un'occhiata, mentre gli passava accanto coi bambini.

Durante la sua ramanzina su Praga, Petr l'aveva messa in guardia. «Gli ubriaconi ti strapperanno le unghie, se pensano di poterle vendere per comprare della Slivovice.»

La solita storia, pensò. Poi prese per mano Jan e Maria e affrettò il passo.

Eppure non era la solita storia. Molte cose le erano estranee, ed era proprio quello il problema. Conoscere nuove realtà, assorbirle, avrebbe dovuto farle superare lo shock della morte del padre. Era crollata a metà del primo anno di università, così sua madre l'aveva spedita a Parigi.

«La mia città ti guarirà. Potrai riprendere l'università quando starai meglio», aveva detto.

Laure aveva opposto resistenza. Prima della morte del padre, non aveva la più pallida idea di cosa significasse la parola «lutto». Cosa comportasse. Come funzionasse. Non sapeva niente di ciò che si nascondeva nelle sue pieghe più profonde. Non sapeva niente della sua ostinata capacità di trascinarti a fondo. Voleva, *doveva* scaricare quella sofferenza su sua madre, fare in modo che se ne assumesse la responsabilità.

Sua madre era più saggia. «Andare via ti farà bene, vedrai. Questa esperienza ti arricchirà proprio perché sei così triste. Riflettici.»

«Dove stiamo andando?» le chiese Jan in quel momento.

Laure gli posò la mano sulla spalla. «Nella piazza della città vecchia. Spero che sia la strada giusta.»

Sua madre aveva ragione. Praga non era casa sua, non le era concesso crollare, lì. E nemmeno a Parigi, dove aveva incontrato i Kobes la prima volta. L'esilio era *davvero* terapeutico.

Nella Parigi dei suoi ricordi d'infanzia, Laure non si era sentita un'estranea, né aveva sofferto un solo istante di nostalgia. Non era cambiato niente, quand'era scesa dal traghetto, aveva preso il treno e si era ritrovata su una banchina cosparsa di mozziconi di sigaretta alla Gare du Nord. Parigi aveva un odore unico al mondo e, quando Laure lo aveva inspirato a pieni polmoni, aveva sentito l'oscurità degli ultimi mesi incominciare a rischiararsi. Tre settimane dopo, era in viaggio per Praga insieme coi Kobes.

Faceva un gran caldo. Non era abituata al clima continentale. Estati roventi, inverni gelidi, come ricordava dalle vecchie lezioni di geografia. Ma, inaspettatamente, scoprì che le piaceva. Amava il calore emanato dalle cancellate di ferro, che si diffondeva sulla pelle, e il sudore tra le scapole. Le piaceva che il sole sfacciato si stagliasse contro l'azzurro intenso del cielo, facendola ripensare al libro sui dipinti medievali che le aveva mostrato Miss Boyt, quell'inguaribile ottimista. «Non smetterò mai di cercare di civilizzarvi. Soprattutto te, Laure Carlyle. Con una madre francese, dovresti sapere tutte queste cose.»

La logica di Miss Boyt le sfuggiva. E tuttavia, ogni tanto, Laure sfogliava i libri, imparava qualcosa e ne era sempre più soddisfatta.

Ed eccola lì.

Se a lei il caldo piaceva, i bambini non potevano dire lo stesso. Maria, di dieci anni, e Jan, di undici, erano appiccicaticci, a disagio e di pessimo umore. D'altra parte, non aveva senso tornare a casa, dal momento che Eva aveva dato precise istruzioni di non rientrare prima delle cinque. Un certo distacco dai suoi figli sembrava essere il suo *modus vivendi*. Abituata all'attenzione totalizzante della propria madre, Laure si chiedeva se fosse normale.

Non aveva ancora deciso. Sì, occuparsi di due bambini non era certo facile come aveva ingenuamente immaginato, ma c'erano anche dei vantaggi inaspettati, pensò, rivolgendo il viso al sole. Non avrebbe mai pensato che i bambini fossero tanto divertenti. Né che avrebbe provato un tale istinto di protezione nei loro confronti.

«Oh, *mees* Laure, la mamma ha detto che devi portarci a mangiare il gelato...» Jan si era rivelato un bambino molto scaltro e Laure doveva sempre tenere gli occhi aperti.

Maria era più misurata, riflessiva e sensibile. Erano quasi coetanei e in continua competizione, e non andavano d'accordo.

Il francese di Laure era quasi impeccabile – e i bambini dei Kobes lo parlavano benissimo –, ma padroneggiare la lingua e la moneta ceche era un altro paio di maniche. Laure si chinò a sistemare il cappello di Maria. «Ora andiamo a cercarlo. Però dovrai ordinarlo tu, Jan.»

Stavano percorrendo il ponte Carlo, che attraversava il fiume tra Malá Strana e Staré Město, fermandosi ogni tanto a osservare le statue, molte delle quali portavano ancora i segni dei bombardamenti della seconda guerra mondiale. Sotto, le acque grigio-verdi della Moldava scorrevano verso il mare. Sulla guida, Laure aveva letto che nel XIV secolo un santo era stato scaraventato nel fiume proprio da quel ponte. Sicuramente a causa delle sue convinzioni, sebbene avesse giurato fedeltà a re Venceslao, che aveva ordinato di giustiziarlo. A Laure quella storia aveva ricordato le rigorose idee politiche del padre: riporre la propria fiducia nei principi non funziona mai.

Dal ponte, una strada portava direttamente alla piazza della città vecchia, dove, per sua fortuna, c'era qualche negozio. Entrò in un paio, trovandoli cupi e poco riforniti. Nel terzo c'era un cartello a grandi caratteri neri che diceva: *Lavoratori di tutto il mondo, unitevi*. Nel quarto, da una stanza sul retro proveniva odore di disinfettante.

Non c'era gelato da nessuna parte.

I bambini stavano diventando sempre più indisciplinati e Laure si chiese che Paese fosse, uno che non poteva offrire un gelato in un'estate rovente. Che fosse un cibo capitalista? O ai cecoslovacchi non importava?

Sembrava che esistessero strane regole, in quel Paese, e la principale era la seguente: se c'è richiesta, eliminiamo l'offerta.

Maria tirò Laure per un braccio, piagnucolando per il caldo e la stanchezza.

Jan parlò a nome di entrambi. « Laure, vogliamo andare a casa. »

Era sicura che Jan intendesse il comodo appartamento vicino a Neuilly, a Parigi, in cui i Kobes avevano vissuto, ospiti della ditta per cui lavorava Petr. Non quello vicino alla chiesa di San Nicola, a Malá Strana, in cui la famiglia si era stabilita per l'estate.

I Kobes erano cechi. Non *slovacchi* – Eva aveva puntualizzato la differenza, quando le aveva fatto il colloquio al telefono – e negli ultimi cinque anni avevano vissuto a Parigi. «Mio marito lavora per un'azienda farmaceutica e viaggia di continuo. Ho bisogno di qualcuno che mi aiuti coi bambini, soprattutto perché abbiamo in programma di passare buona parte dell'estate a Praga. Torneremo a Parigi in autunno.» Parlava così velocemente che Laure faceva fatica a seguirla. Aveva fatto una pausa e aveva aggiunto una cosa, che Laure aveva trovato curiosa: «*Dobbiamo* tornare a Parigi in autunno».

Eva aveva elencato con precisione i requisiti che pretendeva, tra cui un francese fluente. I termini dell'assunzione erano specificati in una lettera su carta intestata a Petr Kobes, direttore delle esportazioni, Potio Pharma. Tra le richieste, c'era anche quella di non mettere lo smalto.

E quindi niente smalto.

Eva era bionda, slavata e incline a rimuginare in silenzio. Da quand'era tornata a Praga, sembrava anche distratta e angosciata. Laure non aveva elementi per capirne il motivo, e l'unica ipotesi che poteva fare era che forse Eva era concentrata su qualche pensiero distante dalla vita di tutti i giorni, di cui non aveva mai avuto esperienza. Fino a quel momento.

Suo marito era l'opposto. Alto, con lineamenti regolari ed espressivi occhi castani, indossava con disinvoltura eleganti abiti francesi, sfoggiava un taglio di capelli dall'aria costosa e usava il dopobarba. Era garbato e sembrava sinceramente contento di avere assunto Laure.

«A Parigi siamo comunisti in un Paese capitalista e dobbiamo stare attenti. Ma, quando veniamo a Praga, siete *voi* che dovete fare attenzione. Siete voi, gli stranieri. Abbiamo dovuto richiedere un permesso speciale per farti venire qui», aveva spiegato Eva.

A giudicare dal modo in cui i Kobes erano stati trattati al loro arrivo a Praga, Petr doveva essere una persona importante nel suo Paese. Laure aveva capito subito che alcuni comunisti erano più uguali degli altri. Erano stati scortati verso un'uscita speciale, dove li aspettava un'auto nera scintillante. Laure si era accomodata sul sedile in pelle e aveva visto che il volante sembrava di avorio.

Nessuno di quei ricordi le avrebbe fatto trovare un gelato, però.

«*J'ai envie d'une glace...*» disse Jan.

Maria la prese per mano. «Pipì...»

«Resistete, ora lo cerchiamo.»

Su un lato della piazza si ergeva una fila di vecchi palazzi, dietro i quali si stagliava una chiesa dalle guglie fiabesche. Era una vista mozzafiato e Laure rimpianse di non essere da sola per apprezzarla con calma.

Chissà come sarebbe stato entrare nel fresco dell'interno e salire in cima alle torri, come un principe alla ricerca della Bella Addormentata.

Maria incominciò a piangere e Laure si chinò ad asciugare le lacrime sul suo visino bollente. «Non preoccuparti, ora troviamo un posto in cui andare.» Portò i bambini verso il monumento che dominava la piazza, dedicato a Jan Hus, come aveva letto nella guida della città.

Era grande. Troppo, pensò. E aveva bisogno di un bel restauro. «Un simbolo della ribellione contro i regimi oppressivi», c'era scritto sulla guida. Comunque fosse, le persone sedute sui gradini si comportavano in modo strano. Sembrava che ci fosse una staffetta in corso. Una persona si sedeva, restava immobile per un minuto, poi si alzava. Poi la persona veniva sostituita e la procedura si ripeteva, come in una rotazione segreta.

Fece sedere Jan e Maria sui gradini, guardando l'orologio mentre pensava a cosa fare. Erano soltanto le tre. Disperata, e con una certa difficoltà, comprò una confezione di caramelle in un negozio poco distante e le diede ai bambini, sperando di distrarli. Avevano uno strano colore e non sapevano di niente.

«Guarda.» Jan indicò una porta ad arco sorvegliata da una strega di legno dal naso adunco a grandezza naturale. Sopra c'era un'insegna col disegno di una marionetta in costume da Pierrot e con la scritta MARIONETY.

Laure tirò un sospiro di sollievo. «Vi piacciono le marionette?»

Dopo contrattazioni estenuanti alla biglietteria e una sosta al bagno, furono fatti accomodare all'interno con un'altra decina di adulti e bambini.

La sala aveva una settantina di posti a sedere e in origine doveva fare parte di un'abitazione privata, poiché le tracce del suo antico splendore erano ancora visibili nei cornicioni. Una fila di panche era disposta davanti a un palco soprelevato, protetto da tende giallo acceso su cui erano dipinti una falce e un martello.

Alle pareti erano appese ampie strisce di tessuto nero. Negli spazi tra l'una e l'altra, c'erano diverse sagome di carta nera su sfondo bianco. Una raffigurava una ragazza con una coda di cavallo. Un'altra era una testa maschile coi capelli pettinati all'indietro. Poi c'era una scena incantevole con una carrozza trainata da cavalli in una notte stellata. Un demone si stagliava minaccioso su una ragazza con una cascata di capelli.

Dentro la sala c'era un caldo umido e soffocante, di quelli che penetrano in ogni molecola del corpo. Una porta spalancata conduceva in un giardino.

Maria e Jan si erano ammutoliti. La bambina prese Laure per mano, cogliendola di sorpresa.

Lei le accarezzò le dita. «Manca poco.»

Una ragazza vestita di nero dalla testa ai piedi coi capelli nascosti da una fascia tirò una tenda sulla porta, poi si spensero le luci. Dietro le quinte si levarono le note di una melodia popolare.

Le tende si aprirono sul palco, rivelando uno sfondo nero illuminato da un'unica lampadina. I bambini si mossero come spighe di grano al vento.

Dopo qualche minuto, Laure capì che stava guardando una versione della *Bella Addormentata* in cui la Fata madrina portava una tuta da lavoro e un fazzoletto in testa. La Fata cattiva era un uomo e indossava un completo gessato e una bombetta di cartapesta.

Jan scoppiò a ridere. «Che divertente.»

Col passare dei minuti, Laure capì quali fossero le intenzioni del racconto. Il re e la regina erano aristocratici esigenti, i cortigiani erano stupidi e pigri e la principessa Aurora era viziata e trattava malissimo la balia. E tuttavia, quando si punse il dito, si lasciò sfuggire un grido molto convincente. Accusati di trascuratezza, i genitori furono trascinati in prigione prima che i cortigiani si addormentassero.

Se la storia aveva preso una piega diversa rispetto all'originale, le marionette erano magnifiche. Dopo un'iniziale resistenza, Laure si arrese e rise insieme col resto del pubblico.

Durante l'intervallo, si assicurò che i bambini andassero in bagno. Quando tornarono, i loro posti erano stati occupati e gli unici liberi erano quelli accanto alla porta che conduceva al giardino. Prima che riuscisse a fermarlo, Jan uscì e lei gli corse dietro.

Il giardino era soltanto un rettangolo di modeste dimensioni, incastrato fra due aree verdi più grandi. Il sole lo illuminava soltanto in parte, ma era evidente che a prendersene cura era qualcuno col pollice verde. Le piante si arrampicavano su per i muri. In un paio di pattumiere arrugginite erano stati piantati gerani rossi ed erbe ornamentali. Le clematidi spuntavano dalla ringhiera che divideva il giardino da quelli vicini. Al centro c'era una bellissima meridiana dall'aria antica, collocata su un pilastro scolpito con un motivo floreale. Sulla panchina contro il muro posteriore era seduto un uomo intento a fumare una sigaretta.

Laure lo guardò a malapena, perché era impegnata a convincere Jan a tornare al suo posto. Quando spensero le luci e l'uomo tornò in sala, tuttavia, lo notò.

Indossava un panciotto a righe con dei bottoni in osso che aveva visto giorni migliori ed era giovane, scompigliato, sexy. Indicò il posto accanto a lei. «Posso?»

Laure annuì e si girò verso Jan, che stava tormentando la sorella. «Smettila.» In un momento di confusione, aveva parlato in inglese e si era accorta che l'estraneo le aveva rivolto uno sguardo tagliente. Si corresse subito: «*Arrête*».

Il secondo atto cominciò con una famiglia di contadini che lavoravano duramente nei campi, cantando una canzone allegra. Madre e padre erano insignificanti, con la loro tuta da lavoro color sabbia. Per contro, il figlio aveva lucidi capelli corvini, occhi neri, una bocca delicata, pantaloni blu e una camicia a quadri rossa.

Alla famiglia si unirono gli abitanti del villaggio che – a differenza dei pigri cortigiani – si misero a lavorare. L'uomo col panciotto bisbigliò all'orecchio di Laure in un inglese fluente, ma con l'accento straniero: «Nel caso t'interessi, la canzone parla di quanto sia bello lavorare».

«Magnifico. Cosa c'entra però con *La Bella Addormentata*?»

Il buio rendeva quella conversazione stranamente intima.

«Ci fa capire che non sono aristocratici corrotti. Inoltre i due genitori sono fortunati, perché il loro bellissimo figlio li aiuta nei campi e li tiene su di morale.»

Diceva sul serio? I Kobes l'avevano messa in guardia su quelle cose. Guardò i bambini e decise che era meglio non rischiare. Maria stava masticando una ciocca di capelli e Jan guardava il palcoscenico, rapito. Da quand'era arrivata in quel Paese era sempre più consapevole della propria ignoranza, ma di una cosa era certa: doveva fare attenzione.

Sul palco ci fu una pausa e il sipario si chiuse, però le luci restarono spente.

L'uomo si avvicinò e Laure sentì odore di tabacco, sudore e una nota di lavanda. «Il ragazzo crede nel potere del lavoro collettivo e nella bontà dello Stato.»

Avrebbe voluto rispondere: *Oh, quella favola*. Ma si trattenne.

«Non preoccuparti, è la musica che importa, non le parole.» Parlava un inglese *eccellente*. «Mi chiamo Tomas», le disse in un orecchio.

Lei sentì il calore del suo corpo, il suo respiro sulla guancia, e rispose prima di riuscire a impedirselo. «Io sono Laure.»

Calò il silenzio, come se ognuno di loro riflettesse su quella nuova informazione.

Maria aveva il naso che le colava e Laure cercò un fazzoletto nella borsa. «Non è divertente?» disse in francese. La vicinanza del suo corpo era snervante, e Laure disse la prima cosa che le venne in mente. «Il colore di quel sipario è terribile.»

«I mendicanti non possono scegliere, in questo Paese.»

Si scostò, lasciando uno spazio vuoto tra loro, e Laure si rese conto che la cosa non le andava a genio. Con la coda dell'occhio, guardò Tomas. Oltre al panciotto, indossava un paio di jeans malconci e una maglietta logora. «Mi dispiace.»

«Figurati.» Le rivolse un sorriso e, all'improvviso, una nuova complicità s'instaurò tra loro.

Laure attirò Maria a sé. Aveva bisogno di abbracciare qualcuno – un bambino, un amante –, sentirlo e fare in modo di essere sentita. Stringere a sé una persona, essere stretti in un abbraccio, era la dimostrazione che si era vivi. Si era sentita una cosa muta e fredda per troppo tempo.

Maria appoggiò la testa sul petto di Laure.

Tomas s'indicò le gambe. « La puoi far sdraiare, se vuoi. »

Il sipario si riaprì e Jan si alzò. Dietro le quinte si levarono le note di una marcia, mentre il bel contadino si metteva alla ricerca della principessa, dopo avere stretto amicizia con un orso nero che lo aiutò ad aprirsi un varco tra i rovi. Alla fine trovò la principessa Aurora priva di sensi. Tra un dondolio di fili e giunture di legno cigolante, s'inginocchiò a baciarla. Un bambino in prima fila urlò estasiato. Maria si mise seduta.

Un ricordo riaffiorò nella mente di Laure, così sgradito da farle chiudere gli occhi. Era Rob Dance, vestito di nero dalla testa ai piedi, nel suo appartamento di Brympton. Riusciva a vedere ogni dettaglio: cenere di tabacco che cadeva a terra, cartine di sigarette su ogni superficie, foto attaccate alle pareti come squame.

Il primo amore andava archiviato il più in fretta possibile. Laure lo aveva letto da qualche parte e ci aveva provato. Ma le ci era voluto molto tempo.

Quando il principe contadino baciò Aurora, la principessa si svegliò e le loro ombre si fusero insieme sul fondale alle loro spalle.

Nonostante il caldo soffocante, Laure stava sudando freddo. Rob aveva preso la sua verginità. In modo rapido. Indifferente. Come se fosse un dovere. Dopo, delusa, si era infilata i jeans e lo aveva guardato allacciarsi la cintura.

« Devi andare. Ci vediamo », le aveva detto.

Sul finale, Tomas mise Maria in piedi sulla panca e la bambina saltellò tutta contenta. Il pubblico applaudiva rumorosamente e Laure si lasciò trascinare.

Tomas si scostò una ciocca di capelli bagnati dalla fronte. « Sono contento che i ragazzi della compagnia ti siano piaciuti. Hanno un futuro brillante davanti a sé. » Guardò

Laure e le sorrise. «Ora posso dirgli che ci siamo esibiti davanti a un pubblico internazionale.»

«Scegli tu. Sono mezza francese e mezza inglese.»

Lui inclinò la testa e la guardò con attenzione. «Una francese sexy o un'inglese piena di buonsenso? Dovrò pensarci bene. Ti farò sapere.»

Lei gli rivolse un gran sorriso.

Tomas sollevò un braccio, cui si era appiccicata una caramella succhiata a metà. «E questa *cos'è*?»

«Oh, Dio, scusami. Uno dei bambini deve averla sputata.» Laure avvolse la caramella in un angolo del fazzoletto e gli pulì il braccio. «Non siamo riusciti a trovare del gelato», si giustificò.

Tomas sembrò comprensivo.

I burattinai – due uomini e la ragazza in nero – fecero l'inchino. Quest'ultima vide Tomas e lo salutò. Lui si alzò in piedi e Laure constatò che era poco più alto di lei e molto magro. Fragile, persino. Salì sul palco con gli altri, li prese per mano e tutti e quattro fecero un altro inchino, mentre il pubblico continuava ad applaudire.

Più avanti, si disse che era stato soltanto un caso, se lui si era girato e l'aveva guardata.

La piazza di Malá Strana era dominata dalla chiesa settecentesca di San Nicola, costruita dai gesuiti per resistere alla diffusione del protestantesimo, o così almeno diceva la guida. A giudicare dalle dimensioni, dall'enorme cupola verde e dalle decorazioni interne, era una potente controffensiva di oro scintillante, pilastri, affreschi e arcate sinuose.

San Nicola divideva in due la piazza che saliva verso il castello. Un antico palazzo ne occupava tutto il lato occidentale e una serie di ampie arcate ne disegnava quello meridionale. L'appartamento dei Kobes era nascosto dentro un cortile e si sviluppava su due piani di stanze ariose e piene di luce.

La prima cosa che aveva colpito Laure quand'era arrivata erano stati i pavimenti di legno, meravigliosi e raffinati, ma anche macchiati e rovinati dal sole. Avrebbero dovuto tenerli meglio. Poi aveva notato le crepe sui muri, che, in un paio di stanze, avevano un aspetto preoccupante.

Nella camera da letto che le avevano assegnato, nel sottotetto, il sole aveva fatto i danni peggiori e il pavimento sotto la finestra era scolorito. Ma la vista era spettacolare: tetti, scorci del ponte Carlo e, in lontananza, le torri e le guglie della città vecchia.

Quella sera lei e i Kobes cenarono insieme, come accadeva di tanto in tanto. Erano nel soggiorno, le cui finestre offrivano una vista insolita sulla chiesa e sul castello soprastante. Erano seduti su orribili sedie di plastica e mangiavano pasta in piatti di porcellana, bevendo limonata da bicchieri di cristallo di Boemia.

Eva aveva servito a Laure una porzione enorme di pasta, che lei non sarebbe mai riuscita a finire. Posò la forchetta. «Fa sempre così caldo a Praga?»

«No.» C'era una nota tremula nella voce di Eva.

Petr guardò la moglie. «D'estate sì.»

Laure guardò gli stucchi scrostati sulle doppie porte. Dovevano essere originali e raffiguravano un cervo che lottava con un orso. «È un appartamento bellissimo. Sapete chi ci abitava prima?»

Petr prese una forchettata di ragù denso. «Perché lo vuoi sapere?»

Le aveva rivolto la domanda in modo garbato, ma Laure percepì qualcosa di non detto. Cos'era? Non lo sapeva. «Ero soltanto curiosa.»

Eva si ravviò i capelli, raccolti in uno chignon malriuscito. Aveva un aspetto meno elegante di quand'era a Parigi.

« Ci ha vissuto una famiglia per molte generazioni, ma sono fuggiti tutti durante la guerra. Come molte altre persone. Se ne sono andati lasciando qui i loro averi. In seguito, la Potio Pharma ha comprato questo palazzo e altri edifici, con l'intenzione di trasformarli in alloggi per i suoi dipendenti. » Si voltò verso Petr. « È giusto, tesoro? »

« Giusto. » Petr guardò Laure dritto negli occhi.

Lei ebbe la sensazione che la stessero esaminando di nuovo, in modo freddo e chirurgico, e si sentì a disagio.

Poi l'uomo le sorrise nel solito modo amichevole e cambiò tutto. « Come sono stati i bambini, oggi? »

« Li ho portati a vedere le marionette nella piazza della città vecchia. Ci siamo divertiti. C'era *La Bella Addormentata*. »

Eva bevve un sorso d'acqua. « È la compagnia legata a quel gruppo? Gli Anatomie? »

« Forse », disse Petr.

« Anatomie? » chiese Laure.

« Un gruppo rock. Sono molto famosi. Eva è andata a sentirli e si è innamorata del cantante. »

« Petr, non è vero. »

Gli occhi di lui brillarono quando sorrise. « Invece sì. »

Eva sembrò spaventata. « Fa' attenzione a quello che dici. »

Laure doveva avere un'espressione confusa, così Petr le spiegò che i cantanti rock erano considerati degenerati e sovversivi. « È imprudente frequentarli. »

Eva guardò fuori dalla finestra, poi scoppiò a ridere in modo sgradevole, come una pazza.

« Eva, sei stanca. Perché non vai a fare un bel bagno? » la invitò Petr, alzandosi.

« Non voglio. »

« Insisto », disse, accompagnandola fuori dalla stanza.

Dopo avere lavato i piatti, Laure andò nella sua stanza a leggere. Sentiva i suoi datori di lavoro parlare piano nella stanza di fronte. A un certo punto udì delle voci e dei passi in corridoio. Poi le sembrò di sentire Eva gridare. Le porte di legno non erano esattamente insonorizzate. Si chiese se Eva indossasse una di quelle camicie da notte francesi che Laure aveva il compito di lavare e che erano molto più raffinate di qualsiasi cosa lei o sua madre avessero mai posseduto.

Poco dopo uscì in corridoio, diretta in bagno. La porta di Petr ed Eva era socchiusa e Laure non resistette alla tentazione di sbirciare all'interno.

La camicia da notte di Eva era sporca di sangue. Lei era sdraiata su un fianco e Petr era chino su di lei. Le teneva bloccati i polsi, mentre lei cercava di resistere, con scarsi risultati.

L'uomo cambiò posizione e Laure vide che anche lui aveva le mani sporche di sangue.

Era un gioco erotico? Non ne aveva la più pallida idea. Non aveva nessuna esperienza. Petr stava picchiando la moglie o cercando di stuprarla? E il sangue?

Di qualunque cosa si trattasse, era orribile. La bocca le si riempì di saliva, che deglutì freneticamente.

Petr stava uccidendo Eva?

A chi poteva chiedere aiuto?

Era pietrificata, incapace di muoversi. Poi finì tutto. Eva si calmò, e incominciò a piangere e a mormorare parole in ceco. Petr la lasciò andare e si alzò in piedi.

Il pavimento di legno tradì Laure e scricchiolò sotto i suoi passi. Petr era chino sulla spalla nuda e pallida di Eva e stava per baciare la moglie, quando alzò gli occhi e incrociò lo sguardo sconvolto di Laure.

« Va tutto bene? Posso aiutarvi? » balbettò lei.

Petr andò verso la porta. Sembrava esausto e infinitamente triste. « No. Adesso è tutto a posto. Eva ha soltanto bisogno di dormire. Non è quello che pensi. »

« E il sangue? »

«Non hai nulla di cui preoccuparti. Forse un giorno ti spiegherò. Non ora. Mi dispiace tanto.» Alzò le mani insanguinate.

«Mio Dio, cosa sta succedendo?» Poi vide l'espressione confusa e afflitta di Petr e si ammorbidì. «Posso aiutarvi?»

«Sei al sicuro. Te lo prometto.»

Quando Laure tornò nella sua stanza, la porta della camera da letto di Petr ed Eva era chiusa. Si sdraiò e restò immobile. La guida di Praga non le avrebbe offerto chiarimenti, così ce la mise tutta per non pensare alle cose terribili e complicate che stavano succedendo dietro quella porta.

6

Parigi, oggi

Laure stava descrivendo a May Williams il programma del pranzo organizzato per festeggiare la collaborazione tra il museo e la Maison de Grasse, quando arrivò il primo candidato del giorno.

Era una donna sui quarant'anni che un tempo doveva essere stata bellissima, ma che era dimagrita troppo. Aveva ombre scure sotto gli occhi pesantemente truccati e mani curate. Dopo i convenevoli, tirò fuori una scacchiera di legno e incominciò a disporre i pezzi con estrema naturalezza.

Il tutto avvenne in silenzio. Abituata ad attendere, Laure ne approfittò per osservare la piega amara della bocca della donna, ma anche il suo costoso giubbotto di pelle firmato.

Una volta che ebbe sistemato l'ultimo pezzo, parlò in un inglese dal forte accento. «Forse non mi riconosce, ma il mio nome è Adeline LeDuc.»

«Ho sentito parlare di lei», rispose Laure.

May stava già cercando il nome su Google. «È un gran maestro di scacchi.»

«Sì.»

May lesse ad alta voce: «'È un titolo concesso a vita. Attualmente ce l'hanno soltanto tre donne'».

«È vero anche questo.» Adeline continuò in francese. «Ma non è utile per... Diciamo che cerco di evitare le questioni di genere.»

Laure tradusse per May e indicò i pezzi. «È una scacchiera magnifica.»

«È fatta a mano, dietro mie indicazioni.»

«Posso?» Laure prese un re. Il pezzo aveva i capelli corti e l'armatura, e indossava un tabarro decorato con degli stemmi, tra cui era visibile il leone inglese. «Sbaglio, o è Enrico V?» Prese un'altra pedina, che raffigurava un giovane con due giri di sciarpa intorno al collo. «Amleto? Sono tutti personaggi di Shakespeare?»

«Esatto.»

«Una specie di omaggio all'Inghilterra?»

«Penso che l'importanza di Shakespeare non abbia confini.»

«Sono d'accordo», disse May, una volta che Laure ebbe tradotto.

Sulla scacchiera c'erano gli altri pezzi: una Giulietta dalla chioma fluente, Feste, il minuscolo genio della *Dodicesima notte*, una flessuosa Rosalinda vestita *à la garçonne*. C'erano gli stolti e gli eroi. Gli sconsiderati e gli idioti. I nobili e i perdigiorno. Tutta la natura umana, nelle sue qualità e nelle sue stravaganze, era rappresentata da quei personaggi. Laure tenne Amleto nel palmo. «È incredibile quanto siano riconoscibili.»

«Se si conosce Shakespeare», intervenne May in un francese zoppicante.

«L'ho commissionata come regalo di nozze. L'ha fatta un artigiano bravissimo. Ora è morto.» Si lasciò sfuggire un sospiro carico di rimpianto. «Sapeva che ogni pezzo doveva essere maneggiato. Era di fondamentale importanza che fossero di fattura squisita e ben bilanciati.» Posò una mano curata sulla scacchiera, spostando un pedone. «Ho appena fatto una mossa d'apertura che in un paio di occasioni mi ha fatto vincere la partita.»

May era affascinata. «Quindi, se dovesse fare una contromossa, quale sarebbe?»

Adeline LeDuc spostò un pedone nero di fronte a quello bianco. «Metterei fuori gioco questi due in modo da riuscire a muovere l'alfiere.»

Come accadeva a volte, quegli incontri erano fonte di scoperte. «Madame LeDuc, perché vuole donare al museo un oggetto così bello?»

«Essere o non essere. Probabilmente non è stato?» mormorò May.

Laure le scoccò un'occhiataccia.

«Anche mio marito era un campione di scacchi. La scacchiera era in camera da letto. A volte, nel cuore della notte, se uno di noi non riusciva a risolvere una partita, si alzava e cercava la soluzione simulandola.» Toccò il secondo re, Macbeth, che impugnava uno stiletto. «Pensavamo che avrebbe funzionato. All'inizio, ci siamo scambiati una promessa: nessuno dei due si sarebbe risentito, se l'altro avesse vinto più tornei o guadagnato di più. Ma non è andata così. Ho continuato a vincere, ma ho perso mio marito. Pierre ci ha provato. Ci abbiamo provato entrambi. Lui nascondeva la sua invidia e io cercavo di sminuire le mie vittorie. Gliele nascondevo. Una volta ho perso apposta una gara importante.»

«Gli uomini», commentò May.

Adeline LeDuc capì senza bisogno di traduzione e scosse la testa. «Non è così semplice. Avrebbe anche potuto essere il contrario. Se Pierre fosse diventato Gran Maestro, forse l'invidia avrebbe consumato me. Sposare persone con cui si è in competizione non è una buona idea. Non ha mantenuto la promessa.»

Laure annuì. «Capisco.»

Adeline prese Macbeth, il re nero, e lo mise davanti al re bianco, Enrico V. «Vorrei che questa scacchiera fosse in un posto in cui le persone apprezzino quant'è speciale. Io non ho più la forza di usarla e il mio ex marito si rifiuta di toccarla.» Toccò Macbeth con la punta del dito. «Scacco matto.»

«Fantastico», commentò May.

Laure si alzò. «Madame, è stato un piacere conoscerla e parlare della scacchiera. Valuterò la possibile collocazione insieme coi miei colleghi...»

Forse perché aveva capito che l'incontro si era concluso, Adeline LeDuc perse tutta la sua serenità. «Voglio dare una lezione a mio marito.» Prese i pezzi e chiuse la scacchiera con un gesto secco. «A quanto pare non le interessa.»

Laure capì che doveva essere stata davvero un'avversaria temibile. Affidò Adeline alle cure di Nic e tornò nella stanza dei colloqui.

May stava guardando fuori dalla finestra, col portatile aperto, e lesse ad alta voce i suoi appunti. «'Tante cose sono state offerte al museo, oltre agli oggetti. Frammenti di vite che non sono andate secondo i piani, raccontati con rabbia, rassegnazione, disperazione ma anche, a volte, con sollievo e liberazione.' Cosa ne pensi?» Alzò lo sguardo e ciò che vide sul volto di Laure la sconcertò. «Non hai intenzione di prendere quella scacchiera, vero?»

«No.»

«E perché mai?»

Laure andò alla finestra e May la imitò. Guardarono i tetti di Parigi, sui quali il sole disegnava le sue splendide geometrie. «Se partecipi a una gara, lo fai per vincere. Fa parte del gioco, no?»

«Non ti seguo.»

«I concorrenti hanno il dovere di cercare di vincere e, se partecipano alla stessa competizione, uno dei due sarà sempre destinato a dominare l'altro. La promessa che si sono scambiati era irrealizzabile. Non era davvero una promessa. Era un modo per dare una possibilità al loro matrimonio.

Lo sapevano di sicuro, fin dall'inizio. Ho poco spazio e devo prendere decisioni difficili. La scacchiera è una di queste.» Laure si allontanò dalla finestra controvoglia.

Per le scale, May si fermò. «Enrico V ha sconfitto i francesi, giusto?»

«Meglio non dirlo ad alta voce, in Francia. Però sì, anche se solo temporaneamente.»

«Quindi, a parte tutto il resto, la scacchiera rappresenta un passato scomodo?»

«Se preferisci.»

«Mmm. Dimenticare la Storia è una follia. Ti si ritorce sempre contro.»

Laure affrettò il passo. «Ma può farti conservare la tua sanità mentale.»

May seguì Laure, implacabile come un missile a infrarossi. «Quindi sai cosa significa perderla? O avere un crollo nervoso?»

«Non ho detto niente del genere. Era solo un'osservazione.»

Alla fine del sopralluogo serale, Laure svuotò la cassetta delle offerte, inserì l'importo sul foglio di calcolo elettronico, spense il computer del negozio di souvenir e andò al piano di sopra. Si appoggiò allo stipite della porta e guardò Nic e May scambiarsi racconti di viaggio.

Nic era accanto alla finestra, con un braccio asciutto e abbronzato appoggiato al davanzale.

May era seduta e lo guardava con un sorriso raggiante. «Non ci credo.»

Laure andò alla scrivania di Nic. «Ti sta raccontando che ha scalato l'Everest da solo?»

May non gli tolse gli occhi di dosso. «Più o meno. Devo credergli?»

« Dipende se ti piacciono le favole », rispose Laure, con affetto.

« E pensa che devo lavorarci, con Laure. Che vita difficile », disse Nic.

Laure prese il libro di poesie di Philip Larkin che era stato esposto nella Sala 1 e che doveva essere restituito. L'epigrafe del libro – *L'uomo passa all'uomo la pena* – era stata corretta da un marito infuriato che aveva cancellato la parola *uomo*, sostituendola con la parola *donna*.

May si alzò in piedi. « Non dovrei essere qui. Ma volevo chiederti quanto tempo gli oggetti restano nel museo. »

Laure prese la borsa da sotto la scrivania. « Alcuni non se ne sono mai andati, ma di solito restano più o meno tre anni. La rotazione incoraggia i visitatori a tornare. Ogni oggetto viene catalogato su carta e al computer. Quando arriva il momento della restituzione, chiediamo al donatore cosa vuole che ne facciamo. » Fuori dal museo, Laure telefonò per annullare l'appuntamento a cena. « Simon, sono sfinita. Mi dispiace. Possiamo rimandare? »

« Fai pure come se niente fosse. »

« Scusami. »

Simon era un avvocato che lavorava per Nos Arts en France ed era diventato amico di Laure. Si erano conosciuti in occasione delle trattative per il finanziamento di Nos Arts al museo. In seguito, Nos Arts aveva gestito un contratto di sponsorizzazione offerto da un benefattore anonimo e Simon aveva accettato di occuparsene. All'inizio il contratto era su base annuale, poi di punto in bianco era stato trasformato in un generoso contratto quinquennale. I termini dell'accordo erano enigmatici e stabilivano che né Laure, né i suoi collaboratori potevano fare domande sull'identità del misterioso benefattore.

Perché? Avrebbe voluto saperlo. Avrebbe voluto sapere il motivo di quella fortuna inaspettata. Simon le aveva risposto che c'erano molte cose in cielo e in terra che non si potevano spiegare, tra cui anche quella. Le aveva pure detto di prendere i soldi e non fare domande.

Era una di quelle rare persone che riuscivano a essere allo stesso tempo discrete e chiacchierone, ma non aveva mai fatto cenno a come si era giunti a quella decisione. «Sono un professionista», aveva detto, con quel sorriso storto che Laure aveva imparato ad amare. «E almeno così conservo la tua attenzione.» Simon era sposato con Valérie – con cui aveva tre figli –, però gli piaceva fingere di non esserlo.

«Simon, ti voglio bene. Da' un bacio a Valérie e alla mia figlioccia da parte mia.»

Rue de la Grange aux Belles era affollata. La sera addolciva i profili più severi della città, mentre gli odori del giorno cedevano il passo a quelli serali: aglio arrostito, curcuma, aromi di ogni tipo, fumo di sigaretta.

Laure camminava piano, cercando un segno di vita tra le cartacce e le confezioni di cibo da asporto. Passò accanto al tombino a metà della strada e fu investita dal tanfo dell'acqua stagnante e della putrefazione.

Era in ansia per Kočka.

Quando arrivò al triangolo di terreno dove l'incontrava di solito, era in preda al terrore. Se Kočka se n'era andata, portandosi dietro la sua sofferenza, sarebbe sopravvissuta? Era contro natura trascurare così un povero animale e Laure si rimproverò per non avere fatto nulla prima.

Ma Kočka era al solito posto, sdraiata sull'asfalto sconnesso. Quando Laure si avvicinò, alzò la testa. Aveva gli occhi offuscati e il respiro affannoso. Accanto a lei c'erano tre gattini, due ancora con la placenta attaccata. Erano immobili e Laure capì che non ce l'avevano fatta.

Laure prese la bottiglia d'acqua che aveva nella borsa e ne versò un goccio nella bocca di Kočka. La gatta sembrò gradire e la leccò debolmente. Laure prese il telefono e chiamò il veterinario con cui aveva preso appuntamento. Partì la segreteria telefonica: il messaggio registrato informava che in caso di emergenza ci si sarebbe dovuti rivolgere alla clinica veterinaria più vicina.

Laure si tolse il cardigan e ci avvolse Kočka. Poi prese i gattini ancora umidi, li mise nella borsa e chiamò un taxi.

La clinica era piena di animali feriti e abbandonati.

« Uno dei periodici eccessi di disumanità dell'umanità », commentò il veterinario quando Laure adagiò Kočka e i gattini sul tavolo da visita.

La gatta doveva avere sentito l'odore della sua prole, perché girò la testa e miagolò debolmente. Il veterinario si chinò su di lei e la visitò, palpando l'addome ancora gonfio e controllando se avesse delle emorragie. « Non era abbastanza forte per la gravidanza. » Guardò il cardigan rovinato di Laure. « Mi dispiace. »

« Anche a me. Era costoso. »

Restò a guardare, inspirando l'odore della paura degli animali mescolato a quello di disinfettante, mentre il dottore si dedicava a Kočka, somministrandole vitamine, antibiotici e un farmaco per bloccarle la produzione di latte.

Il veterinario alzò lo sguardo. « Le costerà una fortuna. » Poi avvicinò i gattini morti alla madre. « Ha il diritto di piangerli. »

Insieme guardarono la fragile randagia ferita strofinare il muso contro ognuno dei tre corpicini.

« Temo che dovrà portarla a casa », disse il veterinario alla fine. « Non abbiamo posto, qui. »

Avrebbe stravolto l'ordine della sua vita. Far entrare in casa la musica, il fuoco e il dolore del passato? Guardò Kočka, che cercava di dire addio ai suoi gattini. Afferrò il bordo del carrello portastrumenti e cercò di parlare, nonostante il nodo in gola. « Non posso. Nel mio palazzo ci sono delle regole. »

Il veterinario le disse di non toccare il carrello. « Per motivi d'igiene», spiegò, con una certa benevolenza. Con fare esperto, le porse un fazzolettino. «La maggior parte degli animali vive in posti in cui ci sono regole. Kočka non può tornare in strada. Altrimenti perché l'ha portata qui? Quando starà meglio e saremo meno sotto pressione, forse potremo fare qualcosa.» Fece una pausa. «Potremmo essere costretti a sopprimerla.»

Laure fissò il veterinario. Era ovvio che si fosse già trovato in una situazione del genere e, per quanto fosse gentile ed esperto, sapeva di dover essere inflessibile.

A casa dei Poirier era in corso un litigio più rumoroso del solito. Ciononostante passare davanti al posto di guardia di Madame Poirier con un trasportino richiese sangue freddo e una certa dose d'inventiva. Fece ricorso alle vecchie abitudini apprese a Praga. *Cammina a passo normale. Non guardarti intorno.* Kočka era più pesante di quello che sembrava, ma Laure salì le scale senza esitare.

In casa, Laure posò il trasportino sul pavimento e andò in camera. L'asciugacapelli era sul letto, dove lo aveva lasciato quella mattina, e i trucchi erano sparsi sullo scaffale accanto allo specchio.

In fondo all'armadio dove teneva le lenzuola trovò un vecchio telo da bagno e lo stese su una poltrona nella zona giorno. Nel trasportino, Kočka miagolò, così Laure la tirò fuori e l'adagiò sul telo.

Il veterinario l'aveva avvisata: una gatta randagia non avrebbe avuto nessun riguardo per i mobili e si sarebbe potuta spaventare, al chiuso, ma probabilmente Kočka era troppo debole e sedata per reagire. Laure si accovacciò accanto a lei, le accarezzò la testolina e le fece mangiare i croccantini che le aveva dato il veterinario.

Dopo un po', Kočka si addormentò. Il suo respiro leggero faceva sollevare e abbassare il torace, gonfio e scheletrico allo stesso tempo. Laure si sedette sul pavimento accanto alla poltrona e prese il portatile. Cifre. Programmi. Proiezioni. Con un movimento del dito, scivolarono via dallo schermo e scomparvero. Concentrarsi le era impossibile.

Se Kočka era tranquilla, Laure non lo era affatto. Tirò fuori dalla borsa la busta col biglietto ferroviario.

Ripensò alle domande di May.

Allora, perché il ceco?

Ho vissuto in Repubblica Ceca per un'estate.

Ed è una promessa infranta?

In effetti sì, col senno di poi.

Restò seduta a lungo, con la busta sulle ginocchia. Tomas si era rifiutato di abbandonare il Paese finché non era diventato chiaro che non aveva alternative. «Combatto con la mia musica», le aveva detto durante una delle molte conversazioni dei primi tempi, quando bevevano birra o passeggiavano lungo il fiume. «I patrioti non fuggono. E, comunque, cosa potrebbe capitarmi, se mi prendessero?»

Lei ne sapeva abbastanza per rispondere: «La prigione».

Tomas aveva preso una ciocca di capelli di Laure tra le dita. «Hai appena dimostrato di essere un'occidentale che appartiene a una cultura tollerante, liberale. Se mi prendono mi fotteranno, e per quanto cercherò di resistere gli dirò tutto. Non posso mettere in pericolo gli altri.»

Lei ci aveva scherzato su: «Ti fotteranno?»

«Molto divertente.» Ma non era divertente. Non lo sarebbe mai stato.

Nella Praga comunista, a una vita di facciata che si svolgeva in superficie corrispondeva una vita parallela e nascosta, col suo linguaggio e coi suoi miti.

Un amico di Tomas, Milos, le aveva parlato delle vie di fuga, anche se non avrebbe dovuto farlo. All'epoca si conoscevano abbastanza bene.

Guidare la Trabant fino in Ungheria e cercare di attraversare la frontiera. «I cani da guardia hanno una pessima fama.»

Andare a Berlino, cercare qualcuno a ovest che procurasse dei documenti falsi e fare lo scambio nel cosiddetto «Palazzo delle lacrime», il Tränenpalast, dove *Ossis* e *Wessis* erano obbligati a dirsi addio. «Molto rischioso e consigliato soltanto per chi parla il tedesco.»

Andare in Austria in treno. «L'opzione Vienna.»

I fuggitivi dovevano andare al ristorante del padre di Milos, all'estremità meridionale di piazza San Venceslao, passare tra i tavolini e uscire dalla porta sul retro. Poi dovevano raggiungere la cabina telefonica in fondo alla strada. Se alla cornetta era legato un pezzo di spago, dovevano comporre un numero e aspettare la parola in codice. (Se lo spago non c'era, l'operazione era stata annullata). Poi dovevano andare nel nascondiglio usato dai dissidenti in fuga – si diceva che fosse gestito dagli inglesi – e, una volta data la parola d'ordine, ricevevano documenti nuovi e una bicicletta per raggiungere la stazione.

Funzionava la metà delle volte.

Ma poi qualcuno aveva lasciato trapelare l'informazione – in malafede, per leggerezza o per ingenuità – e il castello costruito con cura era crollato in mille pezzi. Chi era stato? Milos? Lucia, la strenua combattente per il cambiamento di regime? Il contatto anonimo che doveva fornire la parola d'ordine?

Gli occhi le bruciavano per la stanchezza e si sentiva spossata. Eppure sapeva che non sarebbe riuscita a prendere sonno. (Una cosa che mandava Xavier fuori di testa).

Kočka si svegliò diverse volte e miagolò, irrequieta. Di guardia sul pavimento, Laure fece del suo meglio per calmarla. Verso l'alba, si addormentò.

Tomas stava suonando il piano. Laure pensò che fosse strano, perché il suo strumento era la chitarra. Aveva i capelli insolitamente corti e un lembo di pelle bianca sopra il collo scottato dal sole.

Parlò nel suo inglese dal forte accento. «I tasti sono troppo duri. Devo fare il doppio della fatica.» Stava eseguendo l'*Inno alla gioia* di Beethoven, un brano che non era nelle sue corde. «Lo so, per voi occidentali è banale, ma per noi no.» La guardò, poi tornò a rivolgersi alla tastiera. «Per noi, la fine della guerra è molto lontana. La musica è l'arma migliore e dovremo usarla per combattere.»

Le sue note meravigliose le riempivano le orecchie. Sentì la propria voce. «Mio Dio. Ti ho aspettato così tanto.»

«*On arrive.*» Tomas non parlava bene il francese e a Parigi avrebbe fatto fatica. «*On arrive.* Te lo prometto.»

È un vero e proprio risveglio, pensò. Mi gira la testa, sono in estasi, senza confini. Non avevo mai sognato che essere innamorati significasse essere entusiasti e sereni allo stesso tempo.

Guardarlo al pianoforte le toglieva il fiato.

A mano a mano che riaffiorava verso uno stato di veglia, le note diventavano più corte e frammentate.

Il sogno era stato così profondo e coinvolgente che Laure impiegò un po' di tempo per orientarsi e all'inizio non riconobbe Kočka, che la guardava dalla poltrona.

Si alzò in piedi. Forse la gatta aveva bisogno di usare la lettiera, così sollevò il suo corpicino inerte e lo posò nella vaschetta, che si era andata ad aggiungere alle già esorbitanti spese veterinarie.

Kočka protestò, ma sembrò capire. Laure distolse lo sguardo. Anche i gatti hanno bisogno di un po' d'intimità.

7

Al museo le telefonate arrivavano rapide e abbondanti, soprattutto per via della collaborazione con la Maison de Grasse.

Mentre aspettava che Laure si liberasse, May si appoggiò alla scrivania di Nic e i due incominciarono a chiacchierare. Al telefono, Laure li osservò dialogare, scambiarsi battute, allusioni, prendersi in giro. Non sapeva bene perché, ma qualcosa le diceva che stavano cercando rifugio l'uno nell'altra.

Nic posò una mano sul braccio di May, lei lo guardò coi suoi occhi grigio-azzurri e calò il silenzio. Laure sentì una fitta di dolore. Anche lei aveva provato quegli scambi silenziosi, era stata attraversata da quelle scosse elettriche.

Le telefonate continuarono fino all'ora di pranzo, poi Laure mise giù il telefono. «Scusate. Devo andare a controllare come sta la mia gatta.»

Nic non distolse lo sguardo da May. «Quando te l'ho chiesto, mi hai detto che non avevi nessun gatto.»

«Infatti non ce l'avevo.»

May si offrì di accompagnare Laure a casa mentre andava al suo appuntamento di lavoro successivo con una stilista del Marais. «Non vedo l'ora. Passerò il pomeriggio in un sottotetto parigino.»

Nic lanciò un'occhiata a Laure, che la interpretò come un avvertimento. Alla prima opportunità, lo prese in disparte. «Cosa devi dirmi?»

Non aveva mai visto Nic così turbato. « Ascolta, quando si tratta di lavoro non si fa molti scrupoli. »

Laure sapeva che avrebbe dovuto mettere fine alla sofferenza di Nic, ma vederlo così combattuto era irresistibile.

« Però, in fondo, è adorabile. »

Era un caso senza speranza e Laure si sentì quasi dispiaciuta per lui. « Vuoi che glielo dica? »

« *No.* » Capì che lo stava prendendo in giro e aggiunse: « Volevo soltanto che sapessi che può essere un po'... spietata ».

Guardò Nic intensamente e ricordò a se stessa che era lui a nuotare in quelle acque vorticose e intrise di desiderio, non lei. E tuttavia conosceva le reazioni viscerali, l'attesa mescolata al tormento e il desiderio, nella sua accezione migliore. Mentre era immersa in quelle riflessioni, fu travolta dal rimpianto. Sì, il dolore e i segreti facevano parte dell'accordo e aveva imparato ad andare avanti. Gli sorrise. « Dovresti fare attenzione anche tu. »

May e Laure camminarono lungo il canale, prima di svoltare nella strada di Laure. Laure le chiese del lavoro e May le spiegò che doveva scrivere un articolo su una stilista che si era ispirata al Marocco e un pezzo su un nuovo mercatino dell'usato che aveva aperto alla Bastiglia. Trasudava entusiasmo e ambizione professionale, e a Laure fece tornare in mente se stessa da giovane, sentendola parlare a ruota libera, tutta infervorata.

« Chi ti ha fatto venire a Parigi? »

May si fermò per togliere delle foglie dalle scarpe da ginnastica rosa e nere. « Nessuno. Ho risparmiato e mi sono buttata. »

« Sei stata coraggiosa. »

« O disperata. »

« Volevi fuggire da tua madre? »

« Mi dava il tormento, sì. Volevo una vita. Una carriera. »

Una volta tanto, per strada non c'era molto rumore. Il sole autunnale era all'apice e Laure inspirò il profumo delle foglie secche, del pane, dell'acqua e il leggero aroma di spezie.

« Adori Parigi », osservò May.

« Sì. »

« Un po'? Molto? »

« È diventata parte di me. »

« È stato così anche con Praga? O Berlino? »

Laure fece uno sforzo per non fermarsi di colpo. « Ho mai parlato di Praga o Berlino? »

May aggirò una tenda eretta sulla riva del canale, con accanto un fornello a gas in precario equilibrio. « Non esplicitamente. Ho fatto delle ricerche. Il tuo capo era un importante dirigente comunista. Giusto? »

« No comment. »

« Lo so che detesti parlare di te, Laure, ma non sono segreti di Stato. Servono soltanto da contesto. Spero... Anzi, *so* che l'articolo sarà utile, se lo azzecco. Utile per entrambe. Potrei scrivere un bel pezzo. Bellissimo. Lo sento. » Guardò gli alberi, il canale, i ponti, come se volesse imprimerli nella mente.

« Un attimo. » Laure tornò sui suoi passi, raggiunse la tenda, si chinò e raddrizzò il fornello a gas. « Hanno così poco », disse a May, quando l'ebbe raggiunta.

Lei tornò all'attacco: « Gli inglesi sapevano che lavoravi per un comunista? »

« Ora stai superando il limite. Non sono affari tuoi. »

« Soltanto che la Storia non può essere riscritta ed è di dominio pubblico. »

Non aveva tutti i torti. « Hai ragione. »

« Grazie. » May fece una pausa. « Spero che possiamo essere sincere l'una con l'altra. »

Diceva sul serio?

Ancora debole, Kočka era sdraiata sul divano dove l'aveva lasciata Laure. Quando lei e May entrarono nell'appartamento, alzò la testa e dilatò le pupille.

Laure si sedette accanto a lei e le accarezzò la testa, e la gatta non oppose resistenza. Laure fu travolta da un'ondata di pietà e istinto di protezione. «È assurdo. Cosa ci faccio, con te?»

May tirò fuori un registratore e Kočka chiuse gli occhi.

«Non posso tenerla.»

«Perché no?»

Laure le spiegò il motivo.

May, che aveva già capito tutto, si sedette sul divano accanto alla gatta e le toccò una zampa. Kočka accettò l'omaggio. «Se è randagia, non dovrebbe avere paura delle persone?»

Laure prese un vassoio con dei bicchieri e offrì a May del succo di mela. «Forse a un certo punto ha avuto dei padroni. Sembra a suo agio, in casa, e riesco a somministrarle le medicine senza problemi.»

May guardò Kočka. «Come si fa a convincere un gatto a prendere una medicina?»

«Gliela metti in bocca e lo fai starnutire.»

«Che stupida. Perché non ci ho pensato?» Poi proseguì in tono serio: «Laure, ho letto dei vecchi articoli. Alcuni non sono molto lusinghieri».

Probabilmente si riferiva a un pezzo molto duro pubblicato da *Madame Figaro*. Al giornalista l'idea del museo non era piaciuta e l'aveva definito uno sperpero di denaro pubblico. Secondo la sua opinione, rappresentazioni di fallimenti personali che non erano opere d'arte in sé non avrebbero dovuto essere sovvenzionate dal denaro dei contribuenti che arrivava tramite Nos Arts de France.

Per la prima volta, aveva visto Nic arrabbiato. Perché, aveva chiesto a Laure, perché non era stata più conciliante?

Col portatile sulle gambe, May era un concentrato di

buona volontà e professionalità. Aveva un effetto calmante. Era *davvero* adorabile. Ma Laure sapeva per esperienza che doveva stare in guardia.

Prese l'iniziativa. «Mi hai detto che è la prima volta che vieni a Parigi. Può essere un'esperienza molto intensa. Io ci venivo da bambina, poi sono tornata a vent'anni come ragazza alla pari. Ricordo che mi girava sempre la testa da quant'era travolgente.»

May incrociò le gambe lunghissime, fasciate dai jeans attillati. «Ho impiegato un giorno per riprendermi dal jet lag, poi non mi sono più fermata. Sono venuta a Parigi con la remota speranza di combinare qualcosa. È andata benissimo. Per fortuna mi hanno indicato subito un posto dove fanno del caffè strabiliante. Adesso ne sono innamorata. Completamente. Che città. Birmingham, in Alabama, è in fondo alla catena alimentare americana e ha un passato ingombrante. Ma Parigi è un'altra cosa. Parigi è fatta del suo passato. Ovunque vai, te lo ritrovi di fronte. La Rivoluzione. Napoleone. Dior.»

Laure annuì.

May indicò il giubbotto di pelle di Laure. «Ora sembri una vera parigina. In tutto e per tutto. Scommetto che costa un sacco di soldi.»

Laure ripensò al tempo trascorso alla ricerca delle boutique che le piacevano, dei negozi di scarpe, dei parrucchieri. «Grazie.»

May posò un dito sulla zampa di Kočka. «Sei nata nel 1966, giusto?»

La recente visita di Laure dall'oculista, che le aveva prescritto gli occhiali da vista, era stata un duro colpo. Si sedette sulla sedia di fronte a May. «Sì. Cosa vuoi chiedermi?»

«Dimmelo tu. Dammi qualcosa da cui partire e al resto ci penso io.»

Laure guardò l'orologio. Se la sarebbe cavata in mezz'ora?

Indicò Kočka. «Come sai già, ho vissuto in due città dove prendersi cura di un gatto randagio era al di là delle possibilità della maggior parte della gente.»

May accese il registratore. «Praga e Berlino.»

Le parole uscirono con sorprendente facilità. «Nel 1986 mi sono fermata a Praga per diversi mesi, prima della caduta del regime comunista. Mio padre era morto all'improvviso e non riuscivo più a frequentare l'università. A quell'età, la morte sembra impossibile. È stato un doppio colpo. Non ero in grado di sostenere gli esami, così mia madre, che era francese, ha deciso di farmi trascorrere un anno all'estero come ragazza alla pari. I miei datori di lavoro erano cechi, e così sono arrivata a Praga.»

May avvicinò il registratore a Laure.

«In seguito ho trovato lavoro al ministero degli Esteri e, dopo la caduta del Muro, ho ottenuto un piccolo incarico all'ambasciata inglese di Berlino. E mi piaceva, anche se a volte era un po' tetro.»

«Un piccolo incarico. Non riesco a immaginarti.» Pensierosa, May fece una pausa. «Eri una *spia*? All'epoca la città ne era piena.»

Laure le rivolse uno sguardo freddo, quasi sdegnato. «Pensavo che fosse un'intervista seria.»

May sembrò accusare il colpo e Laure sospettò che fosse più inesperta e disorientata di quanto lasciasse intendere. Ciononostante conosceva i trucchi del mestiere. Forse le rivolgeva quelle domande goffe per darle l'illusione di avere la situazione sotto controllo. «Però è una domanda che devo farti. Berlino non era una scelta strana?»

«Vai dove ti mandano. Quando mi hanno offerto un impiego ben retribuito a Parigi come interprete, me ne sono andata.» Era una mezza verità.

«Quindi hai preso gusto a vivere all'estero. O magari lo preferivi.»

« Esatto. »

« Sei mai tornata a Praga o a Berlino? »

« No. »

« Per qualche motivo in particolare? »

Laure scrollò le spalle. « Non è capitato. »

« O magari non volevi. »

Laure scrollò di nuovo le spalle.

May chiese dove fosse il bagno e fece con comodo. « Com'è cominciato? » chiese, quando tornò.

Intendeva il museo.

Come?

« Da dove vengono le idee? Chi può dirlo? »

Il divorzio, l'insonnia, il fatto di non avere figli, la stanchezza di lavorare come interprete, erano tutti elementi che avevano avuto un ruolo determinante. Ma in quel momento le motivazioni di Laure erano sepolte troppo in profondità per essere riesumate. Sapeva soltanto che tutti quegli elementi avevano sfregato l'uno contro l'altro come una paglietta su una griglia incrostata e avevano prodotto un'idea brillante.

Si concentrò sul lato pratico. « Dopo avere avuto l'idea e avere trovato la casa, ho convinto la banca a farmi un prestito, ho comprato l'edificio e l'ho restaurato. Ho assunto un agente pubblicitario per suscitare curiosità intorno al museo e ho fatto domanda a Nos Arts de France per ottenere un finanziamento, che mi è stato concesso a cadenza annuale. Niente di eccezionale. Soltanto normali procedure d'affari. »

May prese appunti. « Puoi darmi qualche cifra? »

« Mi dispiace, si tratta d'informazioni riservate. Sapevo che il denaro sarebbe arrivato soltanto da un anno all'altro. Nei cinque anni successivi, il flusso dei visitatori è aumentato regolarmente e questo mi ha permesso di andare avanti. Poi Nos Arts mi ha comunicato che un benefattore anonimo voleva farsi carico del finanziamento per altri cinque anni e soprattutto che ci avrebbe dato denaro a sufficienza per pagare l'intera operazione.»

Simon le aveva telefonato per dirglielo. «Qual è il tuo segreto, ragazza? Di qualunque cosa si tratti, lo voglio sapere.» Aveva aspettato che Laure finisse di ripetergli che non poteva essere vero e aveva aggiunto: «Si tratta di un risultato enorme, Laure. Ci sono riusciti in pochi».

Era difficile esprimere a parole la soddisfazione che aveva provato in quel momento, la sensazione di avere finalmente concluso qualcosa. «Quando mi hanno detto che potevo contare su una somma esorbitante, è stato un gran bel giorno. Ce l'avevamo fatta. Stava funzionando.»

«Hai idea di chi potrebbe essere il benefattore? O del motivo per cui l'ha fatto?»

«Siamo arrivati in un momento di cambiamento, credo. Il museo è una realtà nuova, non istituzionale. Si rivolge a quelli che normalmente si sentono esclusi, che forse non vanno mai nei musei. Riesce a valicare i confini che gli altri musei devono rispettare.»

«A parte il fatto che sei *tu* a decidere le acquisizioni.»

«Faccio tutto quanto è in mio potere per mantenere una mentalità aperta. Qui ci sono cose che in un museo istituzionale non vedrebbero mai la luce del giorno. Per non parlare delle loro storie.»

«Non hai tutti i torti. E cosa mi dici della Maison de Grasse?»

«Sarà un partner perfetto. È una ditta che si rivolge a un mercato di massa e...»

«Quella massa che può permettersi i loro prodotti costosi», la interruppe May, aprendo il portatile e digitando sulla tastiera. «Pagando... sì, cinquanta euro per una candela profumata, come dice questa pubblicità. Non proprio nella lista della spesa della gente comune.»

«Il loro detergente per pavimenti sì, però. Gli amministratori fiduciari sono contentissimi della collaborazione. Tieni presente che non ci finanziano: abbiamo il loro patrocinio.»

«Come ti sei sentita, quando hai capito che avevate svoltato?»

«Molto bene.»

«Tutto qui? Non eri al settimo cielo?»

«Io e Nic abbiamo brindato con un bel bicchiere di vino. Va bene, tre bicchieri.» Ripensò a quella sensazione di liberazione – dolce e intossicante al tempo stesso –, la consapevolezza che qualcosa, finalmente, era andato per il verso giusto. Col senno di poi, era stato il momento in cui aveva preso le distanze dalla parte pessimista di sé con cui le piaceva convivere.

May alzò lo sguardo. L'espressione incerta era sparita. «Bene. Sto incominciando a vederti.»

Laure ricordò a se stessa che doveva stare attenta. «Dove vuoi andare a parare?»

«La fai sembrare una seduta di psicanalisi. Non lo è. È un'intervista, nient'altro. Ci si sente soli, nel ruolo di curatori?»

Tomas, Milos, tutti l'avevano avvertita di tenere la bocca chiusa. Fare domande significa alimentare sospetti. Figuriamoci rispondere. *Fa' la finta tonta. Sempre.* Dopo averla assimilata come strategia di sopravvivenza, Laure non l'aveva più abbandonata. «Non saprei.» Una volta, aveva detto a Tomas che la sensazione di essere spiata era simile a quella di essere privati della pelle.

Lui l'aveva presa tra le braccia e le aveva accarezzato i capelli. «Non abituarti mai. O sarà la nostra rovina.»

«Quando si è a capo di qualcosa, è normale essere soli. Fa parte del gioco», continuò Laure. A volte immaginava di avere le proprie esperienze stampate sul corpo, come una voglia o la cicatrice di una vecchia ferita. All'interno, le cicatrici entravano in profondità, affondando nella sua mente e nei suoi pensieri.

«Qual è il senso del museo? Prenditi tutto il tempo che vuoi.»

L'ora di pranzo era passata da un pezzo. «Vado a preparare qualcosa da mangiare. Poi possiamo parlare.»

Aprì il frigorifero e prese del melone e del prosciutto di Parma, disponendoli su due piatti. «Non è granché», disse, uscendo dalla cucina coi piatti in mano, poi si fermò di colpo. «Cosa stai facendo?»

May era accanto al tavolo sotto la finestra e stava scattando delle foto ai documenti accatastati sopra.

Laure posò i piatti. «*May?*»

Lei si girò e arrossì. «Spero che non ti dispiaccia. Stavo facendo una foto a questa immagine. È bellissima, col mare e coi detriti sulla spiaggia.» Indicò senza troppa convinzione la foto incorniciata di una spiaggia scozzese cosparsa di rocce e detriti, appesa alla parete sopra il tavolo.

Laure fu travolta da un'ondata di rabbia, e fu quasi piacevole, come se si fosse concessa il permesso di abbandonarsi a quella furia. «Non è vero.» Cercò di prenderle il telefono, ma May scartò di lato, stringendoselo al petto. «Stavi curiosando.»

«Mi dispiace.»

Cosa si aspettava? Aveva abbassato la guardia, come una sprovveduta. May stava soltanto facendo il suo lavoro.

«Pensavo d'imparare qualcosa sul tuo conto. Sei impenetrabile.»

«E cosa ti fa pensare di avere il diritto di fare quello che hai appena fatto?»

«Non ce l'ho. Voglio soltanto scrivere la verità.»

«Esci da casa mia.»

May non si mosse. «Laure, non sono una spia.»

«Non sai *niente* di cosa significhi essere una spia.»

« E tu? » replicò May, veloce come un lampo.

Non poteva sapere niente di *quel* mondo. Quegli anni incolori. La vigilanza costante, l'incertezza. La decisione volontaria di avventurarsi in quella zona grigia, in quel territorio senza morale, da cui non c'era possibilità di ritorno. Era un'impresa, a volte spaventosa, da cui nessuno usciva indenne. « Dammi il tuo telefono. Subito. E la password. »

« Non puoi prendermi il telefono. »

« Invece sì, e lo farò. » La rabbia di Laure era inequivocabile. Quando May le consegnò il telefono, lei cancellò la foto dei moduli dell'assicurazione medica che erano in cima alla pila di documenti. « Hai curiosato anche quando sei andata in bagno? »

May confessò subito: « Ho guardato nella stanza con gli scatoloni. Mi dispiace. Ma le etichette m'incuriosivano. *Praga*, *Berlino*. Mi piacerebbe tanto parlarne con te. So che sono importanti ». Si sfregò le mani. « Ho visto il biglietto delle ferrovie ceche incorniciato. »

« Cosa stai insinuando? »

« Non certo che tu l'abbia rubato. »

Come curatore del museo, aveva dovuto affrontare situazioni peggiori, e quella non avrebbe dovuto fare eccezione. « Lo spero per te. Hai violato il nostro accordo. »

May morse un'unghia già rosicchiata e non si mosse. « Ti chiedo scusa, Laure. Ho sbagliato. Molto. » Era in preda al panico. Perdere il lavoro non sarebbe stato un bene per nessuna delle due, ma sarebbe stata soprattutto May a rimetterci.

« Come fai a scrivere cose tanto profonde e a comportarti in modo così stupido? »

« A volte è necessario. Non è una bella cosa. Ma è a fin di bene. » Aveva di nuovo quell'espressione incerta. « Quando dico 'a fin di bene', intendo che lo faccio per motivi di trasparenza. »

Era davvero un'attrice, pensò Laure. Un'attrice melo-
drammatica. «*Vattene. E non tornare.*»

«I documenti erano lì. Tu eri in cucina. Volevo scoprire
qualcosa in più sul tuo conto. Se fossero stati importanti,
non li avresti lasciati in giro.»

«Se intendi dire che non avevo previsto d'invitare una
persona senza principi morali in casa mia, allora, sì, hai ragione.»

Gli occhi grigio-azzurri di May erano colmi di sofferenza
e pentimento. «Per favore», implorò, senza più fingere.
«Sarà un articolo importante. È stata una mia idea e ci ho
messo tutta me stessa. Ne ho bisogno», aggiunse, con un filo di voce.

L'aria nell'appartamento era stagnante, disperata. Laure
andò alla finestra e la spalancò. Era in vantaggio. May non
la stava supplicando soltanto perché temeva che l'intervista
venisse annullata. Sapeva che, se l'intervista fosse saltata,
probabilmente avrebbe dovuto dire addio a Nic. Continuò
a darle le spalle. «Spero almeno che i termini della mia assicurazione medica siano stati di tuo gradimento.»

«A dire il vero, sono molto noiosi.»

Non ci si abituava mai a essere spiati. Era quasi certa che
May non lo sapesse. Tra le tecniche per confondere una
spia, studiarla attentamente dalla testa ai piedi funzionava
spesso. Laure si voltò e indugiò con calma sulle gambe lunghe, i fianchi magri e la maglietta di pizzo bianco, soffermandosi sul suo viso intelligente, quasi bello, e sui capelli
biondi. Esaminò la combinazione di sicurezza e vulnerabilità di cui era fatta. «Sei una ragazza molto determinata», le
concesse alla fine.

«Sì.»

«Mi chiedo quanto. Di quali percentuali di astuzia e im-
broglio è composta la tua determinazione.»

May alzò la mano in segno di resa. «Lo capisco, se mi odi.»

«Giusto per chiarire: il biglietto incorniciato appartiene a me.»

«Certo.»

Laure restituì il telefono a May, che lo prese, raccolse lo zaino e uscì.

Kočka si alzò, si stirò e si acciambellò di nuovo.

Laure si accomodò accanto a lei, l'accarezzò e si accorse con disappunto di tremare.

Per fortuna non succedeva sempre, e col tempo le cose erano migliorate. Ma, ogni tanto, bastava una piccola invasione del suo mondo privato, una routine sconvolta, e si ritrovava a correre per le strade col cuore che martellava. A scappare dagli uomini grigi e dai loro scagnozzi col giubbotto di pelle che osservavano e davano la caccia e ti saltavano addosso.

Quei ricordi le facevano ancora effetto. Contrastarli era difficile, persino a distanza di anni, ma aveva imparato a voltar loro le spalle, nella sua mente.

Era meglio ricordare quand'era con Tomas sulla riva della Moldava, ubriaca di felicità. L'aveva presa tra le braccia e lei aveva inspirato l'odore afrodisiaco di sudore e tabacco. Si era proteso su di lei e l'aveva baciata e a Laure era sembrato di avere gioia liquida nelle vene.

Poi i suoi pensieri indisciplinati erano precipitati nelle vecchie, assillanti domande senza risposta.

Tomas era arrivato in stazione? Aveva mai stretto il suo biglietto per la libertà, anche soltanto per pochi secondi? Cos'era peggio? Salire sul treno, soltanto per essere trascinati giù? O non arrivarci nemmeno vicino?

Cambiò posizione. Era ora di concentrarsi su qualcos'altro. Su Kočka. Cosa le era passato per la testa, quando aveva deciso di portarla a casa? Una gatta randagia. Costosa. Bisognosa di cure. L'accarezzò tra le orecchie e assorbì la vibrazione delle ossa sottilissime, sotto le dita. Accoglierla, volerle bene, significava aprire la porta di casa alla vulnerabilità, forse alla sofferenza.

Era troppo complicato. Laure aveva poco tempo libero da dedicarle e, a meno di non uccidere Madame Poirier – nessuno sforzo – e sostituirla con una portinaia comprensiva, sarebbe stata costretta a trasferirsi. Le sue rigide, controllate abitudini sarebbero diventate un flusso caotico. Le esigenze di una creaturina avrebbero colonizzato la sua calma.

Il mattino dopo, avrebbe messo Kočka nel trasportino, l'avrebbe riportata dal veterinario e avrebbe lasciato che fosse lui a decidere il suo destino.

La gatta si mosse, spostando una zampa piegata in modo innaturale, forse a causa di una vecchia frattura. La sua fragilità era insopportabile. La faceva sentire... a disagio. A pezzi.

May l'aveva accusata di essere impenetrabile.

Vero. Osservava la vita da dietro una lastra di vetro. Lo faceva apposta. Non devi convivere coi fantasmi, si disse. È ora di dimenticarli.

La storia personale di Laure influiva molto sul suo comportamento. Ma non del tutto. Nessuno poteva guardare il pianeta al giorno d'oggi, crivellato com'era di violenza, regimi corrotti e persecuzione, e sentirsi bene.

Dalla finestra entravano i rumori di Parigi.

Laure sistemò delicatamente la coda di Kočka e un dolore conosciuto le strinse il cuore in una morsa.

8

Il mattino seguente, May entrò in ufficio e si piazzò davanti alla scrivania di Laure.

Lei alzò lo sguardo. «Non voglio parlare con te.»

May sembrava non avere chiuso occhio. «Mi dispiace tanto. Ti prego, puoi perdonarmi?»

«Perché accidenti dovrei farlo?»

May congiunse le mani dietro la schiena con espressione caparbia. «Non ne hai motivo, ma ti sto chiedendo di darmi un'altra possibilità. Posso soltanto dirti che farei un buon lavoro. Lo farò.»

Laure non rispose. Calò un silenzio sgradevole.

Nic fece capolino dietro la porta. «La Maison de Grasse vuole definire il menu. Puoi parlarci?» Poi sparì.

A fine mese era in programma un pranzo per festeggiare la collaborazione tra il museo e la Maison. La data era stata scelta con cura, in modo che non si sovrapponesse ai preparativi natalizi.

Laure prese la telefonata, che durò qualche minuto. May aspettò, irrequieta e stressata. Quando la telefonata terminò, Laure si alzò. «Ieri mi hai chiesto di Praga e Berlino.»

«Sì.»

«Non mi aspetto che tu capisca. Erano posti bellissimi, ma erano anche terribili, quando ci ho vissuto io. Pieni di amarezza irrisolta, di fratture. Il tipo di posto che ti consuma l'anima. Non voglio che sia così anche per Parigi.»

Guardò le unghie rosicchiate di May e poi le proprie, dipinte di un rosso audace.

Per un istante, sembrò che May volesse prenderle le mani. « Lo capisco. Vengo dal Sud, ricordi? »

« Non fare mai più una cosa del genere. »

Sul pollice mangiucchiato di May c'era una macchiolina di sangue. « Farò del mio meglio. Mi dispiace tanto. » Si passò una mano tra i capelli, come a voler sottolineare la serietà della sua affermazione.

Come se servisse a qualcosa, pensò Laure, e represse un sorriso. « Mettiamola così: non lo dirò a tua madre. »

« Il mio soprannome è 'scarafaggio'. E non è un vezzeggiativo. Ti do il permesso di chiamarmi così, se vuoi. »

Sembrava calma, ma quelle parole racchiudevano un'informazione in codice e Laure immaginò che la madre di May non avesse la più pallida idea di come gestire una figlia così particolare. « Va bene. Parliamo dei dettagli del pranzo. »

May si riprese. « Spero che ci saranno borse omaggio piene di diamanti e una montagna di fiori. Farfalle? »

« Non perdiamo di vista l'obiettivo. »

Il telefono squillava senza posa e Nic era impegnato a compilare la lista dei potenziali donatori. A metà mattina, Chantal portò la posta e lasciò sulla scrivania cinque pacchetti.

« È sempre così? » chiese May.

Laure controllò le statistiche sul computer. « Ogni mese le richieste aumentano. »

« Interessante. Credi che sia perché le promesse vengono infrante con sempre maggior facilità? O perché è più difficile mantenerle? »

Nic stava discutendo animatamente al telefono con un uomo che voleva donare un sacco di letame in ricordo della moglie, che l'aveva appena lasciato, e non riusciva in nessun modo a convincerlo che non era accettabile.

« In parte è perché le persone sono cambiate. Siamo cambiati tutti. Ora ci concediamo forse il permesso di ammettere il tradimento, no? È un fatto generazionale. Ci concediamo il permesso di riconoscere la nostra tristezza. »

« Davvero? Non ci siamo sempre sfogati, in un modo o nell'altro? »

Nic chiuse la telefonata. « Aspetta che arrivi l'inverno: andrà ancora peggio. »

L'atmosfera si rasserenò di colpo.

May guardò prima l'uno e poi l'altra. « È sempre così allegro? »

« Il suo umore peggiorerà con la fine dell'autunno », disse Laure.

I pacchetti sulla scrivania erano in attesa di essere presi in considerazione.

Laure si rivolse a May. « Vuoi fare gli onori di casa? »

Il primo conteneva un gioco da tavolo, Diplomacy. Il secondo era una scatola lunga e stretta che conteneva della carta velina e la copia di una rivista inglese.

Laure lesse ad alta voce la lettera di presentazione.

Gentile curatrice,

vuole accettare questo oggetto per il museo? Quando avrà letto questa mia, sono sicuro che concorderà con me sul fatto che merita di essere esposto. Sono un uomo normale, ma pensavo di capire le persone: mi sbagliavo. Non ne avevo la più pallida idea. Questi eventi mi hanno devastato e non riuscirò a superarli tanto presto.

Aprì l'involucro di carta velina e vide un velo nuziale.

Non ho fatto altro che pensarci e ho concluso che non posso descrivere in modo adeguato ciò che provo. Questo oggetto dovrà farlo al posto mio.

In breve, all'inizio di quest'anno mi sono sposato, ma il matrimonio è durato soltanto due mesi. È stato un duro colpo. Però la mancanza di spiegazioni è stata ancora peggio. Ogni volta che chiedo alla mia futura ex moglie cos'è andato storto e perché, si rifiuta di rispondere. Un paio di settimane fa, un amico mi ha mostrato l'articolo che è stato pubblicato su questa rivista. Cos'ha a che fare con la rottura di un matrimonio? Se lo leggerà, capirà.

«Posso leggerlo?» chiese May.

Laure guardò il velo: una nuvola di tulle bianco, pieno di speranza. Proteggere la privacy dei donatori era un principio fondamentale, così come essere gentile, e May era una predatrice, che le piacesse oppure no. Tuttavia l'articolo era stato pubblicato ed era di dominio pubblico.

«Laure, puoi fidarti di me.»

Chi voleva prendere in giro? E tuttavia, con quella smorfia contrita, un po' subdola e impudente, era impossibile ignorarla. Era sveglia, intelligente e abbastanza coraggiosa per farsi strada nel mondo. Erano quelle, le qualità che valeva la pena incoraggiare.

«Certo. Sei una giornalista che ha bisogno di una storia.»

«Giustissimo. È una lotta eterna: come si fa a restare umani, con un lavoro come il mio? Ma, sotto questo apparente cinismo, ho un'anima anch'io.» Lei e Nic si rivolsero un accenno di sorriso.

Laure porse la rivista a May, che sfogliò le pagine di alta moda, cucina e pubblicità di creme al retinolo. Trovò l'articolo e incominciò a leggere ad alta voce.

In quell'ufficio erano il francese e l'inglese a dominare. Il suo accento del Sud, le parole strascicate provenivano da una geografia linguistica diversa e suggerivano l'esistenza di altri mondi.

Il velo, l'abbiamo scelto io e Jenna. Ne abbiamo parlato al telefono per ore. L'ho tirata io per le lunghe, perché mi piaceva sentire il suono della sua voce. Perché no? Stavo per perderla. Stava per essere inghiottita da una villetta a schiera, completa di posate d'argento, tovagliette e tosaerba.

Le ho fatto una domanda: non pensava che il velo fosse troppo antiquato e remissivo?

« È proprio quella l'idea, Rosie. »

Sembrava indifferente e anche quello mi ha ferito. (A dire il vero, in quella faccenda non c'era niente che non mi ferisse.)

« Ned e io consacreremo le nostre vite l'uno all'altra. Ora non ne può più, ma gli ho detto che, se superiamo questa prova, dopo sarà tutto rose e fiori. »

A quelle parole ho provato l'impulso di commettere un omicidio. E la magnifica sensazione di vuoto che si deve provare dopo averlo fatto.

Abbiamo deciso d'incontrarci al negozio di abiti da sposa per scegliere lo sventurato velo. Era un posto minuscolo, dominato da una rastrelliera che andava da una parete all'altra, piena di abiti di ogni sfumatura di bianco, con balze e pieghe declinate in mille varianti diverse. Era come guardare una vetrina di meringhe, alcune delle quali avevano purtroppo perso la loro freschezza.

La commessa ha infilato Jenna nel vestito e le ha rivolto uno sguardo attento prima di stringerle il corpetto. « Ha perso peso. È normalissimo. »

Il vestito era magnifico. Semplice, con le maniche aderenti, morbido, di tulle impalpabile, perfetto per il suo incarnato e la sua corporatura.

Ha indossato il primo velo, di una tonalità di bianco che non s'intonava al suo colorito. Il secondo era troppo corto e sbarazzino.

La commessa gliene ha fatto provare un terzo. « Ci siamo. »

L'orlo toccava il pavimento, circondando la figura bianca

e immobile, e ho visto un fantasma. Del passato. Ho visto anche il futuro. Un futuro cui non avrei voluto pensare.

« Meraviglioso », ha commentato la commessa battendo le mani.

E lo era.

Abbiamo evitato di guardarci. Ho tenuto gli occhi sulla commessa, che stava sistemando gli ultimi dettagli. Jenna ha preso il velo tra le dita, come per assorbire ogni fremito del tessuto.

Cosa stai facendo? *ho pensato, cercando di non mettermi a piangere.* Perché, quando puoi avere me?

Mi era impossibile dimenticare l'onda velenosa che si era abbattuta su di me il giorno in cui Jenna mi aveva detto che era finita e che avrebbe sposato Ned. Impossibile. Jenna si era messa a piangere, io avevo avuto una crisi di nervi e lei si era spaventata. Mi aveva implorato di non insistere.

Dopo ore di tortura, mi ero arresa. « Vattene. Non voglio parlarti mai più. »

Ma non era durato a lungo.

Ho guardato la mia immagine riflessa allo specchio, alle spalle di Jenna. Il mio vestito era a casa, appeso a una gruccia. Era grigio chiaro e avevamo deciso di abbinarlo a un bouquet di rose color cipria. Come damigella d'onore, avrei chiuso il corteo.

Cosa mi era saltato in mente?

La commessa stava togliendo il velo e l'abito. Ho visto l'anello di fidanzamento di Jenna e una spallina del reggiseno un po' logora. Erano dettagli che avevo notato io, non lui, e mi ci sono aggrappata con ferocia.

La gelosia è orrenda. Da una parte l'assaporavo, ma allo stesso tempo detestavo l'idea di esserne prigioniera, perché mi privava del controllo. Mi ero rivolta a uno specialista. Tutte chiacchiere. Si è limitato ad annuire senza fare com-

menti e a porgermi il conto. Di conseguenza, tutto ciò che facevo ne era contaminato.

La commessa è andata alla cassa, nascosta dietro un'altra tenda: tutto ciò che aveva a che fare col denaro, in quei negozi stucchevoli, era sempre camuffato. Jenna si è infilata i jeans e la maglietta.

Ho fatto per aiutarla, ma lei si è ritratta. «Non farlo.» Stava piangendo.

Mi sono arrabbiata. «Dovresti essere felice.»

Si è chinata ad allacciare le scarpe da ginnastica. «Cos'ho fatto, Rosie?»

«Sei un'imbrogliona e dovrei gridarlo ai quattro venti.»

«Fallo, allora.»

Si è rifiutata di guardarmi.

In quel momento ho preso la mia decisione. Jenna voleva che dicessi al suo futuro marito che non l'amava. Voleva che fossi io a fare il lavoro sporco.

Non l'ha detto... oh, no, non l'avrebbe mai ammesso... ma io lo sapevo.

Sì, sapevo che Jenna era una vigliacca e che sarebbe stata felice di rovinare la propria vita, quella di Ned e la mia, perché non aveva il coraggio di dire niente.

Indovinate cos'ho fatto?

«Una variante del classico triangolo amoroso.» May tornò alla lettera. «'Quando ha indossato questo velo, mia moglie ha promesso di amarmi, ma mentiva. Amava qualcun altro e quel qualcun altro era la sua damigella, che ha scritto queste assurdità disgustose.'» May piegò la lettera e la mise di nuovo nella busta. «Il museo è mai stato denunciato per calunnie?»

«Una possibilità c'è sempre, però lavoriamo a stretto contatto con gli avvocati.» Laure tirò fuori il velo dalla scatola. Delicato e impalpabile, sembrava spuma che fluttuava sulle sue braccia tese. A uno sguardo più attento, vide che c'era il segno di un morso – una macchia rosa, di rossetto – lungo il bordo.

«Accidenti. Posso fare una foto?»

«No.»

May lo guardò con più attenzione. «Quanta rabbia e quanto odio devi provare, per mordere un velo da sposa?»

Nic era senza parole. «Non sono sorpreso che il marito abbia usato un pennarello verde.»

All'ingresso del museo, Jean-Paul presidiava la biglietteria. Laure lo presentò a May, spiegandole che si stava laureando in Scienze museali e stava facendo esperienza al museo. Lui e Chantal si alternavano, lavorando a settimane alterne. «Gli stagisti non sono retribuiti, ma gli diamo un rimborso spese.»

Jean-Paul aveva un'espressione enigmatica.

«La figura del curatore ha un futuro, in Francia?» gli chiese May.

«Sì, il governo sostiene questo tipo di figura professionale.»

May gli rivolse il suo sorriso in grado di accecare chiunque in un raggio di chilometri. «Che fortuna. Dove vivo io, siamo costretti a fare affidamento sulla generosità dei privati.»

Alcune donne che indossavano impermeabili di plastica verde tutti identici entrarono nel museo e Jean-Paul si concentrò su di loro.

Laure chiese a May se voleva assistere all'installazione del velo da sposa, che aveva deciso di esporre nella Sala 2.

«Giusto, il tema è l'abbigliamento», disse lei, entrando nella sala e guardando gli oggetti esposti.

Una parete della sala era occupata da una vetrina di circa due metri per tre.

C'era una maglietta bianca con la scritta IRON MAIDEN, ma il posizionamento della stampa era impreciso e la I era finita sotto l'ascella. A un'occhiata frettolosa, si leggeva RON MAIDEN.

«Ron Maiden?»

«Ho un debole per lui. Mi fa ridere», disse Laure.

«Sembra uno sfigato.»

«Lo era.» Laure indicò la didascalia e May lesse ad alta voce. «'Non è riuscito nemmeno a farsi fare una maglietta decente.'»

Laure aprì la vetrina. «Passami il velo.»

Mentre Laure lo sistemava, assicurandosi che il segno del morso fosse ben visibile, May fece un giro della sala e si fermò davanti alla vetrina accanto alla porta. «Un burattino?»

Laure lisciò l'ultimo lembo di tulle, affisse la didascalia e uscì dalla vetrina. Indietreggiò e osservò il proprio lavoro. Il velo bianco cadeva vaporoso, proiettando un alone di luce. «Una marionetta, per l'esattezza.»

«Qual è la differenza?»

«Le marionette hanno i fili e vengono manovrate dall'alto, i burattini no, s'indossano come guanti, li muovi con le dita.»

«Raccontami la sua storia.»

«Di Marenka? Viene da un teatro delle marionette ceco. Le Marenka venivano usate per impersonare le fanciulle ingenue, compresa la Bella Addormentata.» Laure non aveva bisogno di guardarla: conosceva il suo profilo e le sue giunture cave come le sue tasche. Ogni centimetro di quella superficie verniciata e tintinnante.

«È molto bella. Sembra quasi... sovrastare gli altri oggetti.»

Era vero. Col suo abito di cotone e col velo di pizzo ricamato sul capo, da cui scendeva una treccia di capelli castani, Marenka dominava la vetrina ed esigeva attenzione. *Guardatemi. Attentamente. Conosco le vostre paure più profonde, più oscure. Nutro la vostra immaginazione affamata.*

May fece un passo indietro. «Un po' inquietante.»

«Ci si abitua. All'inizio l'abbiamo appesa al muro, nel modo tradizionale. Ma ogni volta che c'era corrente incominciava a cigolare. Chantal e gli altri lo trovavano inquietante. Anch'io, credo.» Sorrise. «L'abbiamo messa in castigo nella vetrina, ora deve fare la brava.»

«Posso toccarla? Per favore.»

Laure aprì la vetrina e May diede una spintarella a Marenka, che agitò braccia e gambe, obbediente.

Laure chiuse gli occhi, preparandosi all'inevitabile tuffo nell'abisso buio di un ricordo. Ombre che lambivano pareti dissestate e scrostate. Il suo amico Milos, che parlava con una delle sue marionette, aggiustandone con calma i fili. Come se quei pupazzi fossero la sua famiglia. I suoi figli.

«Nego categoricamente di avere ricevuto un'educazione borghese», aveva detto Spejbl a Milos.

«Ma, Spejbl, tuo padre era un commerciante molto conosciuto», gli aveva detto Milos con severità. Poi aveva guardato Laure. «Non si dicono le bugie davanti agli ospiti.»

Lo schiocco delle giunture di legno. Il sudore acre dei burattinai che lavoravano sotto le luci inaffidabili del teatro...

Archiviò quei ricordi vividi e penetranti, e riaprì gli occhi. «A Praga lavoravo in una compagnia di marionette. Penso di avertene accennato. Prima della rivoluzione, quando le cose erano difficili.»

«Davvero?»

«Avevo un amico. Lui mi ha detto...»

Lui. Laure si fermò. Doveva ricordarsi di chiamarlo sempre per nome, perché lo Stato avrebbe cercato di farlo scomparire e forse c'era riuscito. E perché era suo amico.

«Ti prego, non dimenticarti di ciò che facciamo qui», aveva detto Milos.

May aspettava che Laure finisse la frase, ma lei scrollò le spalle. «Non ricordo cosa mi ha detto. Si chiamava Milos.»

«Te l'ha data lui?»

«A dire il vero, no. È stata un'altra persona a darmela, molti anni dopo.»

May lasciò a Laure lo spazio per proseguire, però lei non lo fece. «Sembra stanca del mondo. Come se ne avesse viste troppe.»

«Forse hai ragione.»

May infilò un dito sotto il braccio della marionetta e lo alzò in un saluto nazista. «Marenka, a nome di tutte le donne che ti conoscono, devo chiederti una cosa: è andata a finire bene?»

«Non ti risponderà. Ha fatto il voto del silenzio.»

«Mi sembra giusto. Nessuno ha voglia di ammettere di essere stato ingannato e tradito. Potresti rispondere tu, Laure. *Tu* potresti.»

Laure si morse il labbro. Per quanto fosse risoluta, quelle domande le davano sui nervi. «No, non posso. Davvero.»

May era scettica. «Cavoli. Mi sono infilata in una strada senza uscita. Giusto? Posso guardare sotto il velo?»

«Se ci tieni.»

Il pizzo era troppo raffinato, per una marionetta. May lo scostò e guardò il volto di Marenka. «Che strana. Ha un occhio azzurro e uno verde. Avevano finito il colore?»

«Procurarsi la vernice era sempre un problema. Bisognava accontentarsi di quello che si trovava.»

«Non sarebbe stato più semplice mescolare i colori?»

«Vero. Ma le cose non erano sempre così lineari.»

May non era al corrente dei segreti, però gli occhi di colore diverso veicolavano un messaggio ben preciso a chiunque fosse in grado di capire: *Non tutti la pensano allo stesso modo.* «Mi dà un po' i brividi, tutto qui.»

Laure conosceva bene quei lineamenti di legno. Intimamente. Se col passare del tempo la vernice del viso si era ricoperta di crepe, le labbra scarlatte erano ancora piegate in un sorriso ribelle.

May guardò Laure con la coda dell'occhio. «Come la descriveresti?»

«Be'. È un'innocente.»

«Ah.»

«Ma non è un'ingenua. Marenka sa come va il mondo. È di legno, immobile, e tuttavia è piena di vita. È una marionetta, però possiede un'anima. Forse penserai che sono tutte sciocchezze. Ma non è così.» Nella propria voce sentiva l'eco dell'entusiasmo di tanti anni prima.

«Va' avanti. Quello che penso io non è importante.»

«Marenka è un concentrato di paradossi. Puoi vederla per quello che è. Oppure tu, spettatore, puoi proiettarle addosso un'immagine di te stesso.»

Marenka era una creazione di Milos. Lui era l'artista, e in quegli occhi di colore diverso aveva dipinto la follia e la disperazione di quegli anni.

«Ce l'ha un principe?»

«Non è ancora arrivato. Marenka lo sta ancora aspettando.»

«Sempre la stessa storia. In base alla mia esperienza, succede di rado.» May abbassò il velo sul volto della marionetta e uscì dalla vetrina. «Hai detto che non hai mai avuto due oggetti uguali nel tuo museo. Non dovresti toglierle il velo, adesso che hai esposto quell'altro? Stando alle tue regole, intendo.»

«No.» Laure era stata più brusca di quanto volesse.

«I suoi occhi sono strani. È come se ti tormentassero. Tornando al teatro delle marionette, cos'è successo?»

«Politica. La compagnia sperava di esibirsi a Parigi, ma non ci è mai riuscita, perché non ha avuto il permesso di uscire dalla Cecoslovacchia. Comunque si sono cacciati

118

nei guai con le autorità comuniste. Come ti dicevo, Marenka è arrivata molti anni dopo. »

May guardò ancora una volta la marionetta appesa nella vetrina e lesse ad alta voce la didascalia: « 'La politica ci ha impedito di mantenere la nostra promessa.' Non sei mai sorpresa dalle cose che impari qui dentro? »

« Di continuo. Questi oggetti t'invitano ad affacciarti sull'orlo di un abisso. »

9

Praga, 1986

Era normale, ciò che aveva visto nella camera da letto dei Kobes?

Ci pensò a lungo. Forse era una questione di potere. Lo era stata anche quella disastrosa avventura con Rob Dance, ora se ne rendeva conto. Doveva dimenticarlo.

Era un gioco erotico? Petr stava abusando di sua moglie? Di giorno, Eva lo chiamava spesso «tesoro». Alla luce di quanto aveva visto, cosa significava? A casa aveva letto sui giornali che alle donne accadevano cose orribili, però, dopo avere passato in rassegna le scarse conoscenze che aveva in ambito sessuale, non riuscì a trovare una risposta.

Qualunque fosse la spiegazione, Petr Kobes non avrebbe potuto essere più gentile o più disponibile ad aiutare Laure ad ambientarsi. Ma era destabilizzante non sapere se ridere o ritrarsi inorridita davanti al contrasto fra l'uomo che si preoccupava di farle riparare lo zaino e quello che si abbandonava a comportamenti sudici e sgradevoli in camera da letto.

Né Jan, né Maria dormivano bene per via del gran caldo e, di conseguenza, il pomeriggio erano spesso nervosi. Tenerli sotto controllo metteva a dura prova anche le competenze più basilari di Laure in materia di puericultura. Pensò d'incoraggiarli a costruire un modellino, ma non c'era cartone, né vernice. I giochi di carte avevano più successo, però anche quelli avevano i loro limiti.

Durante il giorno andavano a fare una passeggiata. A volte cercavano refrigerio lungo il fiume, oppure nei frutteti o tra gli alberi della collina di Petřín. I giorni trascorrevano senza scopo, senza una routine precisa. Jan chiedeva spesso quando sarebbero tornati a Parigi e Laure promise che avrebbe chiesto a sua madre.

Era giorno di bucato. Maria stava facendo il suo sonnellino e Jan era stato spedito in camera con l'ordine di leggere un libro. Fuori, il sole era una sfera infuocata.

Un'asse da stiro era stata messa nella lavanderia, dov'era impilata la biancheria pulita. Eva era seduta alla finestra con la sua scatola da cucito, intenta a rammendare il vestito di cotone giallo di Maria comprato a Parigi, mentre Laure stirava. L'odore di vestiti caldi e puliti e di appretto riempiva la stanza.

Laure aveva pensato con ansia a cosa dirle. Posò il ferro da stiro. «Jan ha paura che non tornerete a Parigi.»

Eva non reagì. Era difficile guardarla cucire: piantava l'ago, dava uno strattone maldestro al filo. «Davvero?»

Laure posò una camicia di Jan sull'asse da stiro. «I bambini si considerano francesi.»

Eva alzò la testa di scatto. «Non dirlo *mai più*. Sono bravi cittadini cechi. Bravi socialisti. Non sai di cosa parli.» Ruppe il filo coi denti e diede il vestito rammendato a Laure. «Dopo averlo stirato, mettilo via. Maria non deve indossarlo, qui.»

Laure sapeva che era il vestito preferito della bambina, ma non disse niente. Quella reazione l'aveva ferita. Per la prima volta, si chiese se la decisione di andare a Praga non fosse stata precipitosa. «Mi scusi se l'ho fatta arrabbiare. È solo che non fanno che parlare di Parigi. Sentono la mancanza del parco e dei loro amici.»

Eva abbassò la voce, come se i muri potessero sentirla. «Jan e Maria sono cechi. Non slovacchi, ricordati. Cechi. Questa è la loro casa. Devono capirlo, e anche tu.»

Laure non ne era sicura. Piegò il vestito dello scandalo e tacque.

Alla fine della seconda settimana a Praga, la famiglia Kobes fu invitata a una cena in onore di una delegazione di ferrovieri del Nord dell'Inghilterra. Laure fu invitata in quanto madrelingua inglese.

Nel suo elegante vestito smanicato color acquamarina, Eva sembrava preoccupata. Aveva un rossetto arancione scuro, ma una linea pallida le contornava le labbra. «Ti avviso, sarà noioso.»

Petr la zittì e guardò Laure, facendola sentire come se fosse l'unica persona sulla faccia della Terra, come sempre. «Farò in modo che tu ti diverta.»

La sala affittata per l'occasione era così grande che i cinquanta ospiti sembravano schiacciati dalla sua desolazione di mattoni. Alle estremità del tavolo principale, l'unico cui era stato concesso il lusso di una tovaglia, erano stati attaccati dei tavolini a cavalletto. Al bordo era fissato un microfono. Ogni volta che incominciava a crepitare, un elettricista posava il suo bicchiere di birra e correva a sistemarlo.

I ferrovieri sembravano frastornati nei loro completi inamidati. Alcuni avevano portato le mogli, la maggior parte delle quali indossava abiti più adatti a un inverno scozzese che all'estate di Praga. Le stavano presentando alle mogli dei membri del Partito, che invece avevano tutte capelli ossigenati e sopracciglia sottilissime.

Laure era seduta tra Jan e Maria a uno dei tavolini, apparecchiato con tovagliette di carta e piatti di metallo. Su ogni coperto c'era uno stemma con l'immagine di Lenin, di Stalin e della bandiera ceca. Per rafforzare la solennità dell'occasione, sul tavolo c'erano delle bandierine di un giallo e di un verde accecanti che davano il benvenuto ai «fratelli» in ceco e in inglese.

Seduti di fronte a Laure c'erano un paio di ferrovieri il cui accento per un istante le suscitò una fitta di nostalgia. Tra un tentativo e l'altro di tenere a bada i bambini, cercò di conversare con la coppia. Non furono amichevoli finché lei non li informò che era nata e cresciuta nello Yorkshire, e solo allora il ghiaccio si sciolse.

«Mi piace molto la sua zona», disse l'uomo più anziano, che aveva un leggero solco sulla nuca dove appoggiava di solito il bordo del berretto.

Laure fece del suo meglio per guadagnarsi la loro fiducia. Disperata, indicò Petr ed Eva al tavolo principale.

Il ferroviere più giovane si lasciò sfuggire un fischio. «I tuoi datori di lavoro devono essere dei pezzi grossi. È impossibile ottenere qualcosa, se non hai delle conoscenze.»

Laure fu tentata di ribattere che la dottrina comunista si basava sul principio che nessuno doveva godere di privilegi che lo ponessero al di sopra degli altri, o almeno così credeva.

L'uomo doveva aver notato il suo scetticismo, perché aggiunse: «Come credi che siamo finiti qui?»

Il cibo era completamente fuori luogo, per una giornata torrida come quella. Minestra di carne, gulasch, torta di prugne. Ce n'erano quantità industriali e tra una portata e l'altra venivano pronunciati discorsi che procedevano con lentezza esasperante, perché ogni frase doveva essere tradotta dal ceco all'inglese, o viceversa.

Al tavolo principale, Eva si sventolava con una copia del discorso del presidente.

Un traduttore dall'aria sfinita faceva la spola tra Petr e il capo della delegazione dei ferrovieri. Ormai avevano bevuto tutti parecchia birra ed era ovvio che la maggior parte dei tentativi di tradurre era destinata al fallimento. Cechi e inglesi si erano rilassati e si stavano facendo prendere la mano coi brindisi.

La testa di Eva ciondolò e Laure, che l'aveva sempre tenuta d'occhio, scattò in piedi. Petr la raggiunse per primo e la circondò con un braccio. La moglie aveva il respiro affannoso e farfugliava.

Petr la scosse dolcemente. «Eva, sono qui. Andrà tutto bene.» Rivolse un cenno a uno degli uomini del Partito e impartì un comando in ceco.

L'uomo si fece largo tra gli ospiti ubriachi fradici e uscì dalla sala.

«È andato a prendere l'auto. Ascolta, Laure, puoi accompagnarla a casa? Io devo fermarmi ancora un po'. Si riprenderà, ha soltanto bisogno di dormire», aggiunse, notando la preoccupazione di Laure.

«E i bambini?»

«Possono stare qui.»

Per un istante pensò che non fosse compito suo. E non sapeva come affrontare il collasso di Eva. Cosa doveva fare? Poi vide l'espressione di Petr, l'estrema angoscia, e la pietà ebbe la meglio. Inoltre, sapeva che poteva farcela. Fece un respiro profondo. «Va bene. Devo metterla a letto?»

«Grazie. Non hai idea di quanto ti sia grato...» Petr prese il fazzoletto e tamponò il sudore sul labbro superiore della moglie, poi guardò la figlia, che stava sventolando una bandierina nella loro direzione. «È molto più felice da quando ci sei tu. Sei come una Fata madrina, per la nostra famiglia.»

Laure cercò di sostenere Eva sulla sedia. «La signora Kobes ha bevuto?»

«Un po'. Non dovrebbe, le fa male.»

«Oh.» Le cose erano più complicate di quanto avesse immaginato.

«Quando si renderà conto di cos'è successo, si vergognerà moltissimo, quindi non ne parleremo più, intesi?» continuò Petr a bassa voce.

Laure guardò la sua costosa cravatta francese. Avrebbe tanto voluto chiedergli, da adulto a adulto: *Sei crudele con tua moglie? Puoi essere sincero, noi dello Yorkshire non ci scandalizziamo.*

Si guardarono. Negli occhi scuri di Petr, Laure vide la riconoscenza di cui parlava e anche qualcosa di più caldo, e provò un piccolo brivido. Cosa fosse, non lo sapeva.

Petr si schiarì la gola. La sua proverbiale compostezza l'aveva abbandonato. «Io... noi... abbiamo davvero bisogno del tuo aiuto, Laure. Sei intelligente e discreta, so che capisci.»

«Certo. Sono qui apposta.»

In seguito, nella lettera che spedì a sua madre, Laure scrisse: *Anche se tutto sembra semplice, in questo Paese, e il Partito è al comando, in realtà è complicato e ci sono persone più favorite rispetto alle altre.* Fissò la pacchiana bandierina che Maria le aveva portato in regalo dopo cena.

«Perché sei come una principessa», le aveva detto.

Era a metà della lettera quando le venne in mente che forse l'avrebbero letta i censori, e la stracciò.

Il contratto di Laure prevedeva due sere libere alla settimana.

A Parigi non c'erano stati problemi: aveva trascorso le sue serate con gli amici, rifugiandosi nei caffè e nelle *boîtes*. A Praga non sapeva bene come impiegare il suo tempo libero. In ogni caso, quella sera se la prese libera.

Come promesso, Petr tornò dall'ufficio per aiutare Eva. Laure lo sentì chiamare la moglie e appoggiare la ventiquattrore sul pavimento.

I bambini stavano facendo il bagno, prima Jan e poi Maria. Laure aveva già riempito la vecchia vasca di smalto e stava lavando la bambina, quando Petr fece capolino sulla soglia, dove rimase finché Laure non avvolse Maria in un asciugamano.

«Che quadretto meraviglioso», disse in francese, e Maria strillò deliziata. Petr indicò la sedia. «Posso?»

Laure gli mise Maria, ancora bagnata, sulle ginocchia.

Petr le soffiò sul collo e poi l'asciugò delicatamente con un lembo dell'asciugamano. Attento, pieno di orgoglio per la figlia, era tutto concentrato sul suo compito.

« Bravo, papà », disse Maria.

Laure era disorientata, come le accadeva spesso a casa dei Kobes. Petr era un padre troppo affettuoso per poter essere un marito violento.

« Hai impegni, stasera? Ti vedi con qualcuno? »

Laure provò un fremito da qualche parte dentro di sé. « Pensavo di andare al teatro delle marionette. »

Petr aiutò Maria a mettersi il pigiama che Laure aveva meticolosamente stirato. « Ah. Devi raccontarmi tutto, quando torni. » Aveva un'espressione benevola ma, per qualche motivo, Laure ne fu turbata. « Stai attenta, per favore. Una come te attira l'attenzione. »

Laure si rabbuiò. « Cosa vuol dire? »

Lui prese la testa umida della figlia tra le mani. « In Cecoslovacchia c'è un contratto tra le autorità e i cittadini che confida sul comportamento retto e pacifico di questi ultimi. »

« Anche nel mio Paese. »

« Davvero? Qui, se tu o un membro della tua famiglia venite considerati 'inaffidabili', puoi ritrovarti con la linea telefonica staccata o la patente ritirata. Può diventare difficile. Lo Stato è preparato a prendere provvedimenti. »

Laure era sconvolta. « E lei approva? »

Petr sorrise davanti alla sua espressione confusa e posò Maria sul pavimento. « Quello che penso io non ha importanza. »

Mentre camminava sul ponte Carlo, diretta a Staré Město, si disse che, sì, non importava ciò che pensava Petr Kobes. Però era curiosa di sapere se approvasse l'idea dello Stato che « prendeva provvedimenti ».

Era l'imbrunire. Superato il ponte, andò verso est e fu inghiottita dall'aria calda intrappolata tra i palazzi.

Si fece largo verso la piazza e si ritrovò fagocitata da una folla che andava nella sua stessa direzione. Temendo di perdere l'orientamento, seguì la corrente, bloccandosi di colpo all'ingresso della piazza. Ebbe così il tempo di ammirare i quadranti dell'orologio astronomico e la facciata scrostata color sangue di bue della casa di fronte, che fungeva da utile punto di riferimento.

All'improvviso, sullo sfondo di un cielo rosa e opale, le torri fiabesche della chiesa si stagliarono all'orizzonte, regalandole un momento di pura magia. Laure trattenne il fiato. Era come se l'avessero spinta oltre il confine tra il mondo conosciuto e una nuova dimensione, incorporea ma reale.

La calca era così opprimente che non riuscì più a proseguire. Di fronte alla statua di Jan Hus avevano montato un palco e dei tecnici stavano provando un impianto audio allestito sui gradini. Al monumento era appeso uno striscione con la scritta ANATOMIE.

Che avesse sbagliato strada? Il teatro delle marionette era dietro la statua, in una casa con una torretta. Dopo averla raggiunta con fatica, trovò l'ingresso bloccato da una pila di strumenti musicali. Una ragazza coi capelli biondi legati stava spuntando gli strumenti da un elenco.

Laure fece per entrare, ma la ragazza le indicò un cartello attaccato alla porta, sul quale probabilmente c'era scritto che il locale era chiuso. «Quando apre?» chiese in inglese.

La ragazza alzò lo sguardo e rispose nella stessa lingua. «Domani. Vattene, per favore.»

Laure tornò sotto il palco. Il calore del lastricato filtrava attraverso le suole delle sue scarpe leggere e il sudore le faceva appiccicare i capelli alla nuca. Uno dei tecnici saltò giù dal palco vicino a lei. Si accesero due faretti, e tre figure con capelli lunghi e jeans neri salirono sul palco e andarono verso gli strumenti appoggiati ai microfoni. Laure era così vicina che vedeva i pori della loro pelle, il sudore e una riga di sporcizia sul collo del batterista.

Sulla piazza calò il silenzio, poi un suono grezzo e graffiante lacerò l'aria, strappandole l'aria dai polmoni. I suoi timpani gridarono vendetta. L'onda d'urto l'attraversò dalla testa ai piedi, in un vortice di euforia e senso di liberazione, facendole provare un piacere selvaggio.

Un terzo faretto si fulminò con un'esplosione e una pioggia di scintille. Nessuno ci fece caso e lo lasciarono spento, in cupo contrasto coi suoi compagni. Un tecnico fece per andare a controllare, poi rinunciò.

Era impossibile capire i testi, ma non importava. Sapeva che erano bellissimi, ne era certa. Con sua grande sorpresa, però, colse un paio di parole in inglese.

Che spettacolo. Che suono.

Quella era vita, pensò. Finalmente.

Strinse le palpebre e allungò il collo per guardare meglio. I tre musicisti dominavano il palco. Ne conoscevano ogni centimetro: si muovevano eleganti come pantere decise a conquistarsi un territorio. Il bassista aveva una criniera di capelli neri, il batterista era un tipo tarchiato con due mani enormi, ma il più agile e sexy del gruppo, quello che cantava e suonava con intensità struggente nonostante il fisico scheletrico, era un volto conosciuto. Indossava anche lui jeans neri, oltre a un panciotto a righe coi bottoni d'osso sopra una maglietta strappata.

Era un musicista esperto – lo erano tutti e tre – e non era affatto intimidito dalla folla adorante che aveva davanti. Girò su se stesso, sollevò la chitarra, e la maglietta scoprì la pelle nuda del fianco. Laure trattenne il fiato, insieme con la maggior parte delle donne presenti.

Era affascinante. Sapeva il fatto suo. Il pubblico era il suo strumento. Aveva ritmo. Era sesso allo stato puro. Stava dicendo che capiva i loro desideri inespressi: uomini e donne, giovani e vecchi. Ogni passo, rotazione o movimento delle esili dita sulle corde era accolto da grida entusiaste. Tra un pezzo e l'altro, scostò i folti capelli castani dalla fronte, mettendo in mostra il profilo ossuto.

A metà di una canzone, verso la fine di un assolo di chitarra, abbassò lo sguardo, intercettò quello di Laure, che lo stava fissando rapita, e cantò guardandola negli occhi.

Col cuore che batteva all'impazzata, lei gli sorrise e alzò una mano chiusa a pugno a mo' di saluto. Accanto a lei, un uomo le prese il braccio, abbassandolo con uno strattone. La guardò con aria di rimprovero, scosse la testa e se ne andò.

Il sorriso le morì sulle labbra. L'euforia svanì di colpo. Confusa, si massaggiò il polso. Cosa ancora più sconcertante, intorno a lei si fece il vuoto. Mortificata, cercò di concentrarsi sul concerto. Le stavano facendo capire che aveva trasgredito. Ma in che modo?

Con la coda dell'occhio, intravide un luccichio e si girò a guardare. Dietro la statua di Jan Hus, alla finestra di una casa, c'era un uomo che puntava un binocolo sul palco. Sotto di lui, un altro uomo con un giubbotto di pelle era sulla soglia di una porta. All'improvviso Laure si accorse che figure del genere erano disseminate per tutta la piazza.

Il suo istinto fu quello di... be', cosa? Di riderne? Ignorarli?

Ignorarli era la cosa migliore. E tuttavia sentì un brivido percorrerle la schiena.

Il concerto terminò bruscamente com'era incominciato. I tre musicisti si guardarono ed eseguirono un ultimo accordo assordante. Il batterista si alzò in piedi e gli altri due sollevarono il loro strumento. Le luci si spensero.

Il pubblico impazzì.

Un po' a disagio, Laure si avvicinò al palco. I tecnici erano tornati e stavano smontando le attrezzature a tutta velocità. I musicisti scesero tra il pubblico in delirio. Un paio di donne strillarono estasiate.

Laure si sentiva svuotata, ma consumata dal desiderio. Fiacca, persino.

Era ora di tornare all'appartamento dei Kobes e, ancora disorientata, cercò di tracciare mentalmente la via del ritorno. *Cerca la casa color sangue di bue, esci dalla piazza imboccando la stessa strada, dirigiti verso il ponte Carlo, prosegui dritto, tenendo sempre d'occhio San Nicola.*

In quel momento, Tomas Josip si girò, la vide e la salutò sorridendo. «Vieni», le disse in inglese.

Tomas non scelse le strade principali, ma guidò Laure attraverso un dedalo di vicoli stretti, a volte claustrofobici, che di tanto in tanto intersecavano le vie principali. Si muoveva sicuro, scortandola come se fosse il sovrano di quel paesaggio urbano clandestino fatto di viottoli bui e scorciatoie. «Da questa parte, Laure.»

Si ritrovarono in un paio di vicoli così angusti che era quasi impossibile passare. Laure ebbe un attimo di esitazione.

«Sei al sicuro», disse Tomas.

«Devo tornare a casa.»

«E ci tornerai.»

«Posso fidarmi?»

«Non preoccuparti. Qualcuno ti porterà indietro. Spero di essere io, il fortunato.» Aveva un sorriso sghembo, quasi beffardo.

Una sensazione di calore le si diffuse nel petto. Era stata così occupata ad abituarsi al lavoro e a festeggiare la sua liberazione da Brympton e dal dolore che regnava in casa, che non si era resa conto di quanto le mancassero l'amicizia, le chiacchiere, le risate.

Tomas si fermò e si girò così di colpo che Laure gli andò a sbattere contro. Lui si lasciò sfuggire un lamento.

«Scusa!»

«Va tutto bene. È soltanto una costola rotta. Guarirà in un paio di mesi.»

«*Cosa?* Dici sul serio?»

Di fronte alla sua espressione affranta, Tomas sorrise ed ebbe pietà, posandole le mani sulle spalle. «Un livido, nella peggiore delle ipotesi.»

«Meno male.»

Il calore sembrava avvolgerli in un mondo privato e tutto loro.

Per quanto fosse esile, Tomas aveva una presenza fisica straordinaria. La pelle accaldata, la presa decisa sulle sue spalle, il sentore di tabacco e birra e sudore. Una miscela che aveva il potere di stordirla.

Laure guardò Tomas e sorrise. Notò che aveva ciglia scure e lunghissime. L'avambraccio nudo era coperto di peluria dorata. Stupita, si rese conto che avrebbe voluto accarezzargli il petto e la curva delle spalle. «Non mi conosci. Perché sei così gentile? Le persone non si comportano così, con gli estranei.»

La guardò e sul suo viso affiorò un'espressione nuova. Come se vedesse una Laure che non conosceva nessuno. Si chinò su di lei. «Non lo so perché. E tu?»

La sua bocca aveva una piega benevola, ostinata. Le piaceva da impazzire. «No.» Non appena ebbe pronunciato quella parola, si corresse. Non voleva mentire. Non con lui. «Sì, lo so.»

Tomas annuì, come se non fosse sorpreso. Come se fosse contento. «Forse è perché non sei un'estranea? Non proprio?»

«Sì. Credo di sì.»

«Bene.»

10

Pensava che l'avrebbe portata in un caffè. Invece si ritrovò a salire un'ampia scala di marmo non illuminata in quella che una volta era stata senza ombra di dubbio una dimora magnifica.

Tomas la prese per mano per aiutarla a salire. Giunti al primo piano, la condusse verso una stanza larga quanto l'edificio e che sarebbe stata bellissima, se non fosse stato per il suo sconvolgente stato di abbandono. La vernice sui muri era quasi del tutto sparita e c'erano solo le vaghe tracce di un raffinato stucco. Sul pavimento c'era un linoleum color sterco di mucca disseminato di mozziconi di sigaretta e resti di cibo. A un'estremità della stanza c'era un tavolino con bicchieri e bottiglie. Nonostante il caldo, le finestre erano state oscurate con lenzuoli e tappeti.

Quando Tomas entrò, i presenti lo salutarono in silenzio. Un uomo gli mise un bicchiere in mano e una donna lo baciò su entrambe le guance.

Laure esitò, ma Tomas le cinse le spalle e la invitò ad avvicinarsi. «Lei è una mia amica», disse in inglese.

La ragazza che Laure aveva visto al teatro delle marionette le rivolse un cenno di saluto tra la folla. Aveva i capelli biondissimi sciolti sulle spalle, e indossava un vestito rosso e aderente dall'aria casalinga, ma che metteva in risalto le sue curve seducenti.

Rivolse un torrente di parole in ceco a Tomas, che l'ascoltò paziente e le mise una mano sul braccio, rivolgendosi di nuovo a lei in inglese. «Ti dispiace essere gentile con la mia nuova amica?»

La richiesta restò inascoltata. La ragazza si scrollò la mano di dosso e partì con una seconda invettiva.

Tomas si girò verso Laure. «Lucia è sospettosa. Pensa che ti abbia mandato la polizia. Non è insolito. Agli sbirri piace sapere cosa dicono e pensano le persone in privato. Gli interessano moltissimo le battute.»

«Le battute?»

«Sì, perché rivelano cosa pensa davvero la gente.»

«Capisco. Per favore, puoi dire a Lucia che sono una spia improbabile, dal momento che non parlo la vostra lingua?»

Con sua grande sorpresa, Laure si rese conto che Lucia aveva capito.

«Parla inglese.» Poi Tomas abbassò la voce. «Ma non lo sa nessuno. Le persone che parlano inglese non sono ben viste dalle autorità. Sono considerate sovversive.»

Lucia annuì e Laure capì che buona parte della sua ostilità era generata dalla preoccupazione. Doveva filarsela da quel buco? Laure guardò il bassista degli Anatomie salire sul tavolo e rivolgere gesti osceni al fondo della stanza.

Tomas guardò una figura che piroettava vicino a loro e un ubriaco rannicchiato in un angolo, con una bottiglia stretta al petto. «Benvenuta nel mondo in cui niente è come sembra.» Indicò il tizio sul tavolo. «Lui è Manicki. Le fan adorano i suoi capelli lunghi e quindi non può tagliarli, anche se ne ha una gran voglia, perché è borghese fino al midollo. E lui è Leo.» Indicò il batterista degli Anatomie, che stava saltando sul tavolo per raggiungere Manicki. «Gli piace fare il misterioso.»

Nella stanza non c'erano amplificatori. Manicki stava cantando una canzone popolare, ben diversa dal rock di poco prima. Molti tra i presenti avevano chiuso gli occhi, cullati dalla melodia.

Tomas le mise un bicchiere in mano. «Be', Laure-che-odia-i-sipari-gialli, se vuoi aspettarmi vicino alla finestra, ora devo andare a vivere pericolosamente, poi ti raggiungo.»

A lei andava bene. Andò alla finestra e vi si appoggiò. Nascosta dai teli scuri, la maniglia le si piantò nella schiena, ma le diede la sveglia che le serviva. Portò il bicchiere alle labbra e a momenti sputò il primo sorso. Era vodka liscia. Dopo qualche sorso, però, non ebbe più nulla da ridire.

Tomas salì sul tavolo. Gli diedero la chitarra e la imbracciò. Lassù sembrava più alto e più vecchio, meno fragile, col suo profilo tagliente, pulito, il naso aquilino. Era incredibile, come salendo su un palco una persona potesse apparire così diversa.

Tomas rivolse un cenno agli altri due e insieme attaccarono un pezzo scatenato e martellante. Inebriata dalla vodka, Laure li ascoltò rapita. La musica le pulsava nelle vene, accompagnata da un fremito ancora più primordiale tra le gambe.

Desiderio. Desiderio puro. Non l'aveva mai provato, in quella forma.

Chiuse gli occhi e si abbandonò a quella nuova sensazione di essere profondamente viva, senza paura, né timidezza. Pronta a esplorare un mondo nuovo.

Poi, all'improvviso, cambiarono ritmo. Tomas e Manicki si misero l'uno di fronte all'altro ed eseguirono una sequenza di accordi melodici, per poi lanciarsi in un brano folk. La malinconia della canzone e il ripetersi struggente delle note si sposavano perfettamente con lo stato d'animo dei presenti, alcuni dei quali sembravano prossimi alle lacrime.

Laure non sapeva da quanto tempo fosse lì: un velo di nebbia offuscava tutto. Intorno a lei c'era un dispiegarsi di baci e carezze. Corpi avvinghiati, un uomo che sbottonava la camicetta di una ragazza con fare esperto. La canzone terminò e gli Anatomie scesero dal loro palco improvvisato.

Nonostante la sua capacità di analisi rallentata dall'alcol, d'un tratto Laure capì che il sesso era ciò che facevano le persone quando il loro diritto di parola veniva limitato, quando le sensazioni erano l'unico strumento per *esprimersi*.

Si compiacque della propria analisi. Era acuta. Persino profonda.

Quasi quasi... Guardò il soffitto... Quasi quasi avrebbe potuto passare lì tutta la notte. Era così felice e non si sentiva affatto sola. Erano le undici passate, il livello del rumore era calato e sembrava che ora mormorassero tutti.

Tomas si materializzò dal nulla. «Sopravvissuta?»

Lei indicò il bicchiere. «Mi ha dato una mano.» Per dimostrare la verità della sua affermazione, ne bevve un sorso. «Cosa ci faccio qui?»

Lui infilò le mani in tasca. «Non ne puoi più?»

«È tutto meraviglioso.» Sperò di non fare la figura della ragazzina entusiasta.

«Bene.»

La stanza si era un po' svuotata. Laure si girò e si ritrovò premuta contro di lui. «Dove hai imparato a parlare inglese?»

«Mio padre era per metà inglese. Ha insistito perché lo imparassi. Diceva che avrei potuto averne bisogno. E penso che avesse ragione.»

«Invece mia madre è francese. E anche lei ha insistito per farmelo imparare. Siamo fortunati. Abbiamo due mondi nella nostra vita.» La vodka le aveva sciolto la lingua.

Lui si fece scuro in volto. «Dipende in quale vivi. Molti speravano che il mondo migliore fosse qui. Vuoi sapere perché parlare in inglese può essere pericoloso? Quei delinquenti pensano che sia la lingua che usiamo per complottare contro di loro.» Strappò il bicchiere a Laure e lo vuotò. «Quali sono le tue impressioni? Come ti sembriamo?»

Laure capì che era una domanda importante, ma non era

nelle condizioni di rispondere in modo coerente. Si passò le dita tra i capelli che – ahimè – erano appiccicosi di vodka (com'era successo?) «Penso che... penso che le persone non parlino di politica, ma la pensino e la sentano col loro corpo. Ha senso?»

Tomas sorrise. «Lo sai che sembri una piccola leonessa? Innocente ma feroce, con una chioma che sembra dotata di vita propria. Il mio inglese non è *così* buono. Per favore, puoi dirlo con altre parole?»

Lei frugò tra i brandelli delle sue facoltà mentali. «Dico che non vi è permesso dar voce a certe idee politiche.»

Lui annuì.

«Quindi, se le persone vogliono ribellarsi all'idea, lasciano che sia il loro corpo a parlare.» Indicò una coppia avvinghiata in un angolo. «Quella è ribellione.»

«Abbassa la voce, non si sa mai.»

Lei obbedì. «Capisci?»

«Per questo abbiamo bisogno di persone che vedano come si vive qui.» Le scostò una ciocca di capelli dal volto e Laure sentì le farfalle nello stomaco. «Uno di questi giorni tornerai a casa e potrai dire quello che vuoi. Puoi essere una testimone.» Si protese verso di lei. «Anzi, ho deciso che lo sarai.»

Cos'era successo? Un minuto prima era seduta accanto a un estraneo in un teatro delle marionette e il minuto dopo era stata reclutata nella resistenza.

Tomas aveva un'aria così seria, un'espressione così intensa e tormentata che sarebbe stato in grado di destabilizzare ogni singola molecola del suo buonsenso.

«Non avvicinarti», disse lei, senza troppa convinzione.

«Perché no?»

«Perché sto per baciarti.»

Oh, la vodka.

«Allora fermami.» Tomas posò le labbra sulla sua bocca

desiderosa, arrendevole, e Laure sentì il suo corpo liquefarsi in una pozza di voglia e desiderio.

Oh, benedetta vodka.

«Non perdi tempo.»

«In questo Paese non abbiamo scelta.»

«Ma non ci conosciamo», disse lei, alla fine.

«Lo so.» La baciò di nuovo. «Però io ti conosco, sai.»

«Non mi conosci.»

«Conosco ciò che conta di te.»

«Mi arrendo. Troppi 'conosco'.»

«È terribile.» Le disegnò il profilo della mandibola con un dito e lei restò immobile, trattenendo il respiro. «Potrei dirti tante cose... che sei bellissima e sicuramente intelligente e mi sei apparsa davanti come una stella in una notte tetra.» Si fermò un istante. «Sembra che tu non creda alle cose che dico. Giustissimo. Potrebbe essere tutto vero. Probabilmente lo è.» Fece un'altra pausa, più eloquente di tante parole. «Ma io sto parlando di un altro tipo di legame e dovrai capire da sola cos'è. È il meglio che posso fare.»

Lei deglutì. «Affare fatto.»

Le posò le mani sulle spalle. «Devo accompagnarti a casa.»

Fecero fatica a uscire. Tutti sembravano reclamare l'attenzione degli Anatomie, e di Tomas in particolare. Laure osservò quelle persone e concluse che la band era una specie di medicina di cui tutti si sentivano in diritto di servirsi.

Lucia si materializzò tra la folla. Aveva una bottiglia di birra in mano e un'altra nella tasca del vestito rosso. «Dove stai andando, Tomas?»

«Accompagno a casa la nostra nuova amica.»

Lucia li guardò. «Vedo. È stupido. Molto stupido.» Si voltò e tornò dagli altri.

Per strada, il calore intrappolato tra i palazzi li avvolse.

Tomas prese Laure per mano. «Mi dispiace, non ho l'auto. Però possiamo camminare. Dove si va?»

Glielo disse.

«Ah.»

Laure registrò il brusco cambiamento del suo linguaggio del corpo. Si era chiuso in se stesso.

«Lo sai che lavorano per lo Stato?»

«Il mio datore di lavoro è a capo di un'industria farmaceutica. Vive a Parigi quasi tutto il tempo.» Tomas si mise le mani in tasca e lei si sentì sprofondare. Aveva detto o fatto qualcosa di sbagliato, ma non aveva idea di cosa.

Alla fine, lui sembrò cambiare idea. «Diamoci una mossa, allora. Si dice così, no?»

«Più o meno», rispose lei, sollevata.

«Però ti devo avvertire, ci seguiranno.»

Laure si guardò intorno, furtiva. «Ci si fa l'abitudine?»

Lui le mise un braccio sulle spalle. «Consideralo un universo parallelo. È questo che abbiamo fatto, stasera. Abbiamo cantato gli universi in cui vorremmo essere.»

Era così vicino che Laure sentiva l'odore del suo sudore, il tabacco, l'alcol. Niente di tutto ciò era repellente. Al contrario, era seducente. «Ho sentito alcune parole in inglese.»

«Te l'ho detto, che l'inglese è sovversivo.»

«Ah. Allora parlerò a bassa voce.»

Mentre Tomas l'accompagnava fuori dalla piazza e sul ponte Carlo, verso Malá Strana, udirono rumore di passi alle loro spalle. Il caldo nelle stradine strette era soffocante e Laure aveva la schiena e i sandali madidi.

Al contrario Tomas procedeva senza sforzo apparente. Lo guardò, combattuta tra temerarietà alcolica e apprensione.

Un'ombra si stagliò su di lei e Laure si fermò di colpo. «Cos'è?»

Tomas le prese un braccio e indicò in alto. «Un segnale di

stop. Dovrai imparare anche tu a non avere paura dei fantasmi. Devi usare la tua energia per combattere ciò che esiste davvero. Fidati di me», aggiunse dolcemente. Nel cortile sotto la casa dei Kobes, si girò e la guardò negli occhi. «Ti fidi?»

«Di te? Sì.»

Era un cantante famoso, ma non si era montato la testa. Sembrava anche un tipo concreto, che manteneva la parola data. Le piaceva.

«La fiducia non va data con leggerezza.»

Lei annuì, per fargli capire che era d'accordo. «Ti ho fatto fare tanta strada.»

«Quindi? Ci rivediamo? Di solito sono al teatro delle marionette. O comunque qualcuno lì saprà dirti dove trovarmi. Verrai?» Sembrava sulle spine, impaziente di avere una risposta.

«E Lucia?»

Per un attimo sembrò seccato. «È una tosta. Le interessa soltanto il nostro lavoro.»

Lei arrossì. «Oh.»

«Non preoccuparti. Comunque, a causa di quell'idiota laggiù, vicino all'arcata, sono costretto a baciarti.»

Laure intravide un uomo tarchiato con un giubbotto di pelle che stava facendo finta di accendersi una sigaretta all'ingresso della strada. «Baciarsi è un gesto politico?» Capiva il punto di vista di Tomas, ma sperava pure che le dicesse che non era soltanto quello.

«Sì.» La attirò a sé, il viso a pochi centimetri dal suo.

Il sudore le era colato negli occhi e le offuscava la vista. Tremava e le sembrava di essere in preda a un'allucinazione.

Tomas posò le labbra sulle sue.

Era bollente, così estraneo, ma dai tratti e dall'eleganza quasi felini.

Lo sgherro li osservò, rapito, forse anche un po' eccitato.

Tomas si ritrasse e la guardò. «Non capisco.»
«Cosa?»
Le accarezzò una guancia. «Com'è... Com'è successo.»
Non aveva bisogno di chiedergli cosa. Lo sapeva.
Lui si avvicinò, premendo un fianco contro il suo. «Verrai al teatro?» le mormorò all'orecchio.
Lei lo strinse a sé. «Sì.» Resistergli era impossibile... cos'era? La vodka? Il desiderio?
«Ti voglio baciare di nuovo.»
«Sì. Ti prego.»
Cominciò così.

Quella domenica, Laure e i Kobes erano in soggiorno a mangiare svogliatamente uno dei piatti poco invitanti di Eva. Educato come sempre, Petr le chiese il resoconto della giornata coi bambini.
Laure descrisse la loro gita al castello. «Alla fine ho dovuto portare Maria a cavalluccio. Sono quasi morta.»
«Sei stata gentile.»
«Per scendere mi ha tenuto per mano, perché soffro di vertigini.» Fece una smorfia. «Andiamo d'accordo, io e Maria. Alla fine ci siamo messe a ballare. Ci guardavano tutti.»
Eva mangiava lentamente e Laure si rese conto che, da quand'era tornata a Praga, la donna era cambiata. Ancora di più dopo la disastrosa cena dei delegati inglesi. In certi giorni sembrava ansiosa e incline a monologhi febbrili, in altri silenziosa e apatica. Quando Laure l'aveva conosciuta Eva non era magra, ma nemmeno in carne. Nelle ultime settimane si era appesantita e aveva un incarnato giallognolo, stanco.
Mangiarono in silenzio.
A Laure, preoccupata com'era, andava bene così. Jan e Maria erano stati rumorosi tutto il giorno ed era contenta

di avere un po' di pace, di qualsiasi tipo. Il sugo della pasta era a base di pesce affumicato troppo salato e doveva concentrarsi per mandarlo giù. Dopo un po' si arrese e posò la forchetta.

Petr alzò lo sguardo dal proprio piatto. « Hai perso l'appetito? »

« Mi dispiace, ma sto morendo di caldo... »

« Me ne sono accorto. »

Le sembrò di avvertire una sfumatura ironica – come accadeva spesso, nel caso di Petr –, però non ne era sicura. « Non ci sono abituata. »

Era una mezza verità. A Laure piaceva il caldo, ma c'era qualcos'altro. Dopo Rob e il dolore che la sua indifferenza le aveva inflitto, aveva giurato alla sua amica Jane che non avrebbe mai più permesso a nessuno di distrarla, neanche un po'. « Non ne vale la pena. »

Jane le aveva detto che la stava facendo troppo tragica, ma la madre della sua amica l'aveva presa da parte. « È soltanto un idiota. Tu racconta a tutti che ce l'ha grande quanto una capocchia di spillo e non riuscivi nemmeno a trovarglielo nei pantaloni. »

E poi eccola lì, rapita da una sensazione che non se ne sarebbe andata tanto presto e che aveva un nome preciso: attrazione. Viscerale, pericolosa, inutile.

Petr mise da parte il piatto. « Perdonami, ma penso che tu abbia un *petit ami*. »

Laure fu presa dall'ansia. « Non direi. »

Eva si alzò, evitando il suo sguardo. « Vado a controllare i bambini. »

Laure prese i piatti – le stesse stoviglie di raffinata porcellana che aveva notato quand'era arrivata – e li portò in cucina, immergendoli nell'acqua saponata. Si appoggiò al bordo del lavello, cercando di calmarsi, poi tornò in soggiorno.

Petr alzò lo sguardo. « Un *petit ami*? »

«No.»

Lui bevve un sorso di birra da un boccale sul quale era inciso uno stemma. «Io penso di sì.»

«Forse sta confondendo le parole. Un *petit ami* è un fidanzato. È diverso da *ami*.»

«Conosco la differenza. Parlo francese anch'io.» Bevve un altro sorso di birra e posò il boccale sul tavolo.

Non bene quanto me. Si frenò prima che le parole potessero uscirle di bocca. «Che boccale bellissimo.»

Petr accarezzò lo stemma. «Apparteneva alla famiglia che abitava in questa casa. L'hanno... lasciato qui.» Tamburellò sul leone rampante su sfondo stellato. «Perché non ti siedi?»

Laure obbedì e si mise di fronte a Petr, che, nonostante le domande, sembrava rilassato e le versò della birra in un bicchiere. «Devi assolutamente provarla. È una tradizione nazionale.»

L'assecondò. Ogni tanto beveva birra, ma quella non la conosceva. «Non sono molto esperta di birre, però sembra... molto buona.»

Lui la guardò divertito. «Sei una pessima bugiarda.»

Laure abbassò la testa. «Sì.»

«Spero che tu non soffra di nostalgia. Se è così, prometti di dirmelo.»

«È davvero gentile da parte sua.»

«Sei una persona interessante. E buona. La bontà è espressione di sani principi morali e chiunque sia buono coi miei figli ha la mia riconoscenza.»

Per mascherare l'imbarazzo, Laure prese il suo boccale e ne guardò il contenuto. «Devo avvisarla, noi dello Yorkshire non rinunciamo facilmente.»

«A cos'è che non rinunciate?»

Era molto serio e a Laure andò di traverso la birra. «A molte cose.»

«Spero che non vorrai rinunciare a lavorare qui. Ti sei ambientata bene.» Petr prese il pacchetto di sigarette sul tavolo dietro di lui. «Potresti passarmi il posacenere?»

Laure lo spinse sulla superficie levigata del tavolo, verso di lui. Era ridicolo, ma, in quel momento, pensò di essere in un mondo parallelo in cui era *lei* a essere sposata con Petr, a occupare il posto di Eva a tavola.

«Quindi, come si chiama?»

«Chi?»

«L'uomo che ti ha accompagnato a casa ieri sera.»

Ripensò alla reazione di Tomas quando gli aveva detto dove abitava. «Mi sta spiando?»

Petr scrollò le spalle. «Molte persone vengono tenute d'occhio. È normale. Ci piace garantire la loro incolumità.»

«Normale? Non ho infranto nessuna legge.»

«Qui le regole le fanno gli uomini, non la legge.»

«E quali sono queste regole?»

«Difficile a dirsi.»

«È assurdo.»

«Imparerai che molte cose sembrano assurde, in questo Paese.»

Non aveva intenzione di arrendersi. «Come fa a sapere cosa ho fatto?»

Petr sembrava quasi dispiaciuto. «Te l'ho detto. Vogliamo garantire la vostra incolumità. Ma di una cosa puoi essere certa: le belle straniere che s'innamorano delle rock star finiscono male. I dissidenti hanno altro cui pensare. Questi sentimenti nuovi delicati potrebbero non essere corrisposti, Laure.»

Era un argomento un po' delicato, se non altro perché le stava molto a cuore. Se non altro, Petr stava cercando di essere diplomatico e sembrava sincero.

«Voglio soltanto che fili tutto liscio.»

Non c'era niente di male a volerlo, pensò lei.

Petr sfiorò di nuovo lo stemma del boccale. «Quindi? Come si chiama?»

«Se sa che mi hanno seguito, allora dovrebbe sapere anche come si chiama.» Sapeva che era una battaglia persa in partenza: Petr ne era stato sicuramente informato. «Tomas Josip.»

«Non è stato così difficile, vero? Parlami di lui.»

«Non so niente di più di quello che sa anche lei. Dovrebbe chiedere a Eva.»

«Sono responsabile di te *in loco parentis*. Sei sotto la mia custodia e devo onorare quest'obbligo. *Devo*.»

Laure non sapeva cosa pensare.

«Lo spettacolo delle marionette ti è piaciuto?»

Il cambio di argomento fu un sollievo. «Moltissimo. Il principe era... molto affascinante. Prima di raggiungere la principessa è stato tratto in salvo da un orso.» Rendendosi conto di aver detto una cosa ovvia, si fermò. Se il principe indossava pantaloni ricamati con falci e martelli e rappresentava la Cecoslovacchia, l'orso era l'amichevole, prodiga Russia. Anche se qualcuno dotato di senso dell'umorismo gli aveva piantato una falce nella schiena, al teatro.

«Un orso?»

«Credo di sì.»

«Le nostre storie sono piene di streghe, boschi e animali selvatici.» Petr indicò gli stucchi sulla parete e sorrise. Quel semplice cambiamento lo trasformò da serio datore di lavoro a uomo ironico e affascinante.

«È stato meraviglioso. Magico.»

Lui si alzò e le posò una mano sulla spalla per un breve istante. «Non hai idea di quanto sia sollevato dalla tua risposta.»

«Petr, i bambini stanno bene», li interruppe Eva, sulla soglia della porta. La lampadina del corridoio gettava una luce poco lusinghiera sul suo viso, rendendolo ancora più giallastro e slavato.

Petr guardò la moglie. «Laure, dobbiamo discutere una cosa con te.»

Eva lo interruppe, parlandogli in ceco.

Petr le rispose, poi tornò al francese. «La mia ditta vuole che resti qui fino all'anno prossimo, prima di tornare a Parigi. Jan e Maria...» Il suo tono si addolcì, come succedeva sempre quando parlava dei bambini. «Ti vogliono bene. Ci hai detto che avevi intenzione di prenderti un anno sabbatico e vorremmo che lo trascorressi con noi.» Sembrò rendersi conto di averla presa alla sprovvista. «Per favore, prenditi qualche giorno per pensarci e dacci una risposta.»

Più tardi, Laure guardò i tetti di Malá Strana dalla finestra della sua camera. Brympton stava diventando un ricordo: la casa di mattoni rossi in cui era nata, la fermata dell'autobus dove si venivano a sapere i pettegolezzi più succulenti, il vento che scendeva dalle colline.

Non erano i serpenti che cambiavano pelle? Laure si era spogliata della prima parte della sua vita e adesso era nuda, euforica, pronta a indossarne una nuova.

Posò le dita sul vetro. Sotto di lei, sentiva la città grigia e silenziosa pulsare con un battito sotterraneo e sconosciuto.

11

Rientrata in anticipo per prepararsi all'appuntamento con Simon nel Marais, Laure buttò le chiavi nello svuotatasche accanto alla porta. Atterrarono col solito fragore, che minacciava ogni volta di rompere la porcellana.

L'appartamento era insolitamente fresco e ventilato e, per una volta, il cortile era immerso nel silenzio. Abbassò la cerniera lampo del vestito e si avviò in bagno, ma d'un tratto si fermò. Le stanze erano immobili. C'era qualcosa di diverso. O meglio, mancava qualcosa.

Dov'era Kočka?

Laure lasciò cadere la borsa sul pavimento. Si precipitò in soggiorno e notò subito che la finestra che aveva lasciato socchiusa era spalancata. L'asciugamano di Kočka era sul divano, in disordine, e indicava che, a un certo punto, la gatta lo aveva usato.

Si girò di quarantacinque gradi, scrutando in ogni quadrante in modo sistematico prima di controllare quello successivo, finché non ebbe guardato ovunque.

La chiamò per nome, il che era assurdo, dal momento che Kočka non aveva nessuna idea che si chiamasse così. Si mise in ginocchio, sbirciò sotto il divano e le poltrone, sperando di vedere la sua schiena arcuata e il suo sguardo diffidente e impenetrabile. Poi guardò sotto il letto e in cucina. Alla fine si affacciò alla finestra e corse in cortile.

Kočka era sparita.

Tornò di sopra e si fermò in mezzo alla stanza.

Strinse i pugni. Aveva fatto l'errore di credere che sarebbe riuscita a gestire la situazione senza farsi coinvolgere. Era la differenza tra la reazione viscerale e istintiva a una gattina fragile e indifesa che aveva affondato gli artigli nel suo cuore sensibile e un corso pratico che insegnava a prendersi cura di un randagio e niente di più.

«Dove sei?» Guardò di nuovo in tutta la casa. Cucina, camera da letto, soggiorno.

Da qualche parte, nella sua testa, sentì una vocina gridare: *Non puoi abbandonarmi.*

Ti prego.

Ben presto si rese conto che Kočka l'aveva abbandonata e stava di nuovo affrontando le insidie delle strade parigine. Si sentì travolgere dal dolore della perdita, così familiare.

Controvoglia, col cuore in pena, andò a chiudere la finestra. Poi ci ripensò e la lasciò socchiusa.

Un'ora dopo, nel ristorante del Marais, Simon posò la pinza per lumache. «C'è qualcosa che non va.»

Di norma, il profumo dell'aglio e del burro fuso sarebbe stato divino, però in quel momento le dava il voltastomaco. Spiegò a Simon cos'era successo.

«Ma avevi detto che non volevi tenerla.»

Laure sperava di non crollare, ma gli occhi le si riempirono di lacrime. «No, infatti. Ma non ce la faccio a pensarla di nuovo per la strada, malata e affamata. In balia di chissà cosa.»

Simon si protese verso di lei e le asciugò una lacrima col pollice. «Non mostri spesso questo lato di te.»

Laure cercò di ricomporsi. «Perché non è un lato di me, soltanto un piccolo incidente di percorso.»

Simon finì le lumache. «So che fai di tutto per controllare le tue emozioni, ma devo dirti due cose. La prima è che non ci casca nessuno. O almeno io non ci casco. La seconda è che è uno spreco di energie. Abbiamo tutti dei sentimenti, e alcuni sono molto profondi. Nasconderli significa ignorare di proposito la loro esistenza.»

Lei si lasciò sfuggire una risata poco convinta. «Hai fatto uno di quei corsi di mindfulness?»

«Sì. E avresti dovuto farlo anche tu.»

Non se l'aspettava. «Tu e Valérie parlate di queste cose?»

Lui le riempì il bicchiere. «Adesso sì.»

«Valérie è una donna fortunata.» Restò in silenzio un momento. «Visto che ne parliamo, la ami? Più di qualsiasi cosa? La ami da tanto tempo?» Si fece coraggio. «Può durare?»

Simon la guardò, profondamente commosso. «Sì. Perché me lo chiedi?»

I ricordi più salienti di Tomas erano ancora vividi, ma col passare degli anni faticava a ricordare i dettagli, la trama esatta del tempo trascorso insieme. Ricordava davvero l'ardore e l'intensità delle emozioni, il desiderio lacerante, la consapevolezza che fosse una cosa giusta? No, ma anche sì. *Sì.* Poteva indicare con esattezza il momento in cui aveva capito che i sentimenti che nutriva per lui, e di conseguenza per la causa, erano così intensi da permetterle di affrancarsi da se stessa, dalla Laure Carlyle di Brympton?

A essere sincera – e si era imposta di esserlo – i ricordi della resistenza politica nascosta tra le parole delle canzoni degli Anatomie erano i più vividi. E anche gli spettacoli delle marionette.

Ed era impossibile dimenticare anche l'eversione, la segretezza. Il divertimento. Tomas l'aveva avvertita di fare attenzione a non ripetere mai a nessuno quello che sapeva. Sì, certo, aveva pensato in quel momento. Quanto avrebbe dovuto essere discreta? La maggior parte dei conoscenti di Tomas non si faceva problemi a dichiarare la propria appartenenza politica e parlava in modo sconsiderato. Agli Anatomie bastava eseguire un accordo e tutti capivano di cosa si parlava.

Si chiese se si fossero resi conto di quanto fosse innocente. Di sicuro Laure non era riuscita a comprendere la complicità esistente tra le spie e la popolazione che veniva spiata, cosa che permetteva ai piccoli focolai di ribellione di prosperare. Finché non era più possibile.

Simon stava aspettando la sua risposta.

«Perché in questo mondo malvagio è bello saperlo.»

Chiese al taxi di lasciarla nei pressi del canale e tornò a casa a piedi, nella luce vellutata del crepuscolo, che di solito la faceva sentire contenta di essere viva. Quella sera era diverso, perché era appesantita da qualcosa che riusciva a descrivere soltanto come infelicità.

Santo cielo, era soltanto una gatta randagia.

Eppure avrebbe potuto essere la *sua* gatta randagia.

Sul cespuglio desolato nell'angolo del cortile era riuscito a sbocciare qualche fiore bianco. Stranamente Laure lo trovò uno spettacolo consolante e si fermò ad ammirarne il baluginio alla luce del tramonto. Fu uno sbaglio.

Madame Poirier si alzò dalla sua postazione e la raggiunse. «Madame, oggi ha dimenticato la finestra aperta.»

Laure la fissò. Per un istante, sperò che la portinaia le dicesse che aveva visto il gatto. Cercò di essere educata come al solito. «Fa molto caldo, per questo periodo dell'anno.»

Al piano di sopra, restò a lungo alla finestra del soggiorno, sperando di scorgere la sagoma di un gatto tra i tetti. Dopo un po' si arrese e il suo sguardo si posò sulla foto in bianco e nero della spiaggia lambita dalle onde spumose.

Si versò un bicchiere di vino e si sedette a controllare se fossero arrivate richieste da parte di nuovi donatori.

Lavorare era come camminare nelle sabbie mobili. Si alzò e andò di nuovo alla finestra.

«Non mi arrenderò mai», le aveva detto Tomas.

In tutti quegli anni, Laure si era sforzata di accettare che, in un modo o nell'altro, Tomas si era arreso. Voleva difendere i propri ideali, i propri scopi, la propria musica, e il pensiero che lo avessero costretto a rinnegare quelle idee con la forza la devastava.

Sempre ammesso che fosse ancora vivo.

In camera da letto, Laure si spogliò, si lavò il viso e lo idratò con la crema più costosa che potesse permettersi. Perché no? Si tolse la biancheria intima e indossò la maglietta extralarge che usava come pigiama, sentendo l'aria solleticarle la schiena e i seni. Era quasi una carezza e fu attraversata da una fitta di desiderio.

Che fosse ancora vivo? Non era riuscita a trovarlo, quando ci aveva provato, ma era possibile. Eppure.

Se anche fosse stato così, aveva mai rivolto lo sguardo verso ovest e pensato a lei? A quella ragazza?

Forse sì.

L'incertezza era un avversario volubile e spietato. Non ammetteva la sconfitta, non batteva mai in ritirata. Attendeva nascosta nelle pozze d'acqua e sotto le rocce della mente e dello spirito, in attesa che la marea la riportasse a riva.

Se era vivo, Tomas aveva di sicuro amato persone. Donne? Uomini?

Le cellule del corpo ci mettono dai sette ai quindici anni a sostituirsi completamente. Ossa, pelle, stomaco, fegato. Tutto. Laure lo aveva letto su una rivista scientifica e aveva esultato all'idea che rinascita e rinnovamento fossero possibili. Però, se accadeva alle cellule del suo corpo, significava che era così anche per lui. Avrebbero appreso altri modi di pensare, elaborato reazioni fisiche sconosciute, assimilato conoscenze e desideri nuovi. Il loro modo di muoversi sarebbe stato diverso, il modo di mangiare. Avrebbero avuto idee divergenti sul sesso, sull'amore, sulla politica.

«Vorrei toccarti», disse ad alta voce. Soltanto una volta, pensò, ma era una cosa stupida. Una volta sola non sarebbe bastata.

Più tardi, si coricò e pianse per una gatta fragile e indifesa.

Per la domanda cui non aveva mai avuto risposta.

E per tutto il resto.

Con la posta, arrivò un bottino più ricco del solito. Per smistarla impiegarono quasi tutta la giornata. C'era un assurdo pacchetto di sigarette ricoperto di colonne di numeri cui erano allegate le parole *Accordo di divorzio*. Una misteriosa scatola da scarpe piena di conchiglie, senza l'indirizzo del mittente. Laure cedette alla tentazione di affondarci le dita, godendosi la sensazione delle linee curve e affusolate e il sentore di salmastro. Sul biglietto allegato c'era scritto: *Purtroppo la marea si è ritirata per non tornare mai più.*

Dopo la chiusura, Laure fece il solito giro di ricognizione, assicurandosi che le luci fossero spente e l'allarme attivato.

Era in fondo alle scale quando sentì Nic e May parlare nell'ingresso.

«Ti va di cenare con me?» chiese May in tono scanzonato.

«Sì, mi va. Che sia una buona idea è un altro discorso.»

Laure si paralizzò sulle scale. Quello scambio di battute le fece venire in mente una conversazione di molti anni prima, lasciandola confusa e disorientata.

«E va bene. *Posso* invitarti a cena? Anzi, insisto.»

«Credevo che non me l'avresti mai chiesto. Sei sempre così prepotente? Lo sai cosa si dice delle donne autoritarie?»

May scoppiò a ridere. «La stessa cosa che si dice degli uomini, immagino.»

«Parliamone a tavola.»

Laure aspettò di sentire la porta chiudersi. La follia e il dolore di quell'epoca, la *sua* epoca, erano vecchi compagni e adesso erano lì con lei.

Fuori dal museo, Laure si concesse una pausa. Una spazzatrice stava ripulendo la strada. Due ciclisti le passarono accanto. Madame Becque la salutò dal negozio di alimentari.

Improvvisamente ebbe la sgradevole sensazione che qualcuno la seguisse.

La stavano pedinando?

Ogni tanto accadeva. Era un riflesso condizionato del passato, una specie di ricaduta, di solito provocata dall'insonnia o dall'emotività.

Coi sensi in allerta, imboccò la strada che portava al fazzoletto di terra in cui aveva visto Kočka la prima volta e agitò una confezione di croccantini. Non aveva molta fiducia e non sentì nessun fruscio nell'erba, nessun miagolio né l'ombra di un corpicino tigrato e macilento.

Pensò a quegli occhi stanchi e ambrati, al *tum tum* lieve del suo cuore sotto le dita, alla testolina fragile e ossuta. Se la vita fosse stata giusta e gentile, Kočka si sarebbe mossa a passi vellutati in un giardino pieno di papaveri bruciati dal sole, di rose che ondeggiavano alla brezza e frutta matura che diffondeva il suo profumo nell'aria della sera. Sarebbe stata acciambellata su una roccia calda, sazia e sognante.

Il telefono le squillò nella borsa. Lo tirò fuori a malincuore. «Pronto?»

«Laure, sono May. Volevo chiederti ancora un paio di cose.»

«Non puoi aspettare? E comunque pensavo che fossi con Nic.»

Quella ragazza era un mastino. «Infatti, ma prima di andare a dormire lavorerò all'articolo. Se potessimo parlare, mi sarebbe di grande aiuto. Lo so che... lo so che la mia reputazione è rovinata, ma spero che sia acqua passata. Possiamo voltare pagina?» Era affettuosa. Mortificata. La stava adulando.

Le parole si raccolsero nell'orecchio di Laure. Gli animali potevano scrollarsi l'acqua dalla pelliccia e lei avrebbe voluto fare lo stesso con May.

«Lo capisco, se mi porti rancore.»

Il rancore logorava lo spirito. Laure lo sapeva fin troppo bene e soffocò la propria irritazione. «Sto rientrando a casa. Parliamo mentre cammino.»

«Prima di tutto, hai trovato la gatta?»

Laure si ammorbidì. «No, ma continuerò a cercare. Cosa volevi sapere?»

«Hai vissuto a Praga prima della caduta del regime comunista e a Berlino subito dopo il crollo del Muro. Mi chiedevo se avessi voglia di parlare della tua esperienza e di come ha influito sulla decisione di aprire il museo.»

Le domande erano simili a moscerini. Avrebbe voluto schiacciarle. Cercò di mantenere il controllo. «Ci devo pensare.»

Passò un istante. «Non mi hai perdonato, ma non ci speravo. Non è strano? Per la durata della conversazione, intervistatore e intervistato sono una cosa sola, come marito e moglie. Una volta conclusa, possiamo divorziare.»

Era un'analisi quasi ingenua, ma corretta, e lo sapeva anche Laure. Continuando a guardare dove metteva i piedi, pensò alla sfacciataggine e al candore di quella ragazza. Forse non aveva principi morali, però ora si comprendevano meglio. Provava un senso di liberazione. «Chiedi pure.»

«Il tuo misterioso benefattore? Non hai mai scoperto perché all'improvviso ti ha dato tutti quei soldi?»

«Domani risponderò anche a questa domanda.»

«Sai, credo di sapere perché per il tuo museo hai scelto Canal Saint-Martin.»

«Perché?»

«Perché è un posto in cui vengono le persone che non sanno dove andare. Che forse pensano di non avere radici. È un posto in cui puoi tendere una mano e sentire che puoi ripartire da zero.» Esitò. «Tu puoi capire come ci si sente meglio di chiunque altro.»

Laure guardò il canale su cui si piegavano gli alberi autunnali, le coppie che attraversavano il ponte di ferro battuto, le tende dei senzatetto lungo le rive.

Tendere una mano.

May aveva ragione.

Riagganciò.

Decise di cambiare programma. Percorse il canale e, invece di svoltare verso casa, attraversò il ponte, dirigendosi da Chez Prune. Si sedette a un tavolino all'aperto affacciato sulle acque del canale e ordinò un bicchiere di vino rosso, poi un altro. Correva il rischio di ubriacarsi, ma si stava godendo Parigi, che quella sera era avvolta da un'atmosfera languida.

«Insegna da me.» La voce di Tomas, nell'orecchio.

«*Impara. Impara* da me», lo aveva corretto.

Non gli piaceva quando lo correggeva. «Mi ascolti?»

Lei aveva annuito. «Certo.»

«Ora ti racconto chi siamo. Nel 1948 c'è stato un colpo di Stato e i comunisti sono saliti al potere. Nel 1968 ci eravamo abituati all'idea che il 'consumismo socialista' fosse l'unica via verso una vita migliore. Ma non era una vita migliore. Non c'era libertà. Dubček ha cercato di migliorare il Paese e di trattare con Mosca. È stata chiamata la 'Primavera di Praga'. È stato un fallimento e i russi hanno mandato i carri armati. È salito al potere Husák e con lui è cominciata la cosiddetta 'normalizzazione'. Che significava sorveglianza continua. Un fango che ha ricoperto tutto e tutti. Ne ho parlato in un brano, *La scoperta della paura*.»

Travestita da canzone d'amore a causa dei possibili rischi, non era una delle migliori di Tomas. Ma non importava, perché era stata un grande successo.

Il periodo trascorso a Praga era stato bellissimo. Pieno d'amore e di paura e dolore. Ma quelle tre cose erano anche la prova che era viva. In ogni fibra del suo corpo. Anche le conseguenze, il continuo conflitto interiore tra coscienza e recriminazione, ne erano una prova.

Richiamò May. «Se dobbiamo continuare, penso di doverti conoscere meglio.»

«Davvero?» Il tono di May era sorpreso. «Potrei raccontarti che la mia cameretta era un tripudio di roselline e fiocchi di raso, che il letto era a baldacchino e che tutte le settimane la domestica lucidava il pavimento in legno mettendosi carponi. Oh, e che il mio nome completo è May Eugenie Marcia Williams e mia madre è conosciuta come Miss Melia.»

Laure scoppiò a ridere. «C'è altro?»

«Penso di averti accennato al fatto che avrei dovuto sposare un riccone e vivere di rendita.»

«Voglio farti una domanda.»

All'altro capo del telefono percepì una leggera esitazione. «Spara.»

«Va bene. May Eugenie Marcia Williams, quale oggetto porteresti nel museo?»

May rise, un po' nervosamente. «Ci devo pensare.»

«Se vuoi la mia collaborazione, devo saperlo.»

«Non funziona così.»

«Con me sì», disse Laure.

«Ti faccio sapere.»

« Di solito sono io a dirlo. » Finì anche il secondo bicchiere di vino. Era ora di andare.

Qualche giorno dopo, Laure fece il solito giro del museo, prendendo nota delle cose da fare. Le finestre avevano bisogno di essere pulite e la cerniera di una vetrina stava per rompersi.

Prendere decisioni pratiche aveva un effetto calmante. Le piaceva la sensazione di pulito, di ordine dei programmi e degli obiettivi.

Nella Sala 2 due ragazze stavano fissando la maglietta di RON MAIDEN, scambiandosi pareri a bassa voce. Quando Laure entrò, uscirono in tutta fretta. Un uomo alto e corpulento era fermo davanti al velo nuziale acquisito di recente. Aveva una camicia a maniche corte tesa sullo stomaco e i jeans sorretti da una cintura al limite della sua portata. Aveva la testa china e la mano appoggiata al vetro, una cosa che ai visitatori non era permessa.

Laure fece un passo in avanti, poi si trattenne. L'uomo aveva le spalle che tremavano e sospettò che fosse lo sposo respinto. O qualcuno nella sua stessa barca. In quel caso, ne aveva il permesso. Per un istante ebbe la tentazione di posargli una mano sulla spalla e dirgli: *Passerà anche questa.*

Soltanto che non funzionava così, lo aveva provato sulla propria pelle, e mentire non avrebbe fatto altro che peggiorare le cose.

Uscì dalla sala, dando a quell'uomo in lutto il tempo di piangere e di ricomporsi.

Nella Sala 1, un gruppo di studenti con lo zaino era accalcato contro le vetrine. I bambini erano un'arma a doppio taglio. Spesso si annoiavano, ma alcuni facevano domande molto pertinenti. Quella comitiva era rumorosa e a giudicare dagli schiamazzi era probabile che non prestasse nessuna

attenzione. Un'insegnante esasperata coi capelli biondi raccolti in uno chignon stava cercando di attirare la loro attenzione. Laure le si avvicinò, chiedendole educatamente di far
depositare gli zaini nel guardaroba.

Nic era in ufficio che fissava il computer. «C'è qualcosa
che potrebbe interessarti.»

Laure era ansiosa di trascrivere gli appunti al PC. «Non
può aspettare?»

«Certo.» Squillò il telefono. Nic rispose e passò la chiamata a Laure. «Jacques Bertrand.»

Laure fece una smorfia. Bertrand era il loro avvocato e di
solito si faceva sentire soltanto quando c'era un problema. E
infatti c'era. Il padre di Jamie contestava la scatola di fiammiferi col dentino da latte e l'insinuazione di essere un ge-
nitore negligente.

Quando la conversazione volse al termine, Laure appoggiò il mento alle mani, sconsolata. L'uomo era furioso e si
sentiva insultato. «Così tanto che dev'essere per forza colpevole.»

«Quand'è che sei diventata così cinica?»

Lei fece una smorfia.

Era tardi e Nic incominciò a raccogliere le sue cose. Spense il computer con calma e ripose il portatile. «Non sapevo
che ti piacesse il rock.»

La domanda la colse in contropiede e lei annaspò alla ricerca di una risposta. «Non mi piace, infatti. Non in modo
particolare.»

Il sorriso di Nic era esasperante. «Mai stata una ribelle?
Di quelle che lanciano il reggiseno sul palco?»

«Di cosa *accidenti* stai parlando?»

Nic chiuse la custodia del portatile. «Si chiama *Tunnelling*.»

«Per l'amor di Dio, cosa stai dicendo?» Ma sapeva benissimo di cosa stava parlando e un brivido l'attraversò dalla testa ai piedi.

« 'La nazione è in ginocchio, ma noi no. Noi restiamo in piedi. La parola non può niente, contro il potere emozionale della musica.' »

Laure premette le mani sulla scrivania. « Da dove hai tirato fuori questa roba? »

« Hai mai sentito parlare di Internet? »

« Smettila, Nic. »

Come tutta risposta, lui le mise una busta davanti. Era indirizzata a lei personalmente. « Aprila, Laure. »

La busta era voluminosa ed emanava un profumo sfuggente, ma non femminile. Spezie? Un dopobarba? Per qualche ragione, incominciò a batterle forte il cuore mentre tirava fuori una foto in bianco e nero racchiusa tra due cartoncini.

Era stata scattata al tramonto, in un parco o in un giardino davanti a un palazzo forse di fine Settecento. Era pieno di gente, giovane e di mezza età, con un paio di persone anziane. La maggior parte era vestita in modo sobrio, con jeans di pessimo taglio o pantaloni corti per gli uomini, gonne al ginocchio e camicette per le donne. Una buona percentuale però aveva osato di più e indossava magliette scollate, gonne ampie e frange in pelle.

In lontananza, su una piattaforma rialzata, c'erano tre figure. Erano scarmigliate, con T-shirt e panciotti ricamati. Due avevano una chitarra a tracolla e la terza era alla batteria. Una di loro, un ragazzo slanciato, bellissimo e dall'aria maledetta, era in mezzo al palco, al microfono. L'obiettivo aveva catturato la sua espressione concentrata, appassionata. La sua tensione.

Vicino al palco la folla era compatta, ma l'obiettivo del fotografo aveva immortalato gli spettatori in primo piano, che si tenevano per mano a formare una catena umana.

Non c'erano rifiuti, né venditori ambulanti. L'atmosfera sembrava rovente, magica e rumorosa.

«Riconosci qualcuno?» le chiese Nic, con espressione divertita.

Laure aveva un nodo in gola. «Non direi. Un concerto rock da qualche parte?»

«Mia madre mi ha insegnato che le bugie non si dicono.» Nic si chinò e indicò una persona nella foto: aveva i capelli lunghi, un foulard a fiori e dei grandi occhi luminosi. «Se non mi sbaglio, quella sei tu.»

Praga, 1986

Ormai Laure conosceva il tragitto fino alla piazza della città vecchia come le sue tasche. Dopo il ponte Carlo, proseguiva dritto evitando la buca accanto alla casa sbilenca, senza mai perdere d'occhio le guglie fiabesche della chiesa.

Di solito sono al teatro delle marionette. O comunque qualcuno lì saprà dirti dove trovarmi. Verrai?

Laure lo voleva. Molto. Ma gli avvertimenti di Petr ed Eva erano ben impressi nella sua mente. Dov'era il confine tra la politica e la vita privata? Non ne aveva idea. A casa, l'ultima cosa che faceva era mettere in dubbio lo status quo. A Praga, doveva cimentarsi con indovinelli quotidiani.

Una forchetta era davvero una forchetta? Forse no.

Un paio di volte era fuggita dal torpore pomeridiano e aveva portato i bambini al teatro delle marionette. Le gite erano state un successo. Accaldati e irrequieti, erano entrati in un posto in cui l'unica cosa che importava era la finzione. Con gli occhi sgranati, Maria sussultava e nascondeva il viso tra le braccia di Laure. Jan strillava deliziato. Le loro reazioni erano fonte di enorme piacere e spingevano anche lei ad arrendersi alla magia di quel luogo.

Quella sera, però, ci sarebbe andata da sola.

Il suo striminzito guardaroba era fonte secondaria di frustrazione, dal momento che l'unico abito decente che aveva era di cotone nero con un motivo a roselline.

Quando Laure uscì dalla sua stanza, Eva si rabbuiò. «È troppo scollato.»

Laure aveva comprato l'abito a Parigi e andava fiera del suo stile da *rive gauche*. Ripensò al coraggio che aveva dovuto chiamare a raccolta per entrare in quella boutique parigina e all'aria di superiorità della commessa, e decise di non farsi intimorire. «Secondo me è perfetto.»

Si fronteggiavano come due avversarie. Essendo più giovane e molto più bella, Laure ne uscì vincitrice. Ma era una vittoria squallida, e fece uno sforzo per reprimere la sua soddisfazione.

«Se ci metti nei guai, non ti perdonerò mai. Di notte la città non è sicura», disse Eva a denti stretti, con voce tremante. Era l'emblema dell'infelicità.

Laure si sentì in colpa. «Dev'essere bello essere tornata a casa dai suoi parenti e dai suoi amici.» Anche se, per quanto ne sapeva, non veniva mai nessuno a trovarli.

«Casa», ripeté Eva, come se fosse un concetto misterioso. «Certo.»

Laure si mise una mano sulla scollatura. «Eva, è contenta se resto? Preferisce che venga qualcun altro a prendersi cura dei bambini?»

«No... no. I bambini ti conoscono. Ti vogliono bene. È l'unica cosa che conta. Ci hanno rilasciato un permesso speciale per farti venire qui.» Poi, con un gesto che stava diventando abituale, si mise le braccia intorno al corpo. «Ho bisogno di aiuto. Lo capisci?»

I dubbi tornarono. Doveva fuggire da quella famiglia sconcertante e dall'appartamento, con le sue sedie di plastica, e le porcellane e i cristalli che sospettava fossero la refurtiva di un saccheggio? Doveva cogliere l'opportunità di andarsene da una città in cui i fatti venivano considerati tali soltanto se erano approvati dalle autorità?

Al teatro delle marionette era in programma uno spettacolo per le otto. Mancava più di mezz'ora, ma Laure scelse una panchina e si sedette. Dietro le quinte, gli artisti discutevano animatamente e provavano le luci.

Lucia sbucò da dietro le quinte, vestita di nero dalla testa ai piedi. Era magnifica: il nero le donava e le dava un aspetto da vera guerriera. Vide Laure, si rabbuiò e la raggiunse. «Sei in anticipo.» Parlava un inglese dall'accento pesante, ma comprensibile.

«Non è un problema, aspetto.»

Lucia osservò il suo vestito e inarcò un sopracciglio. «È inutile che aspetti Tomas. Non c'è.»

«Giusto.» Laure continuò a sorriderle.

Lucia mise le mani sui fianchi. «Sai una cosa? Sei una seccatura, forse un problema.»

Anche considerando la sua scarsa padronanza dell'inglese, era stata maleducata e Laure reagì. «Non ti piacciono gli stranieri?»

«Rendono la vita difficile. Si vendicano.»

Erano entrambe in difficoltà con la lingua, sfuggente e insidiosa.

«Chi? Di che vendetta parli?»

Lucia scrollò le spalle. «Ascolta, voi non siete... noi. Non sappiamo cosa pensate o cosa credete. Gli stranieri che ci porta lui sono fonte di guai. È già successo. Tomas non dovrebbe avere niente a che fare con te.»

«Perché non mi chiedi cosa penso?»

«È inutile.» Lucia girò i tacchi e sparì, lasciando Laure sulla sua panchina.

«Non preoccuparti. Tomas arriverà più tardi. Lui e Leo stanno cercando di far smaltire la sbornia a Manicki.» Un uomo tarchiato con radi capelli color sabbia sbucò da dietro le quinte. Anche lui, come Lucia, aveva un forte accento, ma il suo inglese era più articolato e fluente. «Sono Milos. Mi occupo delle marionette, delle scenografie e delle luci. Sono così importante che non possono fare a meno di me. E, per mettere pane e vodka in tavola, dipingo ritratti di quei tromboni dei funzionari di Partito.» Rivolse a Laure un sorriso sdentato di singolare dolcezza. «Non fare caso alla regina Lucia. Vuole la guerra ed è molto dura con chiunque non faccia parte del suo esercito. Non preoccuparti. Ti va di conoscere i miei bambini?»

«Bambini?»

«Perdonami. Le mie marionette.» Portò Laure in una stanzetta dietro il palcoscenico, dove file di marionette di ogni forma e dimensione erano appese alle pareti, stipate sugli scaffali, infilate dentro pile di scatole alte fino al soffitto. Le finestre erano spalancate per il caldo e facevano entrare il rumore della strada.

Milos posò due marionette su un tavolo. «Ti presento i Kaspar. Forse li conosci col nome di Punch e Judy. Sono le maschere più antiche d'Europa. Non queste, naturalmente, intendo i loro personaggi.»

Adagiati sul tavolo, i Kaspar sembravano due cadaverini.

«Loro invece sono padre e figlio.» Indicò due marionette appese accanto alla finestra, che indossavano giacca e pantaloni neri e avevano lineamenti suini. Con la delicatezza che si riserva ai neonati, sfiorò il personaggio più vecchio. «Questo è Joseph Spejbl. È molto stupido e dice cose stupide. Lui è suo figlio, Hurvinek, che è intelligente.»

Laure si asciugò il sudore da una guancia.

«I nazisti odiavano gli Spejbl. Hanno arrestato l'uomo che li ha inventati e l'hanno messo in prigione. Poi sono venuti e hanno arrestato le marionette.»

«Le *marionette*?»

Milos guardò Laure. *Non capisci proprio, vero?*

Era così.

Si moriva di caldo e Laure aveva le ascelle sudate. Milos era molto occupato, così Laure lo ringraziò e, siccome era un'emergenza, si fiondò in giardino. Accese una sigaretta, un'abitudine acquisita da poco. Erano sigarette ceche e il fumo le irritava la gola, ma non si arrese. L'odore si mescolò a quello delle piante di tabacco che crescevano in un angolo.

« Quindi sei venuta. »

Laure si girò, col cuore che le batteva all'impazzata. « A quanto pare. »

Nonostante il caldo, Tomas indossava il panciotto di lino, che sfilò e appoggiò allo schienale della panchina. Era immerso nella luce del sole. Gli occhi dalle ciglia folte erano socchiusi, i capelli pettinati all'indietro. Trasudava energia, audacia e un'irresistibile aria trasandata. « Bel vestito. Non l'hai comprato qui, presumo. »

« A Parigi. »

« Gli sgherri lo noteranno subito. »

Laure cercò di alzare la scollatura e sentì una vampata di rossore sottrarle tutta la sua disinvoltura.

Tomas la fece sedere sulla panchina. Sorrideva, come accadeva spesso. « Ti piacciono le marionette? Come i burattini e la Lanterna Magica, sono molto radicate nella nostra tradizione. A differenza della vostra, penso. »

« Conosco soltanto Punch e Judy. Qui è diverso. Avete incantesimi e sortilegi. Questo è un posto in cui, se vuoi vedere davvero, devi dimenticare te stesso. Fa parte dell'esperienza. »

« Esatto. »

Laure si sentì incoraggiata. « Pensi di vedere una cosa, ma in realtà si tratta di qualcos'altro. »

Aveva fatto una gaffe. Tomas si fece serio in volto e le posò una mano sul braccio, in segno di avvertimento. « Lo so, che sei intelligente, e la tua è un'osservazione molto acuta, però non è il caso di discuterne qui. »

Laure aprì la bocca per rispondere, ma lui le fece segno di no.

Calò il silenzio. Stranamente, non era affatto imbarazzante, anzi... era eccitante.

Tomas fu il primo a parlare. «Ti va di darci una mano? Per l'estate?»

La sigaretta era quasi finita e minacciava di bruciarle le dita, così Laure buttò il mozzicone e lo schiacciò con un piede. Mentre quella scintilla si spegneva, un'altra prendeva vita. «Cosa vuoi dire?»

Tomas indicò la sala. «Abbiamo bisogno di fattorini e gente che ci aiuti con le scenografie. Qualcuno che sappia rammendare. Che ci dia una mano in caso di emergenza. Poi ci sono le luci, i fili delle marionette.» Si chinò, raccolse il mozzicone, lo avvolse in un pezzo di carta e lo mise in tasca.

Laure lo guardò, sorpresa.

«Ti sembro un povero barbone fuori di testa, vero? Sì. Il tabacco è costoso e non lo sprechiamo.»

«Nemmeno un po'?»

Lui la scrutò in viso. Perché? Per assicurarsi che fosse una persona fidata? «È dalle piccole cose che nascono quelle grandi.»

Laure s'inumidì le labbra secche. «I miei datori di lavoro mi hanno chiesto di restare qui tutto l'anno. Ci sto pensando.»

Tomas la guardò con diffidenza. «Mi domando perché. E cos'hai deciso? Resterai qui?»

Lei considerò l'ipotesi di accendersi un'altra sigaretta, poi pensò che sarebbe sembrata ancora più nervosa. «Vorrei saperne di più sul tuo Paese.»

«E vorresti saperne di più anche su di me?»

«Sì», rispose con un filo di voce. *Eccome.*

Tomas si avvicinò. «Anch'io.»

Non sapendo come gestire l'intensità di quella conversazione, Laure rispose in modo maldestro: «*Dovrei* saperne di più. Del tuo Paese, intendo».

Tomas scoppiò a ridere divertito. «Ci sono fin troppe cose da sapere. Ma avrai notato che la nostra geografia ci penalizza.»

Il pubblico stava incominciando a riempire la sala. Tomas guardò verso la porta, si alzò e parlò a un volume più alto. «L'importante è che ricordi che il nostro è uno Stato benevolo ed efficiente. Si prende cura dei suoi cittadini. Chiaro?»

«Penso di sì», rispose lei, confusa.

Tomas le rivolse un sorriso raggiante. «Sono sicuro che sarai una brava allieva. Promettimi che t'impegnerai al massimo.»

Ancora più sconcertata, Laure annuì. «Lo prometto.»

«Se decidi di fermarti a Praga, tutto ciò che sentirai sarà l'esatto opposto di ciò che avevi sentito un attimo prima e il tuo datore di lavoro probabilmente ti userà.»

«È...»

«Stavi per dire che è esattamente quello che lui ha detto di noi. Sono vecchi trucchi. Ricordati che ti terrà d'occhio. Per l'amor del cielo, non preoccuparti. Se resti e decidi di darci una mano, ti avviso che a Lucia non piacerà per niente. Tu ignorala. Ha avuto delle brutte esperienze e ora sospetta di tutti, in particolare degli stranieri.» Sfiorò il mento di Laure con un dito. «È naturale, e penso che tu possa capire.»

Col suo fascino torbido e intenso, Tomas la stava conquistando sempre di più. «Perché t'interesso così tanto?»

«La prima volta che ti ho visto, sembravi sperduta. Fuori posto, cioè.»

«Ed è così strano?»

«Non avevi l'aria della classica turista in una città sconosciuta. Era qualcosa di più profondo.»

«In realtà la mia guida è molto utile.»

Lui la fece alzare e l'attirò a sé. «Preferisci che dica che m'interessi perché sei bellissima?»

L'avrebbe preferito. Molto. «Ti sei dimenticato di aggiungere 'irresistibile'.»

Tomas scoppiò a ridere. «Lo sapevo, che non mi sbagliavo.»

Laure inspirò e prese una decisione. «Potrei darvi una mano anche adesso, se volete.»

«Certo.»

Era ora di rientrare. Laure si accomodò sulla panchina, in attesa che incominciasse il *Don Giovanni*.

Il sipario si aprì. Una marionetta con un copricapo nero e un costume da Pierrot era sdraiata sul palco, immersa nel buio. La luce illuminava soltanto le sue mani tese. Subito dietro di lui c'era il burattinaio, uno spettacolo insolito.

Era Lucia, col viso immerso nell'oscurità.

Da dietro le quinte si levarono le note dolci e strazianti di un violino. Lentamente, il Pierrot alzò una mano, poi l'altra. Distese un ginocchio, poi l'altro, e si alzò in piedi. Era la marionetta del principe, senza il fazzoletto e la camicia a quadri. Alla luce dei riflettori, la bocca aveva una piega tragica e i lineamenti avevano perso tutta la loro allegria.

Mosse un timido passo, poi un altro. Quella figura tremante racchiudeva in sé un universo di confusione, ansia e dolore. Poi si voltò verso il pubblico e si portò una mano al cuore.

Era vivo.

La mano ricadde lungo il fianco e sembrò guardare Laure dritto negli occhi. *Vieni con me.*

Laure fece un sospiro e lasciò che il Pierrot fluisse attraverso di lei.

Stava portando gli spettatori oltre il confine tra realtà e finzione, tra inerzia e vita, verso il punto in cui la logica scompare, sostituita dall'illusione.

La marionetta alzò lo sguardo sulla sua padrona. La sua padrona, Lucia, guardò la marionetta.

Chi controllava chi?

La musica era struggente e le faceva male al cuore.

Per cosa posso vivere?

Poi il pupazzo alzò la mano di legno, prese il filo attaccato alla sua gamba e, continuando a guardare la sua burattinaia, lo tirò su e giù. La gamba si mosse.

Il Pierrot scosse la testa. In segno d'incredulità? Rifiuto?

Laure stringeva i pugni così forte che le unghie le si conficcarono nella carne.

Il violino eseguì una nota acuta, straziante. Con uno strattone, la marionetta staccò il filo che controllava la sua gamba, mettendola fuori uso. Si accasciò lentamente davanti al pubblico, in tutto il suo dolore. Alzò una mano e staccò anche l'altra gamba. Poi fu la volta di un braccio. Mutilata, tremante, guardò il pubblico.

No. Laure affondò i denti nel labbro inferiore, soffocando un grido.

Col braccio rimanente, il fantoccio tirò il filo che lo teneva in vita. La sua testa si staccò e rotolò in avanti.

Sul palcoscenico restava soltanto un mucchio d'ossa di marionetta.

Il tutto durò un paio di minuti, poi calò il sipario. Il suicidio di una marionetta? La sconfitta di un burattinaio?

Laure si sentiva male. Era terrorizzata. Come se non avesse mai visto niente di così meraviglioso e intelligente. Di così brutale. O tormentato.

Laure si guardò intorno. Nessuno applaudiva. Alcuni spettatori si sistemavano meglio sulla panchina, altri parlavano coi vicini. Avrebbe voluto gridare: *Ma avete appena visto un'opera di genio!*

Poi capì che a uno spettacolo simile si poteva assistere solo in silenzio. Le persone che la circondavano erano esperte in materia di sovversione.

«Stai bene?» Tomas si sedette accanto a lei.

Laure gli porse le mani, ancora tremanti. Lui le prese e le tenne strette. Dopo qualche istante, si chinò a baciarle.

Il sipario si aprì e si levarono le note dell'ouverture del *Don Giovanni.*

Il giorno dopo, Laure bussò alla porta della sala da pranzo mentre Eva e Petr cenavano e disse loro che accettava l'offerta di fermarsi a Praga.

La donna scoppiò in una delle sue risate inquietanti. « Sei sicura? »

« Sì, ho chiesto a mia madre di mandarmi i libri da leggere per prepararmi al prossimo anno di università. »

Petr osservava in silenzio lo scambio di battute. Laure non ne era sicura, ma le sembrò di scorgere un pizzico di soddisfazione nei suoi occhi scuri quando spiegò loro che voleva lavorare al teatro delle marionette un paio di sere alla settimana. « Se per voi va bene », si affrettò ad aggiungere.

« Ti consiglio vivamente di non farlo. » La risposta di Petr la fece esitare, ma allo stesso tempo era chiaro che non aveva intenzione di fermarla, come invece avrebbe potuto fare. Perché? Forse voleva davvero che lavorasse in teatro, in modo da indagare su ciò che accadeva laggiù?

Pensò che stava diventando una brava allieva: imparava in fretta a decifrare la lingua di quel Paese.

Eva allontanò il piatto con aria esausta e si alzò. « Spero che tu sappia che non potrai contare su di noi, in caso di problemi. Buonanotte. »

Laure incominciò a sparecchiare, ma Petr le fece cenno di sedersi al posto della moglie. Lei appoggiò i gomiti al tavolo e incominciò a parlare dei bambini, del tempo, delle cose che aveva visto a Praga. Di tutto, eccetto del teatro delle marionette.

Fuori stava facendo buio. Dei piccioni si appollaiarono sul tetto, davanti alla finestra. Petr accese una sigaretta. Nella stanza entrò un soffio d'aria fresca.

Laure si rilassò. Stava di nuovo giocando alla donna di casa, senza volerlo. Era divertente e completamente insensato.

Petr fumava in silenzio, lanciandole qualche occhiata di soppiatto. «Lo sapevi che il mio libro inglese preferito è *Winnie the Pooh*? A noi cechi piace, perché è assurdo. E spiritoso. Una combinazione che comprendiamo bene. Inoltre è più facile da trovare, rispetto alla maggior parte degli altri libri.»

«Dev'essere tremendo non poter leggere ciò che si vuole», rispose Laure, senza pensare.

Petr guardò il soffitto come se si aspettasse di trovarci delle cimici. Si alzò, prese una fetta di pane dal cestino e andò alla finestra. «Qual è il tuo?»

Laure rifletté sulla domanda, apparentemente innocente. *Qualsiasi cosa che parli di sesso, droga e rock'n'roll.* «Non saprei.»

Petr le fece segno di avvicinarsi. «Ti va di dare da mangiare ai piccioni? Eva non vuole che lo faccia, pensa che siano pieni di parassiti. E ha ragione. Però sono simpatici.» Strappò un pezzo di pane, se lo mise sul palmo della mano e glielo porse.

Lei lo lanciò al volatile, ma calcolò male la distanza e il pane volò giù dal tetto.

«Pessima mira», la prese in giro Petr.

Laure lanciò un altro pezzetto. Quella volta il piccione lo colse al volo, mentre il suo compagno più piccolo protestò, sbattendo le ali. Il becco giallo infilzò il boccone.

«Uno pari.»

Petr sorrise. «Giusto.»

Restarono alla finestra a lanciare briciole di pane ai piccioni, che non credevano alla loro fortuna. Due a uno per Petr. Tre a due per Laure, che tifava per il piccione più piccolo, con le ali rosate.

«È sua moglie. Si chiama Tina Turner.»

«Il mio si chiama Karl Marx», disse Petr.

«Due culture a confronto.»

Lui sorrise. «Se vuoi metterla così.»

«Ha notato che sono avidi allo stesso modo?»

Petr scoppiò a ridere. Dopo un istante, Laure lo imitò.

Poi i piccioni volarono via, satolli. Laure e Petr restarono alla finestra, a guardare la città all'imbrunire, l'aria più fresca che accarezzava il loro viso.

Petr indicò i tetti, le cupole e le guglie che punteggiavano la città. «Vedi quegli edifici? Alcuni erano palazzi nobiliari, altri le case di città degli aristocratici. Alcuni appartenevano a ricchi mercanti.»

«E ora non più?»

«No. Lo so che pensi che io viva una vita privilegiata, che a tutte quelle persone là fuori è stata negata.»

Laure avrebbe voluto avere il coraggio di chiedergli come faceva a vivere in quella magnifica casa requisita. Non lo fece. Non importava: era sicura che Petr sapesse benissimo cosa stava pensando. Lo guardò. Era sicura pure che si facesse le sue stesse domande.

«Sei molto gentile a farmi compagnia. Mi ricordi...»

«Chi?»

«Me stesso. Tanto tempo fa.»

Laure s'impegnò a conoscere a fondo l'edificio che ospitava il teatro delle marionette. Sebbene le stanze fossero proporzionate e avessero molte finestre, c'erano anche angoli bui e appartati. Un velo di polvere ricopriva la maggior parte delle superfici, i bordi delle finestre e dei cornicioni. La maggior parte delle camere era spoglia. In alcune c'erano materassi e sacchi a pelo che odoravano di vestiti sporchi, sesso e alcol. Dietro il palcoscenico c'era un dedalo di stanzette, compresa una che fungeva da cucina e camerino. Il corridoio che portava alla platea era rivestito di specchi incrinati, sui quali i riflessi si rifrangevano.

Una volta entrata non avrebbe dovuto dire niente di quello che succedeva lì dentro, le aveva fatto promettere Tomas.

Il primo piano veniva usato dagli Anatomie come ripostiglio per gli strumenti: due chitarre, una batteria, una tastiera e un prezioso amplificatore.

«Ce ne prendiamo cura come di un neonato», disse Milos. «È impossibile sostituirlo.»

Qual era la chitarra di Tomas? Laure avrebbe voluto toccarla, ma continuò a salire fino alla soffitta, appoggiando i piedi negli avvallamenti dei gradini consumati. A un certo punto dovette mettere una mano sul muro per non perdere l'equilibrio. Era caldo e umido, ed ebbe la strana sensazione di essere risucchiata indietro nel tempo.

Laure fu assorbita nella vita della compagnia senza trop-

pe complicazioni, almeno in apparenza. Due volte alla settimana indossava la divisa d'ordinanza – jeans e maglietta
nera – e andava in pellegrinaggio verso la piazza della città
vecchia. Preparava il tè, puliva e accoglieva il pubblico.

Come aveva preannunciato Tomas, Lucia le parlava il
meno possibile, ma Milos si era autonominato suo mentore,
un ruolo che gli piaceva. « Non posso viaggiare, quindi devi
raccontarmi cosa c'è là fuori. » Gli mancavano i due incisivi
superiori e cercava di nasconderlo, e Laure si sentiva in colpa quando pensava alla propria dentatura perfetta.

Una volta arrivò in anticipo e scoprì che nel teatro era in
corso una riunione. Un uomo di guardia all'ingresso le im-
pedì di entrare, facendole cenno di andare dietro le quinte.
Le porte erano socchiuse e Laure intravide una ventina di
persone vestite di nero che fumavano furiosamente intorno
a una figura che stava scrivendo a macchina un documento.

Obbedì e non parlò con nessuno di quello che aveva visto. Quando si fece l'ora dello spettacolo, la riunione era ter-
minata.

Tomas si tenne a distanza.

Sarebbe venuto a cercarla oppure no? Laure aveva il terribile presentimento che l'avesse presa in giro o, peggio ancora, che l'avesse dimenticata, e fu travolta da una gelosia
assurda e irrazionale per quella gente. E tuttavia, quando
una sera Tomas andò da lei dicendole di prendere la borsa
perché la portava fuori a cena, i suoi modi prepotenti la in-
fastidirono.

Lui se ne accorse. « Mi perdoni, Laure? »

« Non c'è niente da perdonare », rispose lei, un po' sulle
sue.

Tomas le mise una mano sulla spalla, facendola avvampare. « Ero con Leo. È un po' in crisi. Per via di una donna. »

S'incamminarono verso un posto che Tomas conosceva a

Malá Strana e, mentre attraversavano il ponte Carlo, lui disse: «Non hai ancora esplorato la città, credo».

Laure scosse la testa.

Tomas indicò una statua. «San Giovanni Nepomuceno. Era un... come si dice? Un martire. Venne gettato vivo nel fiume perché rifiutò di rinnegare il proprio credo. Le persone pensano che toccare la statua porti fortuna.»

Il locale – una stanzetta sul retro di un negozio di pelletteria – era così spartano che definirlo un ristorante era fargli un complimento. Però si affacciava su un piccolo giardino interno in cui erano stati messi dei tavolini coperti da carta da pacchi, macchiata dagli avventori precedenti.

Tomas contemplò il bicchiere di birra davanti a sé. «Non so bene come dirtelo, ma temo che dovrai pagare la tua parte. Mi dispiace, ma un musicista come me non guadagna molto.»

La confessione e la sua espressione umiliata le spezzarono il cuore. «Non importa.»

«Invece sì. Siamo considerati degenerati e lo Stato si assicura che non guadagniamo molto. Se fossi un minatore sarebbe diverso, anche se come minatore non sarei così produttivo. Non essere dispiaciuta per noi, però. Sappiamo cavarcela.» Tomas la stava guardando con attenzione.

Laure si protese in avanti. «Non è pericoloso parlare di queste cose?»

Lui inarcò un sopracciglio. «Perché pensi che mangiamo all'aperto?»

«Mi vergogno della mia ignoranza», disse lei, mortificata.

«Non vergognarti.»

Aveva una voce così carezzevole che Laure faceva fatica a respirare. Nel tentativo di mantenere il controllo, si conficcò un'unghia nel polpastrello del pollice.

Tomas sospirò. «Dopo un periodo turbolento, ora la Cecoslovacchia sta vivendo una fase di cosiddetta 'normalizzazione', che non è bella come sembra. »

Laure voleva saperne di più.

« Guarda il cameriere. »

Laure vide un uomo anziano e un po' curvo che distribuiva piatti nel giardino, caldo e ombreggiato.

« Una volta era il rispettabile preside di un liceo. Poi ha commesso un errore: lo hanno accusato di aver fatto l'elogio funebre di un noto dissidente. Subito dopo è stato licenziato. » Tomas schioccò le dita. « Ora è disoccupato e lo resterà tutta la vita. Si guadagna da vivere qui. Se arriva la polizia, si nasconde in cucina. »

Laure si chiese se Tomas facesse bene a raccontarle quelle cose, dal momento che si conoscevano da così poco.

Portarono da mangiare e Tomas prese il cucchiaio. Col bordo della tovaglia di carta scacciò una mosca che si stava dirigendo verso la sua minestra. « La domanda che dobbiamo porci è se sia fortunato. »

Laure cercò di pensare a tutte le implicazioni, ma si rese conto di non riuscire a ragionare lucidamente. « Non lo so. È fortunato? »

« Ai vecchi tempi, lo avrebbero rinchiuso in prigione e picchiato, forse ucciso. Oggi l'approccio è più sottile e non c'è niente da fare. Non avrà mai una vita migliore. È impossibile. »

« Ma deve ribellarsi. Per forza. »

« Qui, ciò che viene stabilito dalle autorità è legge, anche se tutti sanno che è sbagliato, incluse le autorità. »

Laure aveva perso l'appetito. Posò il cucchiaio e guardò il giardino, che si era riempito di clienti.

Tomas vuotò il piatto, poi prese quello di Laure. « Posso? »

« Certo. »

Senza alzare lo sguardo, Tomas disse: «C'è un tizio che ci sta osservando. Se si avvicina, lascia parlare me».

«Come fai a saperlo?»

«Capita spesso», rispose lui, impassibile.

Lo stufato aveva un aspetto invitante e Laure lo mangiò con appetito. «Ci sono le bacche di ginepro?»

Prima che Tomas potesse rispondere, un uomo si avvicinò al loro tavolo. Era anziano, però aveva il viso giovanile e l'espressione tranquilla. Era vestito quasi completamente di grigio. Laure pensò che fosse un colore ideale non soltanto per mimetizzarsi, ma perché più facile da tenere pulito, in un Paese in cui anche i bisogni fondamentali erano difficili da soddisfare. L'uomo disse qualcosa in ceco e Laure riconobbe le parole «Tomas» e «Anatomie».

Tomas alzò lo sguardo dal piatto. «Possiamo parlare in inglese, per la mia amica?»

Senza battere ciglio, l'uomo incominciò a parlare in inglese con un forte accento. «Sei Tomas degli Anatomie.» Quando Tomas annuì, l'uomo si rivolse a Laure. «E tu chi sei?»

Tomas gli presentò Laure e gli disse che lavorava dai Kobes.

L'uomo sembrò non prestarle attenzione, ma Laure ebbe l'impressione che avesse assorbito ogni dettaglio. «Siete bravissimi. Anzi, ho cercato di comprare i vostri dischi, però non si trovano da nessuna parte.»

Laure pensava che il suo accento fosse molto inquietante.

Tomas gli rivolse il suo sorriso d'ordinanza, professionale e affascinante, studiato per neutralizzare il nemico. «In quel caso sarebbe stato molto abile, perché è vietato venderli nei negozi.»

«Che peccato. Sono il maggiore Hasík.» L'uomo si sedette senza dare nell'occhio.

Il cameriere era scomparso e intorno al loro tavolo si era fatto il vuoto.

«State lavorando a qualche canzone nuova? Ho saputo
che un paio sono state trasmesse in Francia. È corretto?
Mi hanno riferito – ma potrei sbagliarmi – che i testi prendono in giro il nostro Paese.»

«Davvero?»

«Davvero. Non è una gran bella idea, non credi?» Si mise comodo. «Immagino che ti piaccia andare in campagna.
È un'abitudine molto salutare. Ti piace raccogliere funghi?
Dove vado io, non ce ne sono più. Sono sempre ansioso di
conoscere posti nuovi in cui andare.» Frugò nella tasca e tirò fuori un biglietto, che posò sul tavolo. «Se trovi qualche
posto, chiamami. Mi farebbe molto piacere.»

Tomas non lo degnò di un'occhiata. «Mi hanno staccato
il telefono in casa.»

«Non puoi farlo riparare?»

«Mi hanno detto che è impossibile.»

Hasík si alzò e gli rivolse un sorriso gradevole e cordiale.
«Che strano. Perché non mi chiami e vediamo cosa si può
fare? Le persone in questo Paese non vogliono lavorare,
purtroppo, quindi dicono che è impossibile riparare le cose.
Conosco qualcuno che potrebbe aiutarti.»

«Non si disturbi. Da quando il telefono non funziona, sono molto più tranquillo.»

Laure lo guardò andare via. «Come facevi a sapere che
sapeva l'inglese?»

«Lo parlano spesso. È un ferro del mestiere.»

Non si fermarono a lungo. Laure gli diede tutto il denaro
che aveva e Tomas pagò la differenza.

«Dolce, generosa, adorabile Laure. Un giorno farò lo
stesso per te.»

Dopo avere pagato, la prese a braccetto e andarono al fiume, dove passeggiarono lungo l'argine.

I caffè stavano chiudendo. Tomas la baciò e le premette la
mano sul seno. Laure inspirò l'odore dell'acqua del fiume e,

stupita dall'intensità della propria reazione, si strinse contro il suo torace.

Sentì... sentì... cosa? Dolcemente, Tomas le sfiorò una palpebra col pollice, mormorando parole in ceco. Travolta dal desiderio, Laure capì di essersi cacciata in qualcosa di molto complicato, fatto di sesso e di politica, e il suo cuore esultò.

Sulla via del ritorno, Tomas le chiese se in Inghilterra avesse un conto corrente. Lei rispose di sì e gli descrisse l'elegante filiale di Brympton, coi suoi vasi di gerani e con le cassiere con la camicetta bianca e il rossetto vistoso.

«Non ti guarda nessuno quando entri?»

«No.»

«Puoi versare denaro e prelevarlo senza che nessuno ti faccia domande?»

«Sì, è una cosa privata. Perché lo vuoi sapere?»

«Ti sto facendo troppe domande?»

«No.»

La prese per mano. «Sii cauta, Laure. Potrei essere un informatore.»

Lei si lasciò sfuggire una risata nervosa. «L'idea non mi è mai passata per la testa.»

Anche Tomas si mise a ridere. «Hai appena dimostrato che non sei ceca.»

«Né slovacca?»

«Gli slovacchi sono un'altra cosa.» Si fermò. «Guardami, Laure. Cosa vedi?»

«Qualcuno che si è mangiato metà della mia cena.» Tanti mesi prima pensava di essere consumata dal desiderio per Rob Dance, ma quelle sensazioni non erano niente, in confronto a ciò che la stava consumando ora.

Tomas le accarezzò le spalle, come se anche lui non riuscisse a toglierle le mani di dosso. «Credi a quello che vedi?»

«Devo?» Faceva bene a fidarsi delle proprie reazioni? «Sì. Quanti anni hai, Tomas?»

178

«Ventisette.» Sembrava più grande.

«Tu?»

«Venti.»

Le sorrise e la prese tra le braccia. Laure inspirò odore di tabacco e sudore maschile, sussultò e avvampò di desiderio.

Tomas si ripresentò a teatro una sera, alla fine di uno spettacolo.

Nel frattempo Laure lo aveva pensato di continuo e la cosa la infastidiva, perché non voleva essere in balia dei propri sentimenti. Non voleva aspettarlo come un'adolescente innamorata. Né tremare per l'emozione ogni volta che era nelle vicinanze. Non voleva passare il tempo libero ripensando dolorosamente a ogni sua caratteristica fisica. Capelli, mani, andatura.

Per non parlare della sua bocca, così espressiva e sorridente.

E sorrideva a lei.

Accanto all'uscita, avvolta dall'oscurità, Laure osservava le reazioni dei bambini dopo la chiusura del sipario. Alcuni erano silenziosi, ma la maggior parte era entusiasta e il cicaleccio animato sovrastava il rumore e la confusione del pubblico.

Qualcuno la prese per mano e la fece trasalire. «Ti sono mancato?»

«Forse.»

Tomas le strinse forte la mano. «Soltanto 'forse'? Non va bene.»

Avrebbe voluto chiedergli dov'era stato, ma si trattenne. Non aveva nessuna intenzione di trasformarsi nella creatura bisognosa e implorante che era stata con Rob Dance.

«Ero fuori città. Non ho potuto lasciarti un messaggio.»

Quindi l'aveva pensato anche lui. Laure cercò di darsi un contegno. « Anch'io ho avuto da fare. »

« Voglio farti conoscere una persona. Puoi venire con me? »

« Dammi quindici minuti. »

Dopo aver riposto le marionette e i costumi, Laure raggiunse Tomas all'ingresso, dov'era intento a parlare con Lucia. Quando la vide, la ragazza salutò Tomas e se ne andò.

« Dove andiamo? » gli chiese Laure.

« Da una persona che adoro. » Tomas la condusse per le strade immerse nella calura estiva verso il vecchio quartiere ebraico e si fermò davanti all'ingresso di un grande condominio. Le posò una mano sulla parte bassa della schiena, invitandola a entrare. « Non dire niente. Poi ti spiego. »

Nell'ingresso, una donna anziana vestita di nero era seduta a una scrivania di fortuna. Quando entrarono, alzò la testa e li guardò con aria severa e ostile. « Tomas Josip. »

La mano di Tomas sulla schiena di Laure s'irrigidì. « Sali », le disse, superandola sulle scale.

Laure lanciò un rapido sguardo alle proprie spalle. La donna stava scrivendo su un grande registro.

« È la compagna portinaia », sussurrò Tomas. « Controlla la strada, come tutti i portinai. Sono la spina dorsale dello Stato, forniscono le informazioni. Si ubriacano d'informazioni. Spiano i propri figli. Ma che Dio abbia pietà delle persone che lasciano cadere la cenere di sigaretta sulle loro preziosissime scale. Sono un degenerato. » Aveva il fiato corto.

Salirono una terza rampa di scale, più stretta, e arrivarono in cima al palazzo.

« Mi odia. Fare rapporto su di me è la cosa che le piace di più. L'unica seccatura è che è incorruttibile. Alla maggior parte di loro piace ricevere qualche regalino. A lei no. »

Laure era più in forma di Tomas e lo raggiunse. « Non

vorresti qualcosa di meglio che essere spiato da una vecchia?»

Lui le mise una mano sulla bocca. «Sstt. Parla piano.»

Laure abbassò la voce. «Io *sì*. Voglio qualcosa di meglio per te.»

Tomas si fermò sul gradino sopra di lei, in precario equilibrio. «Lo credo.»

«Lo so che non sono affari miei. Ma vorrei che tu non fossi costretto a corrompere chiunque. Che fossi libero di scrivere le tue canzoni.»

«Quella è una cosa che potresti fare *tu*.»

Lei si rabbuiò. «Ma tu no.»

«Mi piace l'idea. L'adoro. Però vivo qui.»

«Questo non m'impedisce di desiderarlo.»

«Vieni qui.»

Laure salì l'ultimo gradino e lui la prese tra le braccia, su quelle strette scale di legno, baciandola come se fosse l'ultima volta.

Avrebbe mai dimenticato quel momento? La sensazione della propria bocca sulla sua? Quell'abbraccio in precario equilibrio? La spirale di gradini sotto di loro?

Laure non si arrese. «Non smetterò di volerlo.»

«Non smettere di provarci. È meraviglioso avere qualcuno che si preoccupa e si prende cura di te. Adoro la tua testardaggine.» Le sue labbra le sfiorarono la pelle morbida sotto l'orecchio. «Adoro la tua freschezza. La tua dolcezza. Amo tutto di te.»

Laure gli accarezzò la nuca. Se era possibile morire di felicità, o per l'emozione, allora stava accadendo.

«Andiamo.» Tomas la prese per mano e insieme raggiunsero una porta che sembrava più nuova del resto.

Tomas bussò e venne ad aprire un uomo sulla quarantina, dall'aspetto denutrito. Li fece accomodare in una soffitta. Due porte si affacciavano a un minuscolo corridoio.

Il posto era buio e claustrofobico ed emanava un odore di malattia: nell'aria c'era un sentore di disinfettante e urina.

« Lui è mio cugino Pavel. Si prende cura della mia prozia, che è la persona che siamo venuti a trovare. »

I due conversarono brevemente in ceco.

Con espressione seria, Tomas rivolse a Pavel alcune domande, poi prese Laure in disparte. « La mia prozia si è ammalata. Non lo sapevo. » Si passò una mano tra i capelli. « Mi dispiace, ma sarebbe meglio se andassi via. Pensi di riuscire a tornare a casa da sola? »

Laure annuì.

Sollevato, Tomas tornò da Pavel.

Mentre scendeva le scale e passava accanto alla portinaia ficcanaso, pensò a quanto fosse ironica quella situazione. Apparteneva a Tomas, ne era sicura. Sebbene si conoscessero da poco, ne era sicura. Decisamente.

Ma non apparteneva a quel mondo.

14

Berlino, 1996

Nella sua camera d'albergo ad Alexanderplatz, Petr Kobes
si era preparato con la consueta cura per il ricevimento serale. Giacca, camicia azzurra, cravatta di seta comprata a
Parigi, una delle sue preferite.

La stanza era al quarto piano di uno di quegli alberghi di
recente costruzione spuntati ovunque, dopo la riunificazio-
ne tra Germania Est e Germania Ovest. Ai suoi piedi si
estendeva un paesaggio urbano costellato di vecchie zone
bombardate e sgradevoli condomini di epoca sovietica.
Un lato positivo era la quantità di alberi, che in quel momento sfoggiavano la loro livrea invernale, messi lì a sosti-
tuire quelli abbattuti durante la guerra e dopo, quando si temeva che in città non sarebbero mai più cresciuti alberi.

Il telefono accanto al letto squillò e Petr andò a rispondere.

«Volevo soltanto salutare il mio vecchio», disse una voce
femminile.

Era sua figlia Maria, che chiamava da Parigi.

Petr si sedette sul letto. «Puoi evitare di chiamarmi 'vecchio'? A quarantasei anni sono ancora un ragazzino.»

Avevano l'abitudine di parlare in francese, non in ceco.
Quasi sicuramente in quel momento la ragazza stava giocando con una ciocca di capelli, che adesso erano lunghi,
e fumando con gusto una sigaretta francese.

«Stai bene?» le chiese con tenerezza. «Hai abbastanza soldi?»

Maria aveva vent'anni e studiava Economia politica alla Sorbona. Petr era consapevole che, nonostante gli anni, il dolore per la perdita della madre era profondo e inconsolabile. Nei momenti buoni, lo spirito di Eva era un ricordo gestibile, persino piacevole. In quelli bui, era impenetrabile e spietato come il Golem che si aggirava per le strade della vecchia Praga.

«Scherzi, papà? A Parigi i soldi non bastano mai.» Poi cambiò tono di voce. «Certo che sto bene. Sono io che ti ho telefonato per sapere come stai, ricordi?» Restò in silenzio per un istante. «Questo trimestre studieremo il comunismo. Ti chiamerò per avere informazioni di prima mano.»

Petr inarcò un sopracciglio.

«Papà, ci credi ancora, non è vero? O è sparito tutto? Gli ideali, i metodi, i vantaggi?»

L'idea che avesse trascorso la propria vita e speso le sue energie al servizio di un'ideologia coi piedi d'argilla lo rattristava e deprimeva. Ma forse il coraggio era proprio quello: sapere che qualcosa poteva non tornare utile ed essere comunque preparati a mettere in gioco il proprio futuro.

Cosa ne pensavano i figli della sua vita e del suo lavoro? Non sapeva quali fossero le loro simpatie politiche e stava attento a non fare domande, temendo l'eventualità di una futura presa di posizione. Ma ricordava parola per parola la lettera che la sua ragazza alla pari, Laure, gli aveva spedito quand'era tornata in Inghilterra.

Se rinuncia alla libertà di pensiero, incomincerà a dissolversi, goccia a goccia. Ma non sarà così per Tomas, qualsiasi cosa gli abbiate fatto.

Era una lettera amara e spietata. Era triste ogni volta che ci pensava. E tuttavia – e ciò lo faceva sempre commuovere – nella busta Laure aveva incluso anche una borsa dell'acqua calda per Eva. Era difficile da trovare, in Cecoslovacchia, perciò Eva ne era andata matta. Non capiva bene perché avesse agito così, però, dopo avere sottratto la lettera alle grinfie della censura, l'aveva distrutta. Ma la borsa dell'acqua calda l'aveva tenuta.

Si sforzò di ritrovare una briciola dell'antico fervore. «Credo ancora nei suoi obiettivi. Sono buoni e veri. Sono un uomo del Partito, fino in fondo. Ma questo non significa che il Partito debba ignorare il bisogno di cambiamento.»

«Parli come un diplomatico.»

L'accordo gli era stato imposto il giorno del suo sedicesimo compleanno, al cospetto dello sconosciuto con l'impermeabile beige e il cappello di feltro. Cinque minuti prima, l'uomo aveva bussato alla porta dei suoi genitori, a Malá Strana, e aveva chiesto di parlare con Petr Kobes.

«Sono io. Lei chi è?»

«Non ha importanza.»

Senza chiedere permesso, l'uomo aveva messo la valigetta sul tavolo. Era in pelle di ottima qualità e sembrava nuova.

Petr l'aveva guardata con curiosità. Non se ne vedevano molte in giro.

Il visitatore senza nome gli aveva porto dei documenti. «Devi leggerli e firmarli.»

«Perché? Cosa c'è scritto?»

L'uomo gli aveva rivolto uno sguardo penetrante e Petr aveva capito che era meglio non fare domande. «Lavorerai per noi. Ti abbiamo osservato e sei stato considerato adeguato. Firmando darai il tuo consenso formale. Ci piace che sia tutto nero su bianco.»

« Ma... »

« Se fossi in te, non solleverei obiezioni. » Lo sconosciuto aveva passato lo sguardo sulla stanza che fungeva da cucina e soggiorno, soffermandosi sugli scaffali vuoti, sul pavimento di linoleum macchiato, sul fornello a due fuochi, sul bollitore di stagno e infine sulla porta dietro la quale dormiva la madre malata. « In futuro avrai bisogno di procurarti le medicine per tua madre. »

Petr aveva continuato a non rispondere.

« E non credo che tu abbia voglia di arruolarti. »

In Cecoslovacchia, tutti sapevano che quel tipo di affermazione conteneva una minaccia che poteva durare tutta la vita: ignorarla era una follia.

Petr aveva firmato i documenti e l'uomo aveva estratto un pacchetto dalla valigetta.

« Dei cioccolatini per tua madre. »

Petr non ricordava quando fosse stata l'ultima volta che aveva visto una scatola di cioccolatini e n'era stato ipnotizzato.

Era esattamente l'effetto che l'uomo voleva suscitare. Aveva spinto la scatola in mezzo al tavolo, dove si era fermata, col suo fiocco sgargiante del tutto fuori luogo. « Continueremo a osservarti. » Aveva messo i documenti nella valigetta e se n'era andato senza dare nell'occhio così com'era arrivato, portando con sé i piani per il futuro di Petr.

In quel momento, la porta della camera da letto della madre si era aperta. « Sapevo che sarebbero arrivati, prima o poi. »

Un sospetto aveva preso forma.

Petr aveva preso una sedia e l'aveva aiutata ad accomodarsi. Era stata una donna bellissima, e lo era ancora, ma il tempo passato nel campo di concentramento durante la seconda guerra mondiale l'aveva lasciata distrutta e zoppicante.

Petr le si era inginocchiato accanto. «Sei stata tu?»

Lei gli aveva preso il viso tra le mani. Durante la prigionia aveva perso molti denti e sorrideva di rado, ma in quel momento si era abbandonata a un sorriso. «Figlio mio.» Erano parole piene di amore e tenerezza, come un abbraccio. «È la cosa migliore, per te.»

Chissà come, era riuscita a procurarsi un profumo alla violetta e Petr ne aveva inspirato la leggera fragranza, che avrebbe per sempre associato a lei. «Come fai a sapere cos'è meglio per me?»

Conosceva sua madre. Fin dalla sconfitta del nazismo era sempre stata convinta che vivere secondo gli ideali comunisti fosse la cosa giusta da fare. «Il comunismo è l'unica via moralmente accettabile. È l'unica strada che può portare al bene dell'umanità.» Gli aveva lasciato andare il viso, ma gli aveva tenuto una mano sulla spalla. «Ti conosco bene, Petr. Devi tenere d'occhio i tuoi pensieri e i tuoi desideri. Se ti accorgerai che c'è un divario tra loro e i precetti del Partito, dovrai essere pronto a soffocarli. Considerali una debolezza borghese.»

Petr aveva pensato alle velate minacce dello sconosciuto. «Sono dei prepotenti.»

La madre gli aveva rivolto uno sguardo feroce, che lo aveva attraversato da parte a parte. «Si prenderanno cura di te.»

Petr sapeva che sarebbe andata così. Era stato trafitto dal dolore. Stava rinunciando a qualcosa d'insostituibile: la libertà di scegliere. «Ci sarà un prezzo da pagare, credo.»

Lei aveva scosso la testa. «Non è così.»

«Mi hai venduto come una merce d'occasione.»

Sotto la gonna rattoppata, vecchia di almeno quindici anni, le gambe storpie della madre tremavano. «Devi sempre tenere a mente che il comunismo è l'esatto opposto del nazismo e non devi mai dubitarne. Dubita soltanto di te stesso.»

Sapeva, come lo sapevano suo padre e anche lei, che il danno psicologico e fisico che aveva subito non le aveva soltanto rovinato per sempre la salute, ma le aveva strappato anche la fiducia nel genere umano.

« A volte non riesco a combatterli, ma non mi uccideranno », diceva, riferendosi a quei ricordi dolorosi.

Eppure, da un certo punto di vista, lo avevano già fatto.

La madre aveva percepito l'inquietudine di Petr. « Non ti preoccupare. »

In quel momento, intrappolato dall'amore e dalla pietà, lui aveva permesso a sua madre di portargli via la libertà di fare le proprie scelte.

Aveva trascorso una notte insonne nel ripostiglio che fungeva da camera da letto e odorava di umidità e di masturbazioni furtive. A un certo punto, la mano gli era scivolata sull'inguine, ma si era fermato. Doveva controllarsi, soffocare la fiamma della ribellione e pensare a un piano.

Verso l'alba si era reso conto che il suo futuro non sarebbe mai stato diverso: tanto valeva fare di necessità virtù. Conoscendo il proprio destino, sarebbe stato più potente, più competente e, forse, più libero.

Credere era nel suo interesse: doveva credere che ce l'avrebbe fatta.

Presa la decisione, si era addormentato.

Lo Stato si era preso cura di Petr e, in cambio, Petr aveva fatto quanto ci si aspettava da lui.

Era stato addestrato dalla polizia segreta e aveva imparato le tecniche di copertura e spionaggio. Erano metodi da mettere in pratica ovunque venissero impiegati gli agenti: nell'industria, nella medicina o in politica. Persino nel più umile negozio da calzolaio.

Tieni la bocca chiusa e non sporgere mai la testa oltre il parapetto.

Individua l'obiettivo del nemico e studialo nei minimi

particolari. I suoi vizi, il suo quotidiano preferito, il numero di scarpe, la marca di dentifricio.

Ai prescelti veniva insegnato a calarsi nella mente dei loro bersagli, a identificarsi con le loro debolezze e a capirne le paranoie. Il trucco era non immedesimarsi al punto di provare empatia. *Una casalinga in lacrime cui è stato ordinato di spiare il proprio figlio non è altro che un utile messaggio cifrato.* Gli allievi venivano avvisati dei pericoli del transfert.

« Imparate il loro odore, dove vanno a bere, quando fanno l'amore, dove vanno a scuola i loro figli », aveva detto un istruttore, un tizio molto poco raccomandabile. Aveva mostrato agli allievi un filmato, una sequenza d'immagini sgranate e tremolanti di una giovane madre in lacrime perché le ruote della sua bicicletta erano costantemente a terra. La ragazza non avrebbe mai saputo se era soltanto sfortuna o, come in quel caso, se veniva punita per essersi abbonata a un giornale proibito. « È molto semplice. *Molto* semplice. »

Petr non parlava mai di lavoro coi genitori. Un paio di volte gli era sembrato che il padre fosse sul punto di chiedergli qualcosa, ma la madre, che aveva un sesto senso, riusciva sempre a impedirglielo. In quel modo i suoi genitori non erano mai venuti a sapere delle tecniche impiegate per infiltrarsi, sorvegliare e manipolare le persone prese di mira dalle autorità. Né dei metodi richiesti per individuare i dissidenti politici fuggiti a Ovest e che venivano restituiti al proprio Paese d'origine per essere spremuti come limoni.

A vent'anni era diventato rappresentante commerciale della succursale occidentale della Potio Pharma, poi si era trasferito a Parigi come dirigente. Poteva sfruttare il bisogno della Cecoslovacchia di valuta estera e quello altrettanto importante di spionaggio industriale, in cui era diventato un esperto. Una volta stabilizzato il suo status sociale, per quanto possibile, aveva sposato Eva ed era diventato padre.

Pensava spesso al sorriso sdentato di sua madre e al suo entusiasmo instancabile.

«Il problema di tua madre è che si sente in colpa per essere sopravvissuta ai campi di sterminio. Diventare una fanatica è il suo modo di superarlo», gli aveva detto Eva, una volta. Essendo più grande di lui, si reputava più saggia. E lo era, per certi aspetti. «Se sacrifichiamo ogni cosa a un sistema politico e ci aspettiamo che anche gli altri lo facciano, diventeremo come i nazisti», lo aveva avvertito poi.

Nel 1989 c'era stata la Rivoluzione di velluto e il regime comunista era stato abbandonato e screditato. I suoi genitori erano morti da tempo, aggrappati alle loro convinzioni fino alla fine. Subito dopo, Petr era diventato amministratore delegato della Potio Pharma, titolo che ricopriva anche a Berlino.

Si controllò la cravatta allo specchio e si ravviò i capelli.

Il fatto che il suo aspetto non fosse cambiato per niente lo sorprendeva sempre.

Cos'avrebbero pensato sua madre ed Eva di quel figlio e marito, un membro esemplare del Partito, che si era trasformato in un capitalista convinto?

Fuori dall'albergo faceva molto freddo e il vento s'insinuava dentro il colletto di Petr e sotto i vestiti.

Ordinò al portiere di chiamargli un taxi. Seduto sul sedile posteriore, pensò alle linee di frattura di quella città riunita da poco. Il Muro era stato smantellato e i frammenti erano diventati souvenir sparsi per il mondo, mentre una Germania divisa sposava se stessa. Est e Ovest, io vi dichiaro marito e moglie.

Un'unione romantica, ma non senza problemi. Tecnicamente, il regime comunista della DDR era finito, però Petr sapeva bene che le cose non stavano proprio così. La Germania Est era stata assassinata e c'erano tracce di DNA ovunque. Come a Praga, bisognava fare i conti con una rabbia, una tensione e un risentimento ostinati.

Non è mai stato analizzato il modo in cui l'ansia e l'intensità di sentimenti generati da un sogno diventato realtà e poi crollato potrebbero destabilizzare anche un popolo pratico come quello tedesco, aveva scritto Petr nella sua relazione al consiglio della Potio Pharma.

Era a Berlino allo scopo di sondare i legami tra la nuova Repubblica Ceca e potenziali partner commerciali. Il ricevimento cui era stato invitato era stato organizzato da un gruppo d'industriali dell'ex DDR, ansiosi di convincere le industrie occidentali a costruire fabbriche a Est. Dopodiché, grazie all'abbondante offerta di manodopera, agli stipendi da fame e al mercato immobiliare a basso costo, avrebbero allegramente eliminato la concorrenza occidentale.

Non tutti approvavano.

« L'Est diventerà il banco da lavoro dell'Ovest », aveva detto un ex leader di Partito, con risentimento.

In cambio, gli occidentali avrebbero cercato di sfruttare o di rubare qualsiasi informazione d'intelligence fossero riusciti a carpire sui russi.

Erano tutti ai posti di combattimento per riorganizzare l'Europa. Gli addetti culturali delle varie ambasciate, compresa quella inglese, si erano inventati un programma che includeva la visita a un panificio e a una fabbrica di motociclette, e il ricevimento di quella sera. Come sempre era un minestrone d'interessi e ideologie concorrenti, pensò divertito Petr, però non aveva nulla da obiettare.

Il taxi rallentò nel traffico congestionato intorno ad Alexanderplatz. Da quello che si riusciva a vedere, la piazza era presa d'assalto dalle nuove generazioni di berlinesi. I ristoranti e i grattacieli erano illuminati a giorno e il bagliore delle ciminiere circondava l'orrida Fernsehturm, la torre della televisione.

Non per la prima volta, Petr si rese conto che il grigio onnicomprensivo della Praga in cui era cresciuto si era sedimentato nella sua psiche. Anche se conosceva piuttosto bene l'Europa occidentale e capiva come funzionavano le cose, lo sperpero di luci lo infastidiva.

Una considerevole percentuale dei frequentatori della piazza era ubriaca o drogata. Perlopiù si stavano divertendo, ma Petr sapeva che alcuni di loro erano molto poveri e – se venivano dall'Est – probabilmente risentiti per il benessere occidentale e quindi pericolosi.

I chioschi di birra e salsicce lavoravano a pieno ritmo. Un gruppo con delle chitarre elettriche cantava a squarciagola canzoni d'amore. Avevano problemi con l'alimentatore di corrente e il suono andava e veniva. A nessuno sembrava importare. Era arrivato il nuovo ordine e ci davano dentro con musica e alcol.

Quando la Storia era stata scritta, era venuto fuori che entrambe le parti avevano investito una considerevole quota del budget nazionale in uomini e tecnologia con lo scopo di battere l'avversario in astuzia. Nella Repubblica Democratica Tedesca, la Stasi aveva sviluppato l'organizzazione di sicurezza e spionaggio più efficiente del mondo.

Durante gli ultimi giorni di vita della DDR, la Stasi aveva cercato di distruggere montagne di fascicoli che documentavano decenni di sorveglianza. Ironia della sorte, il sistema di spionaggio più efficace del mondo non si era rivelato molto efficiente. Si era lasciato alle spalle una montagna di carta, da cui era nato un miasma di ripicche, vendette e repressione.

All'alba del nuovo ordine democratico, le cosiddette «donne dei puzzle» avevano lavorato incessantemente per ricomporre i documenti e le schedature finiti nel tritacarte negli ultimi giorni di vita della Repubblica Democratica Tedesca, ricostruendo una nuova storia della Germania.

Mia moglie ha dei pensieri borghesi.

Sospetto che il mio vicino ascolti trasmissioni proibite su una radio nemica.

Il cittadino B ha incontrato un noto dissidente in Jüdenstrasse.

La sorveglianza statale e le sue conclusioni erano più o meno le stesse in tutti i Paesi.

Il ricevimento era a Mitte, al primo piano di una palazzina di cemento vicino alla sede dell'ex cancelleria americana. Il riscaldamento era a livelli tropicali, col risultato che i trenta invitati stavano cercando di ubriacarsi con grande impegno. La sala era troppo grande e arredata molto male. Le pareti erano spoglie, a parte un paio di foto in cornice che immortalavano delle mietitrebbia sullo sfondo di campi di grano dorato. Abbandonati a se stessi sulla moquette fantasia, gli ospiti non davano certo l'impressione di divertirsi.

Petr aveva una lista degli invitati, ma fu intercettato prima di poterla consultare: una donna alta e slanciata con un vestito blu scuro bordato di bianco – probabilmente la moglie di qualche diplomatico – si avvicinò a lui con la sicurezza di una nobildonna inglese. «Molto piacere, Sonia.»

«Petr Kobes.»

«Immagino che non sia tedesco.»

«Ceco.»

Sonia era di buon umore, forse brilla. «Io sono inglese. E mi stavo proprio chiedendo se nella mia vita precedente abbia commesso qualche peccato grave, per ritrovarmi in un posto così deprimente.» Abbassò la voce. «Secondo lei ci sono degli ex funzionari della Stasi, qui?»

«Senza dubbio.» Petr non riusciva a capire se la donna fosse sincera o no.

«Qualcuno ha detto a mio marito che, quando sono entrati nel quartier generale della Stasi, hanno trovato un supermercato pieno di ogni ben di Dio. E tutti quegli orribili fascicoli, naturalmente. Inoltre c'era un intero piano arredato con mobili costosissimi.»

«Sì, l'ho sentito dire anch'io.» Petr diede un'occhiata alla lista che teneva in mano e per poco non la fece cadere. Un nome aveva attirato la sua attenzione, l'insolita combinazione di un nome di battesimo francese e un cognome inglese: *Laure Carlyle.*

Si vantava di sapere sempre controllare le proprie emozioni, ma, in quel momento, riuscì a malapena a parlare. «Può scusarmi un attimo?»

Sonia scrollò le spalle. «L'ho spaventata. Be', buona fortuna. Berlino... non è Parigi.» Poi lo guardò con più attenzione. «Oh, santo cielo, sembra sconvolto.»

Petr non rispose, perché non ne era in grado.

15

Eccola, a pochi metri di distanza.

Anche se erano passati dieci anni, era difficile descrivere cosa provasse in quel momento. O descrivere cosa succedesse nel suo cuore e nella sua mente.

A occhio e croce, Laure aveva una trentina d'anni, e li dimostrava. Aveva sempre i capelli castano ramato, ma il taglio era diverso ed era più magra. La sua pelle, luminosa e pulita, gli diede la conferma definitiva: era proprio lei.

Era immersa in una conversazione con un ex funzionario della Stasi e non l'aveva visto. Stordito ed euforico come uno stupido, Petr si concesse di guardarla per qualche altro secondo.

La mano con cui teneva il bicchiere era malferma e lui si girò dall'altra parte per prendere tempo.

Fu un errore: un diplomatico inglese piombò su di lui.

Ormai Petr parlava un ottimo inglese e si buttò malvolentieri nella mischia. «Dev'essere affascinante essere qui a testimoniare la nascita della nuova Germania.»

O il diplomatico era disilluso, o non era molto portato per la professione. Esitò. «Sì e no.»

L'uomo sbagliato per il lavoro sbagliato, pensò Petr. Non gli faceva pena. Non poté fare a meno di guardare alle spalle del diplomatico, verso Laure. «Adattarsi è sempre una sfida.»

«È un disastro, se vuole la mia opinione.»

«Non è un'affermazione un po' azzardata? I tedeschi dell'Est si stanno dimostrando pratici. Il commercio e l'industria hanno più possibilità di far funzionare le cose rispetto ai governi.»

Il diplomatico guardò nel proprio bicchiere. «Sono quasi tutti mezzi matti. I membri del Partito più irriducibili hanno il Muro nella testa.»

Petr si congedò dal diplomatico deluso e incominciò ad avvicinarsi a Laure, il polo magnetico verso il quale era attratto.

Un uomo tarchiato con un completo scuro e i capelli pettinati all'indietro le sfiorò un gomito e la prese in disparte. Istruzione pubblica? Università? Quasi sicuramente un teorico delle libertà di cui godeva l'Occidente. Parlarono a bassa voce. Laure alzò lo sguardo e vide Petr. Per una frazione di secondo, spalancò gli occhi.

Chi stava vedendo? Certo non il marito trentaseienne e padre di due bambini che aveva conosciuto dieci anni prima. Petr ne era consapevole: la mezza età gli aveva appesantito i lineamenti, allargato il girovita e ingrigito le tempie. Anche l'ansia e la difficile arte di tenere il passo coi cambiamenti politici lo avevano messo a dura prova. Quando s'incamminò verso di lei, la vide irrigidirsi e capì che Laure se l'aspettava.

Fu lei a rompere il ghiaccio. «Petr. Quanto tempo. David, ti presento Petr Kobes, che era il mio datore di lavoro a Praga. Petr, questo è David Brotton, il mio capo all'ambasciata britannica.» Le sfuggì una smorfia. «Ora vi conoscete.»

Da vicino, Petr vide che era diventata bellissima. Da ragazza era sbarazzina, scarmigliata e anticonformista, coi suoi jeans aderenti e con le magliette scollate. Come donna, magra e con un'ombra malinconica negli occhi, era del tutto diversa. Più misteriosa, meno aperta. Le guardò la mano sinistra. Nessun anello.

David Brotton, il suo capo, era chiaramente un esperto in

quel tipo d'incontri e gli porse la mano. « Piacere. Che lavoro facevi, Laure? »

« La ragazza alla pari per Petr e la sua famiglia. Abbiamo vissuto a Parigi e a Praga. »

Era probabile che David Brotton conoscesse già quell'informazione. Tutti e tre i presenti sapevano che, prima di ottenere qualsiasi impiego all'ambasciata britannica, la storia personale di Laure era stata scandagliata da cima a fondo.

« E anche molto apprezzata. Il suo aiuto è stato provvidenziale: quando mia moglie si è ammalata, è rimasta ad aiutarci più a lungo di quanto avesse deciso di fare in origine. » Sostenne il loro sguardo. C'era la possibilità che Laure e Brotton fossero entrambi spie, o comunque invischiati in quel mondo. L'intelligence inglese aveva l'abitudine d'inserire talpe nelle ambasciate.

« È un elemento prezioso anche qui. La migliore addetta culturale che abbia mai avuto », disse David Brotton, galante.

Un paio di ragazze stavano girando tra gli ospiti con dei vassoi. Indossavano un tubino nero e un grembiule coi volant, e obbedivano agli ordini di un uomo con un completo elegante.

Laure prese un bicchiere da uno dei vassoi. « Quelle divise devono essere scomodissime. »

« Penso che i nostri padroni di casa vogliano che i loro ospiti occidentali si sentano a casa. »

David Brotton scoppiò a ridere. « E ci sono riusciti. Se volete scusarmi. »

Una volta soli, Petr e Laure si presero il loro tempo, prima di parlare.

Alla fine, Laure bevve un sorso di gin tonic e disse: « *Bonsoir*, Petr ».

« La miglior addetta culturale che abbia mai avuto? »

« Incredibile, vero? » Laure rimase composta e professionale, ma gli occhi tradivano l'emozione.

Come sempre, parlarono in francese.

« Cosa ci fai a Berlino? »

« Sono stato invitato da un amico, Herman Ludz. Lavora per una grossa azienda farmaceutica che m'interessa. »

Laure guardò l'uomo robusto e stempiato che indossava una cravatta viola, circondato dai suoi accoliti. « Ex Stasi. Ma immagino che tu lo sappia. » Lasciò passare un secondo. « Non ne sono sorpresa. »

« Abbiamo tutti un passato. »

Lei annuì. « Non è strano come alla Storia non interessi la giustizia? Molti ex funzionari della Stasi hanno fatto una brillante carriera. Marketing. Assicurazioni. »

« Pensi davvero che sia strano? Sono lavori per persone organizzate. Con capacità gestionali. Chi meglio di loro? Sono fortunati ad avere personale addestrato cui potersi affidare. »

« Sei sempre stato un tipo pratico », commentò lei, in tono asciutto.

« È un complimento? »

« Prendilo come vuoi, ma immagino che sia l'unico modo che hai per convivere con la tua coscienza. »

Non si era aspettato che lo sfidasse apertamente, né che lo attaccasse in modo così subdolo. Non così presto. « Immagino di sì. »

Laure riprese il controllo. « Come stanno Eva e i bambini? »

« Eva è morta. » Non riusciva mai a dirlo con facilità. Quelle parole contenevano tutto il senso di colpa e la rabbia per un matrimonio che era stato così promettente. All'improvviso sentì che non poteva restare un attimo di più in quella stanza, a quel ricevimento. Né a quel punto della sua vita.

Laure era sconvolta. « Morta? »

« Subito dopo la tua partenza. »

« Mio Dio, poveri bambini. Mi dispiace. Mi dispiace tanto.» Aveva abbandonato per un istante il suo freddo distacco.

Petr si era imposto di essere pragmatico. «I bambini hanno sofferto, certo. Ma sono cresciuti. Jan sta studiando per diventare avvocato, a Praga. Maria è all'università, a Parigi.»

«Hai una foto?»

Petr prese il portafogli e lo aprì, mostrandole una foto dei figli.

«Non è strano? Un tempo, li conoscevo come le mie tasche. Ora non riuscirei a riconoscerli. Ma sono belli.» Toccò i loro volti con un dito. «Tu abiti a Berlino?»

Eccola, la domanda innocente e cortese che quasi sicuramente tutti i presenti si erano sentiti rivolgere. La tattica era divulgare le informazioni strettamente necessarie e nient'altro. «Sono qui per lavoro. Poi torno a Praga.»

La cameriera col rossetto più vistoso e con la scollatura più profonda si avvicinò col vassoio. Laure rifiutò, ma Petr prese un altro drink.

«Che coincidenza, incontrarsi.» Si sbagliava. Era inevitabile che l'incontrasse, prima o poi. Doveva essere così. «Magari potremmo bere qualcosa insieme?»

«Cosa ti fa pensare che abbia voglia di uscire con te?» Il tono di Laure era freddo.

«Il passato.»

«No.»

Categorico. Non negoziabile. «Io... ti ero affezionato, Laure. Devi ammetterlo, era una situazione impossibile.»

«Qualsiasi cosa pensi, non abbiamo più niente da spartire.»

«Invece sì.» L'aveva colta alla sprovvista e, per un istante, intravide la Laure di un tempo, la ragazza che l'aveva rapito.

«Invece no, Petr. Ma mi dispiace per Eva. Non ha avuto una vita facile, però sono contenta che i ragazzi stiano bene.»

Petr scrutò quel volto bellissimo e tormentato, e rimpianse la limpidezza perduta. «È il *passato*.»

«Non sarà *mai* passato.» La sua ferocia lo prese alla sprovvista.

«Quindi nessun perdono? Per nessuno di noi due?»

Laure indossò di nuovo i panni della funzionaria di ambasciata. «Ha importanza? Forse ti renderebbe la vita più semplice. Per quanto mi riguarda, uno psicologo o un prete mi direbbe che il perdono è la cosa migliore, per la mia salute mentale. Per non parlare della mia anima.» Distolse lo sguardo. «Per mille motivi, ci ho provato. Ma non ci riesco.»

«Potresti fare un altro tentativo», le suggerì dolcemente.

Lo sguardo di Laure si offuscò. «No.»

«Significa che non puoi perdonarti?»

«Questa è una conclusione errata.»

Lui allargò le mani, come per dire: *Non sono d'accordo*.

Laure indicò gli ospiti, che si stavano diradando. «David mi sta facendo segno che dobbiamo andare. Nel frattempo, sembra che i tuoi amici siano scatenati. Sono ansiosi di stringere accordi e fare affari.»

«Lo sono. L'Occidente non ha il monopolio delle idee, né dell'entusiasmo.»

«No.» Laure si lisciò la manica della camicetta, lasciandosi andare all'emozione. «Penso sempre... Non posso fare a meno di pensare che, se avessi incontrato Tomas tre anni dopo, sarebbe andato tutto bene.» Sbatté le palpebre. «Sarebbe andato tutto bene.»

«Sai cosa ne è stato di lui?»

«Lo sai, che non ne ho idea.»

Petr prese un biglietto da visita dal portafogli e glielo porse. «Potremmo provare a scoprirlo.»

Era una sfida crudele e Laure si lasciò sfuggire un grido soffocato. «*Cosa?*»

Lui ripeté la frase, guardando l'espressione dei suoi occhi, verdi come l'uva spina.

«Perché dovresti farlo?»

«Perché...»

Lei lo interruppe: «Non c'è niente che potresti dirmi che non sappia già, Petr. Lavoravo per te, amavo Tomas, ci sono stati dei problemi, me ne sono andata. Tutto qui. Adesso ho un lavoro ed è l'unica cosa che importa».

Era una storia credibile e c'era quasi cascato. Non eccessiva, né troppo noiosa: neutra.

Come lui aveva immaginato, Laure accettò il biglietto. «'Amministratore delegato, Potio Pharma'», lesse, sorpresa. «Sei diventato un capitalista.» Intendeva dire: *Lavori ancora per la polizia segreta?*

«Se chiami quel numero, mi riferiranno il messaggio.»

Era tardi e si gelava. Infilò le mani inguantate nelle tasche del cappotto e si diresse verso l'albergo.

Gli era sempre piaciuto camminare. La topografia di una città forniva indizi sulla sua vita interiore, ma la prima cosa che aveva notato dell'ex settore orientale era l'odore nauseante, un miscuglio di gas di scarico e di lignite, che gli abitanti di Berlino Est erano costretti a sopportare. In confronto, Praga era profumata. Dove vivevano i suoi nonni, per esempio, vicino alla Letná, era ancora possibile sentire l'odore di terra bagnata portato dai venti primaverili e il profumo delle forsizie che crescevano a Strahov. C'erano anche altre cose che amava: il chiasso dei gabbiani sul ponte Jirásek, lo sciabordio dell'acqua sotto i ponti...

Sorrise al ricordo.

A nord, in lontananza, c'era il Tränenpalast, soprannominato «il palazzo delle lacrime», un posto di blocco in cui Est e Ovest si dicevano addio ai tempi del Muro.

Lacrime. Disperazione. Coraggio. Persone travestite, documenti falsi...

Forse Berlino non avrebbe mai sradicato il Muro dalla sua coscienza. Forse sarebbe sempre stata dominata dalla psicosi provocata dalla divisione. Alcuni degli edifici cui passò accanto erano crivellati di colpi di proiettile della seconda guerra mondiale e le tenebre avvolgevano le zone bombardate ancora in attesa della ricostruzione. In preda a uno stato d'animo particolarmente emotivo, immaginò che trasudassero un'eredità spettrale di persecuzione e conflitto. Berlino e la sua storia erano molto più antiche del Muro.

Si fermò per ritrovare l'orientamento. Berlino Ovest era illuminata, ma, nella parte del settore orientale in cui stava camminando, l'illuminazione pubblica era intermittente e non era sicuro di dove stesse andando.

Avventurarsi da solo per le strade era imprudente, però assaporò la sensazione di libertà. Una vita senza sorveglianza era un lusso. (Aveva mai immaginato che si sarebbe sentito così?) Se i tedeschi e gli inglesi lo stavano tenendo d'occhio, era più probabile che fosse per motivi professionali, non politici, e di sicuro non a quell'ora.

Era quasi in fondo alla Unter den Linden quando decise di entrare in un caffè. Era caldo e pulito, con superfici cromate, il bancone in maiolica e una bella cameriera. Si accomodò accanto alla vetrata, ordinò un caffè e un panino e sfogliò un quotidiano.

In quel mondo luminoso e nuovo di zecca, nessuno passava più al setaccio le sue abitudini di lettura, né le sue battute o il suo modo di vestire, perché non aveva mai dubitato che, nell'universo contraddittorio, tormentato e assurdo del regime comunista ceco, anche un uomo di Partito non sfuggisse alla sorveglianza.

Ordinò un altro caffè e lo bevve, ripensando alla sorpresa di quella serata e ripercorrendone gli eventi. Si era calmato e poteva giudicare meglio.

Un'anziana coi piedi deformi e con un paio di scarpe in pelle consunta passò davanti al caffè. Est od Ovest? Sembrava abbastanza anziana da avere vissuto non soltanto l'epoca comunista, ma anche quella nazista.

Chissà cosa si sarebbero detti Laure e il suo capo, una volta tornati all'ambasciata britannica di Unter den Linden. Ci sarebbe stata una relazione su di lui e su altri come lui. Sarebbero stati analizzati. Da quello che aveva sentito, non tanto tempo prima diversi parlamentari inglesi erano stati avvicinati dalla polizia segreta ceca. Gli inglesi erano stati molto sospettosi e il contatto non aveva portato a niente di significativo, a parte un rapporto dei servizi segreti molto dettagliato, redatto dagli inglesi, sull'industria ceca. Il rapporto era stato introdotto clandestinamente a Praga e le persone al livello di Petr l'avevano letto. Com'era prevedibile, c'era anche il suo nome.

Potio Pharma. Amministratore delegato Petr Kobes. Un sopravvissuto, come tanti altri vecchi comunisti.

Potio Pharma. Fondata dopo la cosiddetta « Primavera di Praga » del 1968. Nasce come industria farmaceutica. Dopo la Rivoluzione di velluto del dicembre 1989, si specializza in biotecnologie. Sede centrale a Praga. Azienda florida dopo il regime comunista, anche se diversi problemi con livelli d'inquinamento minacciano la qualità dei prodotti. Hanno sempre avuto una forte spinta all'esportazione e una squadra di responsabili commerciali probabilmente coinvolti in attività di spionaggio industriale.

Dopo il crollo del regime, hanno acquisito aziende più piccole e, al momento, sono tra le prime cinque compagnie far-

maceutiche ceche. Si sono convertiti al capitalismo con grande slancio, ma cercano di non darlo a vedere...

L'autore della relazione aveva il senso dell'umorismo.

Obiettivi:
- *Regolazione della distribuzione dei prodotti farmaceutici con margini di guadagno limitati*
- *Regolazione sulla distribuzione*
- *Ritorno sugli utili*
- *Diffusione delle licenze e accordi di commercializzazione congiunta*

Le note a margine erano meno misurate.

Cioè conservare il favore dei socialisti e fare soldi a palate con altri mezzi. La botte piena e la moglie ubriaca.

Era strano leggere un punto di vista diverso sulla sua ditta. Strano, ma educativo.
La relazione proseguiva.

Non è stato individuato nessun legame tra la Potio Pharma e la fabbrica di veleni russa (fondata da Iosif Stalin), né collegamenti con la produzione di armi chimiche, compresi gas nervino e altre sostanze incluse nella recente convenzione sulle armi chimiche (CAC), sebbene non sia possibile provarlo in modo definitivo.
Sembra che in passato Kobes fosse coinvolto in attività di spionaggio industriale per la polizia segreta con l'incarico di ottenere informazioni sulla ricerca e sulle tecniche di cui il regime era privo e che voleva ottenere a tutti i costi. Possibile coinvolgimento nell'esfiltrazione di un dissidente che viveva

204

a Marsiglia nel 1984. Si ritiene che Kobes fosse l'artefice e tesoriere dell'operazione. Non è dimostrato.

Stronzi schifosi, pensò. Ma quello che lo sorprese di più fu la quantità di dettagli personali. Dettagli privati. Doveva averli forniti qualcuno che lo conosceva bene.

Vedovo, è considerato un padre di famiglia con un notevole affetto per i suoi bambini. Gli piace godere dei privilegi dell'Europa occidentale e si veste con cura.

Dopo avere incontrato Laure, più ci pensava e più si convinceva che lavorasse per i servizi segreti britannici, sebbene con un incarico minore. Si chiese se l'avessero usata per ricavare delle informazioni.

Se Laure aveva fatto la sua parte, sarebbe stato per vendetta.

Un'ipotesi improbabile, ma che suggeriva la permanenza di un legame tra loro.

L'idea lo feriva e lo emozionava in egual misura.

16

La prima riunione importante in programma a Berlino era prevista per mercoledì mattina.

Tutti i partecipanti sapevano che sarebbe stato un incontro impegnativo. Tuttavia la presenza di Petr in qualità di amministratore delegato della Potio Pharma agevolò le trattative. A pomeriggio inoltrato era stata elaborata una bozza di ricerca e sviluppo congiunto tra Praga e Berlino.

La riunione di giovedì con una ditta farmaceutica rivale ebbe meno successo. Qualcosa nell'aria – un'atmosfera negativa – sembrava confondere le intenzioni dei partecipanti. Ai vecchi tempi, in Cecoslovacchia, ciò che i capi ordinavano veniva eseguito. Ciò non accadeva più, e Petr era consapevole di non essere riuscito a sradicare quell'aspettativa dal proprio modo di pensare. A metà delle trattative, si rese conto che il suo passato, almeno quello noto, quasi certamente era il motivo di quella vaga ostilità latente.

Decise di correre un rischio e propose di concludere l'incontro. «Gentili signori, spero che riusciremo tutti a guardare al futuro e a lasciarci il passato alle spalle.»

Il leggero sollievo che lesse sui volti degli interlocutori occidentali gli disse che le sue supposizioni erano corrette. Mentre si dirigeva verso la hall insieme con Eduard, l'assistente che lo aveva raggiunto da Praga, pensò che in quella Berlino nuova e rampante un vecchio comunista puzzava ancora di cadavere.

«C'è qualcosa che ti preoccupa?» gli chiese Eduard.

« Dovrebbe? »

« È che tu detesti le questioni in sospeso. Non è da te rassegnarti. »

Laure non ci aveva messo molto a cedere. Alla reception, c'era un messaggio per lui da parte sua: *Accompagno un gruppo a vedere un tunnel che è stato scoperto da poco. Vuoi venire con noi?*

Eccolo lì. Il passato li avvolse entrambi come una fune.

Guardò Eduard. « Un invito dall'ambasciata britannica. Fa parte di un programma culturale organizzato per farci andare d'amore e d'accordo. Ci propongono di andare a vedere un tunnel scavato dai fuggitivi. »

Eduard lo guardò perplesso. « Perché dovrebbe interessarci? Non è molto gentile, non credi? »

« Hai mai sentito parlare degli Anatomie? Erano un gruppo rock dissidente. Uno dei loro successi più famosi s'intitolava *Tunnelling*: probabilmente il mio contatto all'ambasciata faceva dell'ironia. »

Troppo giovane per ricordare il periodo precedente al 1986, quando gli Anatomie imperversavano in Cecoslovacchia, e ancora in quella fase in cui non sapeva bene come giudicare il passato recente, Eduard lo guardò perplesso. « Se non è un problema, vado nel bar più vicino. »

Poco dopo, il taxi lasciò Petr a Oderberger Strasse, vicino all'ingresso del Mauerpark, che segnava il vecchio confine tra Est e Ovest. Era una zona fatiscente e squallida, con muri imbrattati di graffiti e un'illuminazione stradale tetra.

Laure li aspettava accanto a un gruppetto di donne e a un uomo alto e col volto squadrato, che indossava un loden e un berretto da baseball. Le donne erano mogli di funzionari e l'uomo la loro guida tedesca.

Il clima era reso ancora più rigido dal vento gelido e i presenti erano infagottati in cappotti pesanti e berretti. Petr pensò che il pratico cappotto grigio di Laure fosse stato scel-

to per suggerire la sua posizione di scarso rilievo in ambasciata, o forse no. Non aveva ancora deciso. Indossava anche un basco nero dall'aria francese che le copriva le orecchie. A parte un saluto educato, non gli rivolse attenzioni
particolari. Mentre si spostavano, la osservò gestire il gruppo con fare sicuro e tranquillo, lo spartiacque definitivo tra
la ragazza di un tempo e la Laure di adesso.

Furono accompagnati in un bunker che era stato abbandonato dopo la fine della guerra, come spiegò la guida.
«Ciò l'ha reso un posto perfetto per scavare.» Li condusse
fino a un'apertura nel pavimento di cemento: un condotto
con le pareti rinforzate da assi di legno grezzo era stato scavato nel terreno. «È stato scoperto alcune settimane fa dagli
ingegneri che lavoravano ai nuovi sistemi di stoccaggio sotterraneo dell'acqua. È conosciuto come Tunnel 15 perché
sembra che siano riuscite a fuggire quindici persone, prima
che fosse chiuso.»

Il condotto era profondo circa cinque metri. Il gruppo
sbirciò all'interno. Petr guardò i loro volti concentrati. Gli
sembrò di avvertire un senso di superiorità nell'atteggiamento degli inglesi raggruppati intorno all'imboccatura
del tunnel. Come se pensassero che loro non avrebbero
mai permesso la realizzazione di una società in cui le persone fossero state costrette a scavare, per fuggire.

Ma cosa ne sapeva quel Paese classista, pensò tristemente.

Andò accanto a Laure, che gli rivolse uno sguardo imper-
scrutabile.

«Il Tunnel 15 è lungo circa ottanta metri e sbuca in una
latrina abbandonata dietro un condominio. Sono tante le
storie sui fuggiaschi, alcune fantasiose. Si pensa che molte
altre persone progettassero di usarlo, ma sono state tradite.
Il condotto è stato sigillato dalle autorità di Berlino Est»,
proseguì la guida.

Tra le donne si levò un mormorio.

« Come sapete, il Muro è stato costruito nel 1961 e ha una lunghezza di circa 160 chilometri. Il tunnel è stato scavato nel 1964, quando i tentativi di fuga hanno raggiunto il loro picco. La cosa strana è che è stato scavato da Ovest a Est, non il contrario. »

L'aria fetida e priva di vita filtrava da sottoterra.

« I tunnel della guerra fredda hanno un posto speciale, nella storia di Berlino. Sono simboli di sopravvivenza e della volontà di non arrendersi. » Il tono della guida era privo di empatia.

Petr infilò le mani nelle tasche del cappotto. Per un comunista, pentito o no, era un argomento scomodo. Per l'ennesima volta pensò ai casi della Storia. « Non è passato molto tempo da quando l'oppressore era il Terzo Reich », bisbigliò all'orecchio di Laure.

« Comunisti, fascisti... non fa differenza. »

La guida chiese loro di avvicinarsi. « Ci sono diverse cose da tenere presente, se volete progettare o scavare un tunnel clandestino sotto un muro... »

A Petr sembrò di scorgere un'espressione ironica sui suoi lineamenti decisi.

« Prima di tutto, una volta arrivati alla falda acquifera, smettete di scavare e procedete in orizzontale. Punto numero due: comunicate con un sistema di parole d'ordine, o non saprete mai se nel gruppo si nasconde una spia. Punto numero tre: a contatto con la rete elettrica, un cacciavite fonde. Punto numero quattro: per impedire alle guardie di diventare sospettose, è necessario non lasciare mai il tunnel incustodito. Punto numero cinque: se volete scavare, è meglio scegliere un terreno leggermente sabbioso, come quello che abbiamo a Berlino. »

Petr si guardò intorno. Coi suoi tre metri e sessanta di altezza, il Muro poteva anche nascondere certi movimenti sospetti, ma le guardie della Stasi erano di vedetta nei palazzi e nelle torrette. Scavare e costruire un tunnel richiedeva nervi saldi e magari le competenze di un ingegnere.

Normalmente rifiutava di mettersi nei panni altrui, perché indeboliva la sua determinazione. Però non poté fare a meno di pensare a quanto fosse spaventoso e pericoloso, fuggire in quel modo. Era un progetto in grado di logorare i nervi a chiunque. Guardò Laure. Sembrava sconvolta, come se non riuscisse a immaginare cosa potesse spingere qualcuno a scappare attraverso un condotto fatiscente.

Petr le si avvicinò. «È sempre peggio pensarci che farlo.»

«Se ti fa comodo, puoi crederlo», replicò lei, nascondendo a malapena l'amarezza.

«Riteniamo che le persone che hanno scavato questo tunnel abbiano vissuto qui per più di cinque mesi, passando le notti nel tunnel a turni settimanali e usando secchi d'acqua per lavarsi. È stata un'impresa eroica. Sebbene non sapessero dove sarebbero sbucati, hanno continuato a scavare.» La guida fece una pausa a effetto. «Sono stati fortunati e si sono ritrovati in una latrina abbandonata dietro un condominio.»

Petr provò a immaginare. L'odore di decomposizione. Il sudiciume.

La guida indicò il condotto. «I fuggiaschi sono stati tirati su con un argano elettrico. Abbiamo messo una scala: è sicura, ma scendete a vostro rischio e pericolo.»

Le prime a scendere furono le mogli dei funzionari. Un paio ebbe qualche difficoltà con la scala. Tornarono in superficie sconvolte e in preda a un'euforia che cercarono di soffocare. Laure e Petr scesero per ultimi.

«Le regole erano molto rigide: mentre si scavava o si fuggiva, bisognava restare in assoluto silenzio», disse la guida. «Le voci si sentono anche sottoterra. E ovviamente utilizzare esplosivi per accelerare il lavoro era fuori questione.»

La discesa fu difficoltosa e, a ogni gradino, l'aria diventava sempre più fetida. Petr andò per primo e tese una mano a

Laure per aiutarla, ma lei rifiutò. Per entrare nel tunnel vero e proprio, era necessario stendersi a terra e strisciare a pancia sotto, però non era consigliabile, perché c'erano infiltrazioni d'acqua ovunque.

«*Tunnelling*, il successo degli Anatomie», disse Petr. «Non era stata vietata?»

«Lo sai benissimo», rispose lei, impassibile.

«Chi l'ha scritta?»

«Tomas.»

Due lampadine erano l'unica fonte di luce. Petr si chinò e guardò dentro il tunnel lungo e buio. Sembrava che non potesse passarci nemmeno una persona esile ma, in fuga, si tirano fuori risorse inaspettate.

La canzone diceva: *Costruiscono i loro tunnel nelle città sotterranee per ingannare l'inverno.*

Sempre se ricordava bene.

Uno sbuffo di aria calda lo investì in pieno volto, portando con sé un odore opprimente di decomposizione. Soffocò un conato di vomito.

Laure si chinò accanto a lui. Inspirò e si tappò il naso. «Oh, Dio, pensarli qui dentro, pigiati l'uno contro l'altro... Dovevano essere terrorizzati. Spinti dall'adrenalina. La guida dice che c'era anche un bambino piccolo.»

«Non so se ci sarei riuscito.» Petr sentiva un sapore acre in gola.

«Non saresti stato costretto a farlo.»

Non lo disse con cattiveria, ma come un dato di fatto, eppure quell'osservazione lo punse sul vivo. «È per questo che mi hai portato qui? Per farmelo capire? O per punirmi?»

Erano così vicini che Petr sentiva il suo calore e il suo profumo floreale. La Storia e la politica erano fatte per i tiranni – l'aveva sempre saputo –, ma ora vedeva con spietata chiarezza che l'abisso che li separava deformava l'amore e la compassione. E, quasi sicuramente, la comprensione.

Inoltre rendeva il desiderio per qualcuno che era dall'altra parte della barricata un'esperienza dolorosa e ingrata.

Si alzarono e Laure si scostò il basco dalla fronte. «Hai detto che non avresti potuto farlo. No, nemmeno io. Però lui sì. A modo suo. E migliaia di altre persone come lui. Voglio che ci pensi. Voglio che tu provi a capire anche soltanto una piccola parte di quello che ha dovuto affrontare. Prima di...» Non fu necessario finire la frase.

Petr non ebbe bisogno di chiederle cosa intendesse.

«Almeno queste persone sono riuscite a fuggire. A sconfiggere il sistema.» Laure posò una mano sulla parete del cunicolo. Aveva un rossetto color carne che faceva sembrare la sua bocca giovane e vulnerabile, nonostante la penombra. Il modo in cui muoveva il labbro superiore quando parlava e la ciocca di capelli setosi che era sfuggita dal basco erano incantevoli.

Petr la guardò, ipnotizzato. Poi si tolse del terriccio da una manica. «Quando funzionava, era un buon sistema.»

Laure si lasciò sfuggire una risata amara.

«Credevo che avremmo costruito una società migliore.»

Era vero. Per tanti anni, ci aveva creduto.

«Lo accetto. Vedo pure che è impossibile chiedere scusa, quando le cose non vanno per il verso giusto.»

La voce della guida echeggiò dalla bocca del condotto. «Il tunnel è alto sessanta centimetri e largo novanta. Aveva un solo lusso: le persone che avevano scavato la galleria erano riuscite ad appendere delle lampadine, in modo da non dover strisciare al buio. Un fuggiasco era rimasto incastrato e sono stati costretti a tirarlo fuori a forza.»

Laure fece un respiro profondo. «Anche l'aria odora di disperazione. Per fortuna, qualcuno ce l'ha fatta.»

«Ci pensi tanto.» Non era una domanda.

«Non sempre, però sì.» Fece una pausa. «Col passare

del tempo, ci ho pensato sempre meno, naturalmente. Ma è sempre con me.»

La guida proseguì il suo racconto: «Non potevi portare niente con te. Soltanto i documenti e i vestiti che avevi addosso».

«Tomas fa parte della mia vita, che mi piaccia o no.» Lo guardò intensamente.

Tornarono in superficie.

«Perché mi hai invitato?»

«Perché volevo che vedessi quello che non hai mai visto.»

Stupito, Petr la guardò negli occhi. «Pensi che non lo sappia?»

«No. Penso di no.»

Fece uno sforzo per non prenderle un braccio. «Durante la guerra mia madre è stata rinchiusa in un campo di sterminio nazista dove sua madre – mia nonna – è stata picchiata a morte. Me l'ha raccontato lei. Ogni minimo particolare. Mi ha fatto promettere di mettere la mia vita al servizio del bene. Ho acconsentito, perché condividevo i suoi obiettivi e ho cercato di metterli in pratica.»

Laure lo guardò incredula. «Il comunismo! Dopo tutto quello che è successo!»

Petr scrollò le spalle. «Nessuno sa come andrà a finire. Nemmeno tu, Laure.»

«Stai ammettendo che è andata male e che il comunismo e il fascismo hanno dei tratti in comune?» Il suo tono si era addolcito.

Lui non rispose.

«Mi dispiace per tua madre. E per tua nonna.» Si voltò per riparare il viso dal vento. «Fammi capire. È il profondo spirito di fratellanza che spinge a spiare chiunque dalla mattina alla sera? È per difendere l'uguaglianza che soltanto i quadri del Partito possono avere telefoni funzionanti e fare acquisti nei negozi per stranieri? E i lavoratori, che eseguono con entusiasmo anche le mansioni più umili? Lo fanno perché credono nel bene comune, o sono soltanto degli stupidi terrorizzati?» Parlava così piano che la sentiva soltanto Petr.

La guida era un fiume in piena. «Si racconta che, delle quindici persone che sono riuscite a fuggire, cinque appartenessero alla stessa famiglia, i Weber. La Stasi era abile a scoprire chi avesse una condotta non conforme al Partito. Per esempio, ascoltare o guardare la BBC era proibito. Naturalmente non potevano monitorare le onde radio, così gli ufficiali andavano negli asili e chiedevano ai bambini di disegnare il loro personaggio televisivo preferito. Il piccolo Joel Weber, ansioso di obbedire, ha fatto un bellissimo disegno di Bill e Ben, i personaggi di un programma per bambini britannico. È stata la fine. La famiglia ha avuto poche ore per organizzare la fuga. Quand'è arrivata la nonna, hanno pensato che fosse troppo robusta per entrare nel cunicolo, poi si è scoperto che aveva messo il gatto in una borsa e se l'era legato in vita. Però è riuscita a fuggire, portando il gatto con sé.»

«Ci pensi mai che tu sei sopravvissuto, e anche molto bene, mentre gli altri non ce l'hanno fatta?» chiese Laure.

Petr si chinò e raccolse un sasso. Era rotondo e scuro, e la sua forma ricurva lo faceva sembrare simile a uno scarafaggio. Se lo rigirò tra le dita. «Devi fare attenzione con queste cose, Laure, o ti ci ritroverai immischiata.»

La guida aveva concluso il suo giro. Indicò l'edificio. «Dopo la scoperta di questo tunnel e degli altri, è diventato sempre più pericoloso tentare la fuga scavando sottoterra e i dissidenti hanno fatto ricorso a metodi alternativi. Alcuni hanno raggiunto Praga. Altri sono andati a Budapest.»

A Petr sembrò di leggere un nome, sulle labbra di Laure. *Tomas.*

Tomas poteva essere aggiunto ai fantasmi che vivevano

con loro: l'eterno dissidente, l'eterno fuggitivo. Se Tomas fosse stato un tedesco di Berlino Est, Petr era sicuro che avrebbe scelto di fuggire strisciando lungo un cunicolo stretto e maleodorante, con la terra che gli entrava nelle narici. Essendo un cittadino ceco, aveva dovuto scegliere altri metodi.

Il gruppo stava ringraziando la guida e Petr colse l'opportunità per dire a Laure: «Parto questo fine settimana».

«Che giorno?»

«Domenica pomeriggio.»

Si stava aggiustando il basco, tirandoselo sulle orecchie per ripararsi dal vento e Petr si chiese se l'avesse sentito. «Ti accompagno in albergo con l'auto.»

Lui le mise in mano il sasso che aveva appena raccolto. «Tienilo come ricordo.»

L'auto era dell'ambasciata, un privilegio che Petr accolse con piacere, dal momento che viaggiavano più comodi di tanti altri. L'autista sembrava un tipo solido e affidabile – anche se non si poteva mai dire –, coi capelli corti e con un paio di guanti costosi.

Superarono di nuovo l'ex passaggio di confine di Friedrichstrasse e poi imboccarono la Unter den Linden. C'erano gru, camion, materiali da costruzione, il luccichio delle vetrine dei negozi e, qua e là, un edificio diroccato in attesa di restauro.

Laure lo guardò osservare la rinascita di quel paesaggio urbano. «E *tu*, Petr? Hai mai perso la fiducia?»

La domanda lo infastidì. «Ti fa piacere, rigirare il coltello nella piaga? Sì, ho dovuto cambiare idea, perché era cambiato tutto il resto.»

«Almeno adesso puoi scegliere a cosa credere.»

Ripensò a sua madre che, in effetti, non aveva avuto scelta.

Si chiese se l'autista sapesse il francese. «Il capitalismo non è tutto rose e fiori. È inefficiente e confuso e altrettanto corrotto. Il nostro sistema, il mio sistema, pensava prima alle persone. Il vostro pensa al denaro.»

L'auto passò accanto a un enorme cantiere ricoperto d'impalcature.

«Il capitalismo non si basa sulla repressione di Stato», disse Laure. «Crede nella libertà di stampa e in un sistema giudiziario equo.»

«Se lo dici tu», commentò Petr, deciso a mantenere toni civili.

Il traffico era aumentato e l'auto fu costretta a fermarsi più di una volta.

Petr aveva un disperato bisogno di una sigaretta, ma si trattenne.

Laure gli chiese se il suo soggiorno berlinese fosse stato proficuo. «Le aziende occidentali probabilmente sono ancora diffidenti nei vostri confronti.»

«Fanno bene. Abbatteremo i prezzi dei prodotti farmaceutici e chi acquista farmaci dai Paesi occidentali si affretterà a trarne vantaggio.»

«Sei capitalista fino all'osso.»

Alla vista della bocca di Laure che si piegava in un sorriso provocante, Petr si sentì morire di desiderio e distolse lo sguardo, vergognandosi. «Ti piace prendermi in giro.»

Ci fu una lunga pausa.

Laure si lasciò sfuggire un gemito, che Petr interpretò come un'espressione di disgusto. «Eri una spia della polizia segreta e il lavoro alla Potio Pharma era soltanto una copertura. Allora non lo sapevo. Ora sì.»

Le toccò un braccio. «Laure, fa' attenzione con le tue accuse. Potresti cacciarti in guai seri. La Státní Bezpečnost era una forza di polizia segreta che operava in borghese. Non erano spie. Controlla le tue fonti.»

Lei si ritrasse, ma il suo francese divenne più rapido e Petr si chiese se fosse per impedire all'autista di capire.

«Sai anche – lo sappiamo *tutti* – che era un'agenzia di spionaggio e controspionaggio che si occupava di attività antigovernative o influenzate dall'Occidente. Forse lavoravi per la Potio Pharma, ma lavoravi anche per la StB.» Aprì la borsa e prese un foglio. Lo spiegò e lo posò sul ginocchio di Petr, assicurandosi che il logo dell'azienda fantasma della StB in cima alla pagina – che soltanto lui e i suoi colleghi conoscevano – fosse visibile.

Lui sbiancò e guardò l'autista. «Mettilo via.»

«Soltanto se rispondi a una domanda. Quella in fondo è la tua firma?»

L'autista rallentò e svoltò a est sulla Unter den Linden.

Petr guardò davanti a sé. «Dove l'hai preso?» Non si aspettava una risposta e cercò di capire chi potesse essere il responsabile, se un imprudente o un traditore. Ce n'erano molti, negli uffici competenti. «È stato Brotton?»

Laure rimise il foglio nella borsa. «Non ti aspetti che ti risponda, vero? Altri documenti sostengono che tu abbia un legame diretto con un'unità della polizia segreta che ha usato droghe e tortura per estorcere confessioni.»

«So perché lo stai facendo, Laure.»

«Allora su una cosa siamo d'accordo.»

«Sta' attenta a ciò che desideri, perché potresti ottenerlo. Non si dice così, nel tuo Paese?»

Un fiocco di neve solitario fluttuò fuori dal finestrino, seguito da un altro.

«Cos'è successo a Tomas?»

Adesso era chiaro. Voleva estorcergli l'informazione alle sue condizioni.

Quando lui non rispose, Laure aggiunse: «Sei in debito con me, Petr. Ti fa sentire meglio se ti dico che è una tortura non sapere cosa ne è stato di lui? La mia debolezza non fa leva sulla tua coscienza? Dovrebbe.»

«Se è un ricatto, non funziona, Laure.»

Lei non negò. «Puoi scoprirlo, lo so. Hai tanti contatti. Conti in sospeso. Favori da riscuotere.»

Petr posò la mano sul bracciolo, sentendo la sua opulenza imbottita sotto i polpastrelli. «Tomas non andrà mai via.»

«No. Non lo farà. Di sicuro non finché ci conosciamo.»

Ciò che era accaduto tra loro in passato era troppo complicato per trasformarsi in un'amicizia. E tuttavia Petr aveva la sensazione che, a un livello profondo, Laure fosse contenta di vederlo.

Si lasciò sfuggire un sospiro. «L'hanno arrestato, ma questo lo sai. Non era la prima volta, quindi le cose si sono messe male. È tutto quello che so. È andata così. Le persone svanivano nel nulla. Di continuo, Laure. L'hai visto coi tuoi occhi.»

«Ma tu avevi un interesse personale e scoprirlo era affar tuo.»

Lui imprecò sottovoce, questa volta in ceco. «Fa' come vuoi.»

«Me lo devi», continuò lei, ostinata.

«Forse. Però magari sei tu a essere in debito con me, Laure. Ci hai mai pensato?»

Sbalordita, lei distolse lo sguardo dal famoso viale, ormai ricoperto da una sottile coltre di neve immacolata. «Spero che tu sappia come ci si sente a impazzire d'angoscia, sapendo che la persona che ami è in carcere.»

«Lo so bene. Una prigione può assumere tante forme.»

«Oh, per favore.»

Restarono in silenzio per il resto del tragitto.

L'autista portò l'auto nel punto di scarico dell'albergo. Petr posò una mano sulla maniglia. «Ti lascio con questo pensiero. Sei stata *tu* a mettermi in una posizione insostenibile. Nessun regime tratta con benevolenza i disertori, tantomeno un regime che aveva le mani della Russia intorno al collo. Sapevano che davo lavoro a una persona che frequentava dissidenti. Rischiavo di condannare la mia famiglia. Ci avrebbero uccisi. Qualcuno. Uno di noi. »

« Tuttavia hai permesso loro di prendere Tomas. »

« Cane mangia cane. Non si dice così, nel tuo Paese? »

Laure si girò di scatto e Petr vide che stava piangendo. « Se Tomas è morto, voglio che abbia una tomba. Voglio che tutti sappiano che amava la libertà e che è stato ucciso per averlo detto. »

17

L'ondata di caldo continuò e nella lavanderia dell'appartamento dei Kobes la pila di panni puliti crebbe a dismisura.
Erano così tanti che Laure era costretta a passare almeno
un'ora al giorno a stirare.

Ma non le importava. Stirare era un'attività meccanica.
Le dava tempo e spazio per pensare e rivivere i momenti
trascorsi con Tomas: quello che aveva detto, quello che aveva *fatto*.

Era innamorata di lui. Lo diceva il suo cuore, che batteva
forte. Le notti insonni. Le gambe che tremavano, le braccia
che le dolevano. Il calore al basso ventre.

E lui, cosa pensava? E pensava a lei?

Cercò di memorizzare i versi della canzone che Tomas
stava scrivendo e che le aveva fatto sentire al teatro delle
marionette. Erano stati presi da un libello satirico che circo-
lava clandestinamente e che s'intitolava *Le sette meraviglie
della Cecoslovacchia*.

« *Anche se tutti hanno un impiego, non lavora nessuno* », can-
ticchiò, bagnando un po' la camicia che stava cercando di
stirare. Il polsino aveva bisogno di essere rammendato e
un bottone si era allentato. « *Anche se non lavora nessuno, il
Piano è stato realizzato al 105 per cento.* »

Un filo d'acqua sgocciolò sulla gonna del vestito di cotone di Eva.

« *Anche se il Piano è stato realizzato al 105 per cento, i negozi sono vuoti.* »

Petr fece capolino sulla soglia della porta. «Speravo di trovarti qui.»

Sapeva perfettamente dove fosse. Eva e i bambini erano andati a trovare la nonna, e lei e Petr erano da soli in casa. Tuttavia Laure era felice di prendersi una pausa. Si asciugò il sudore sul labbro superiore. «C'è qualcosa che non va?»

«Sapessi quanta gente mi fa questa domanda.» Le rivolse uno dei suoi sorrisi affascinanti e aggiunse, sarcastico: «Vorrei che mi chiedessero se c'è qualcosa che va, ogni tanto».

Lei annuì, educata.

Petr si appoggiò al davanzale. Nonostante la temperatura, era vestito in modo formale, con un paio di pantaloni di ottima fattura e una camicia di lino azzurra. «Hai sentito tua madre? È d'accordo che resti qui?»

«A dire il vero, è una mia decisione.» Si compiacque dell'audacia di quell'ultima affermazione, che suggeriva che, finalmente, aveva preso in mano la propria vita. A dire la verità, dal momento che le era concessa soltanto una telefonata di tre minuti in Inghilterra, era difficile verificare cosa ne pensasse sua madre, ma le era sembrata incoraggiante. «A lei va bene. Pensa di tornare a vivere in Francia, prima o poi.»

«A te dispiacerebbe?»

«No, per metà sono francese e mi sento a casa, là.»

Petr sembrò approvare. «L'amore per il proprio Paese è una bella cosa.»

Il ferro da stiro era pesante e antiquato e sempre più incline a fare le bizze. Laure regolò la temperatura e prese uno dei grembiuli di Maria.

«Questo Paese è decisamente diverso, quindi capisco che sia molto difficile, per te.»

Dove voleva andare a parare? Ci pensò velocemente e decise di zittirlo snocciolandogli le sue conoscenze. «So che è un Paese in cui il contratto sociale tra Stato e cittadino funziona molto bene. Lo Stato promette la crescita economica, una buona qualità della vita, assistenza sanitaria e istruzione gratuite. In cambio la popolazione accetta di conformarsi alle sue regole.»

Petr scoppiò a ridere, divertito. «Cara Laure. Non sei tenuta a raccontarmi queste cose.» Ci pensò su un istante. «Ti sei dimenticata una cosa, e cioè la passione che muove queste persone, che credono nella dottrina ma devono lavorare sodo per metterla in pratica.»

Lei gli rivolse uno sguardo tagliente. Quell'uomo sembrava così a suo agio, così gentile, così poco pedante, e tuttavia era il beniamino delle autorità. Inoltre – pensò, evitando il suo sguardo bonario –, era anche l'uomo che aveva sottomesso la moglie ferita e insanguinata, tenendola per i polsi. «Eva sta meglio? Cioè, soffre ancora d'incubi?»

Lui sembrò pensieroso. «Sì. A proposito di quella volta... forse hai immaginato di vedere qualcosa di brutto.»

Laure si sentì avvampare. «Non me lo sono 'immaginato'.»

«Eva stava facendo un brutto sogno. Io mi ero tagliato in bagno e quando l'ho sentita gridare non avevo tamponato la ferita.» Petr la osservava con attenzione. Stava cercando di cogliere una traccia di scetticismo sul suo viso.

Ma Laure non aveva intenzione di cedere tanto facilmente. Aveva visto qualcosa d'inquietante, ne era *sicura*. «È curioso, come due persone possano vedere la stessa cosa in modo molto diverso.»

«È vero, e di solito una delle due sbaglia.»

All'improvviso, il ferro da stiro sibilò minaccioso e Petr glielo strappò di mano. «Allontanati», le ordinò, staccandolo dalla presa di corrente. «Stai bene?»

Laure annuì.

Petr esaminò la piastra del ferro da stiro. «Avevo detto a Eva di prenderne uno nuovo. Per oggi basta.» Guardò l'orologio. «Ti porto fuori a bere qualcosa di fresco, prima della mia riunione.»

«Va bene.»

Petr aspettò che fossero fuori prima di riprendere la conversazione. «Sai... per la maggior parte delle persone che vive qui, la qualità della vita non è mai stata così alta.»

Erano seduti al tavolino di un caffè affacciato su una piazza. Poco distante c'era una chiesa con le vetrate di un inquietante color succo d'arancia. Un paio di lampioni in ghisa sembravano appartenere a un'altra epoca e i tetti delle case, illuminati dai raggi del sole, erano di un rosso acceso. L'albero al centro della piazza, però, era moribondo.

Petr seguì lo sguardo di Laure. «Temo che la qualità dell'aria non sia molto buona, qui. Per l'albero, intendo. Ma, per le *persone*, l'assenza di guerre e di lacerazioni interne è soltanto positiva. La gente lo capisce. Vogliono una buona vita, una famiglia solida. Si concentrano sui problemi domestici.»

Laure fissò l'albero. Le foglie avevano i bordi frastagliati e sul tronco la corteccia mancava in diversi punti. Uno dei rami più grossi era spaccato in due e metteva a nudo la polpa squamosa. Dev'esserci un inquinamento terribile, pensò.

«Ma dobbiamo stare attenti a coloro che sono in disaccordo. Possono mettere in pericolo la stabilità. Non sono lavoratori affidabili.»

«Dobbiamo?»

«Quelle persone possono perdere il lavoro e finire in prigione. Però può essere vantaggioso per tutti: serve da monito non soltanto a loro, ma anche agli altri. Se si tratta di un attore o di un musicista, potrebbero vietargli di esibirsi.»

Laure stava guardando un uomo anziano che trasportava la spesa in un passeggino arrugginito.

« Come il tuo amico, per esempio. Comprenderai che non è un buon lavoratore. Non coltiva la terra, non lavora in miniera. Il suo lavoro è superficiale e lo Stato ne prende atto. Hai mai parlato di politica coi tuoi nuovi amici? Se ne sei tentata, ti prego di non farlo. »

Laure lesse sincera preoccupazione sul suo viso. « Posso chiederle una cosa, Petr? »

Lui annuì.

« Lavora davvero per un'azienda farmaceutica? »

Era una domanda rischiosa.

« Sono i tuoi amici che lo vogliono sapere? »

« Non ho mai parlato di questi argomenti con loro. Ci lavora oppure no? »

La sua risposta fu gentile, ma tagliente. « Cosa ti fa pensare il contrario? »

« Non va in ufficio molto spesso e mi fa un sacco di domande. »

« Fare domande è doveroso, Laure. Risponderò sempre alle tue. Lavoro per la Potio Pharma da molti anni. L'industria farmaceutica è molto importante. Ne va della vita delle persone. »

Lei guardò di nuovo l'albero morente. « Può scusarmi un minuto? Devo andare alla toilette. » Poco dopo, Laure si sedette sull'asse del water e fece un respiro profondo. In un cestino c'erano alcune copie del quotidiano ufficiale del Partito, *Rudé právo*, fatte a pezzi. Milos le aveva detto che era il giornale migliore da usare come carta igienica, perché aveva le pagine più grandi, era stampato su carta di buona qualità ed era reperibile ovunque, dal momento che le redazioni dei quotidiani rivali erano state chiuse.

Non avrebbe mai dovuto fargli quella domanda. Che stupida.

Quando tornò al tavolo, Petr aveva pagato il conto. « Stai incominciando a capire che Praga non è Parigi. E pensi che

stia interferendo nella tua vita. O peggio. Ma non è così. »
La tracolla dello zaino di Laure si era impigliata alla sedia.
Petr l'aiutò a staccarla e le porse lo zaino. « Sei di grande
aiuto alla mia famiglia e te ne sono grato. Non voglio che
ti succeda niente di male. »

Poiché sembrava sincero, Laure abbassò la guardia. « E io
vi sono grata per avermi offerto un lavoro. Grazie. »

« Mi fa piacere saperlo. »

Eva era a letto da quasi una settimana. Un virus, forse.

Laure faceva fatica a stare dietro agli impegni ed era occupata a tempo pieno coi bambini. Tra una faccenda e l'altra, scoprì con un certo sgomento di provare un senso di ne-
gatività. Aiutare Eva a fare il bagno e guardarla vomitare il
cibo la faceva sentire in colpa per il solo fatto di essere giovane, forte e nel fiore degli anni.

In diverse occasioni, Petr le chiese di cenare con lui. Anche quella era diventata una routine. Sembrava che gli facesse piacere condividere il pasto e chiederle della sua vita
in Inghilterra. Laure era felice di accontentarlo, però, a mano a mano che i giorni passavano, si scoprì impaziente di
andarsene.

Alla prima opportunità andò a Staré Město. Mentre attraversava il ponte Carlo fu sorpresa da un acquazzone impre-
visto e per qualche minuto la città luccicò come un dipinto a
olio.

Stava raggiungendo la piazza, quando vide Lucia e Tomas davanti a sé. Tomas aveva un quotidiano sotto il braccio e Lucia una borsa di tela che aveva visto giorni migliori.
Stavano parlando animatamente. Quando li vide insieme,
una sensazione sgradevole le chiuse la bocca dello stomaco.

Diversi metri dietro di loro c'era un uomo con un completo grigio che li stava pedinando. Era di altezza media e

così tarchiato che la giacca sembrava sul punto di esplodere, e faceva fatica a tenere il passo.

Laure trovò l'idea piuttosto emozionante, come se fosse
finita dentro un romanzo. Poi se ne vergognò. Quello non
era un gioco. Accelerò il passo, superò l'uomo col completo
grigio e, una volta raggiunti Tomas e Lucia, mormorò: «Vi
stanno seguendo».

«Senza ombra di dubbio.» Tomas sorrise, poi alzò due
dita.

Lucia gli prese il braccio, rimproverandolo, poi si rivolse
a Laure in inglese. «Vattene. Quando ci sei tu, Tomas si
comporta in modo stupido e attira l'attenzione su di noi.»

«Non è vero. Io non c'entro, fa tutto da solo.»

Lucia arrossì. Senza aggiungere altro, si fece largo tra la
folla e scomparve.

Laure la guardò e poi si girò verso Tomas. «Ti sto creando problemi? Forse dovrei andarmene.»

Un'ombra d'impazienza passò sul suo viso. «Anche se
fosse, non significa che dovresti andartene.» La condusse
dentro l'androne di un palazzo.

Il brutto ceffo li superò. Aveva la giacca grigia macchiata
di sudore e il volto paonazzo.

Tomas le accarezzò la guancia con tenerezza. «Le cose
stanno cambiando, Laure. Vuoi essere testimone di quello
che sta succedendo?»

Non sapendo bene cosa intendesse, Laure annuì.

«Lucia è spaventata e ne ha tutti i motivi. La sua famiglia
ha sofferto. I suoi genitori erano alti funzionari. Ora sono
due lavapiatti.»

«Come il cameriere?»

«Come il cameriere.»

«Capisco.»

«Probabilmente no. Adesso andiamo.»

Al teatro delle marionette fervevano i preparativi per lo

spettacolo serale. Laure si dedicò alle sue mansioni, ormai familiari.

Controllare che non ci siano rifiuti sul pavimento e sulle panchine.

Controllare che le luci funzionino.

Controllare che ci sia acqua a disposizione per le persone sopraffatte dal caldo. (Durante lo spettacolo precedente un uomo era svenuto.)

Controllare che il kit di pronto soccorso (una scatola di aspirine e qualche cerotto, nella speranza che a nessuno venisse un infarto o un'emorragia interna) fosse al suo posto.

Dietro le quinte, Milos stava riparando un filo di Spejbl. La marionetta aveva l'aria malconcia. Il naso aveva bisogno di una sistemata e i calzoni avevano visto tempi migliori.

«È una vita difficile, Spejbl, non è vero? Guarda come sei ridotto. Che peccato», disse Laure.

«Non parlarmi così», rispose la marionetta.

Laure sorrise. «Spejbl, mi dispiace tanto. Non volevo offenderti.»

«Nego categoricamente di avere ricevuto un'educazione borghese», disse Spejbl.

«Ma, Spejbl, tuo padre era un commerciante molto conosciuto. Non si dicono le bugie davanti agli ospiti», disse Milos in tono severo.

«Vuoi dire davanti alle persone che conosci. Gli ospiti non sapranno mai se stai mentendo, quindi a loro non importa.»

«Non sono più un'ospite», disse Laure.

«Infatti. Ora fai parte della squadra.»

Laure gli sorrise, raggiante.

«Guadagnati la pagnotta. La prossima volta, portaci del caffè. Questa marionetta ne ha un gran bisogno.» Milos continuò a lavorare a testa china, calmo e metodico.

Laure ripensò alla cucina dei Kobes, alla credenza piena

di pacchetti di caffè. «Ci proverò. Non avevo idea che fosse così difficile procurarselo.»

«Forestiera.»

Lo disse con così tanto affetto, che Laure non poté fare a meno di sorridere.

Milos mise l'ultimo filo al suo posto. «Ora va meglio, vecchio mio?»

«*Jawohl.*»

Milos gli diede un buffetto sul naso ammaccato. «Hai sbagliato epoca.»

«Non darmi lezioni di storia.»

Dietro le quinte, l'atmosfera era sempre più tesa. Nervosismo e tensione, come prima di ogni entrata in scena. Le possibilità erano tante. Uno spettacolo poteva volare alto. O essere un fiasco.

Uno spettacolo poteva essere osservato, giudicato e segnalato.

Quell'incertezza scatenava un brivido che Laure aveva imparato ad assaporare. Ogni giorno portava con sé una nuova sensazione, una nuova esperienza, straordinariamente intense.

Lasciò Milos a mettere in ordine e andò a prendere l'acqua nella stanza che gli artisti usavano come cucina.

Non era una cucina in senso stretto, dal momento che c'erano soltanto un lavandino, un rubinetto e un tavolino traballante. Qualcuno aveva portato un fornello a gas e un paio di tazze, di cui una senza manico.

Laure riempì una caraffa d'acqua, asciugò un vassoio decorato con una decalcomania scrostata del ponte Carlo e ci posò sopra i bicchieri. Stava prendendo il vassoio quando qualcuno le posò una mano sulla spalla, facendola trasalire.

Era Lucia, vestita di nero dalla testa ai piedi, con la fascia che le nascondeva i capelli. «Il mio inglese non è molto buono, oggi. Ma te lo devo dire. Credi di piacergli? Non t'illudere. »

Prevedendo uno scontro, Laure posò il vassoio. « A Tomas? »

« A chi, se no? Ti sta usando. Lo fa sempre. »

« Lo so, che non sono ceca, se è quello che intendi. »

« Non lo sei. Non puoi capire. »

« Forse non m'interessa. »

Sul viso di Lucia balenò un lampo di vera paura. « Tu vieni qui coi tuoi vestiti costosi e coi tuoi soldi. Sì, hai un lavoro, ma... » Esitò, alla ricerca delle parole giuste. « È stupido, non è un vero lavoro. Lavori per persone privilegiate. » Si fermò e si guardò alle spalle, come per assicurarsi che nessuno ascoltasse, poi tornò all'attacco. « Non saprai mai com'è vivere qui. » Premette una mano sul petto. « Qui dentro. »

Quel gesto drammatico infastidì Laure, che prese il vassoio. « È ridicolo. »

Lucia le sbarrò la strada. « Vuoi che ti dica cosa succede in Cecoslovacchia, quando hai qualcosa di bello? Anche qualcosa di piccolo. »

Laure non sapeva bene dove volesse andare a parare. « Lo apprezzi. »

« Te lo portano via, stupida. Ecco cosa succede. Puoi nasconderlo anche in fondo al fiume, ma lo trovano. Noi viviamo così. E moriamo così. È per questo che lottiamo. Tu, invece... quando ti stanchi, puoi andare via. Noi dobbiamo restare qui. » Indicò la stanza. « Credi che la compagnia di teatro sia una cosa divertente, ma non lo è. Qui è dove costruiamo il futuro. Dove nascono le idee. Dove ci confrontiamo. »

« Stai parlando di politica? »

« Tutto è politica, in questo Paese. Sei troppo stupida per capire. » Evidentemente « stupido » era una delle parole preferite di Lucia.

« Per favore, fammi passare. »

«Non me lo porterai via. Dovresti tornartene a casa tua.»

«Non ho intenzione di portare via proprio niente.»

«Invece sì.»

Le due si guardarono con aria di sfida, poi Lucia si fece da parte.

Laure prese il vassoio e andò dietro le quinte.

Guardando Lucia muovere le marionette, Laure capì di aver trascurato una cosa importante: il potere della memoria.

Il burattinaio doveva memorizzare ogni singolo movimento, ogni passo, ogni scambio. Un passo falso e sarebbe andato tutto storto. Un movimento sbagliato o dimenticato, e il messaggio sarebbe andato perduto.

Se Lucia aveva ragione e in quel Paese strano tutto aveva a che fare con la politica, allora bisognava passare la vita a osservare gli altri. In quel caso, dovevano essere tutti esausti e ossessionati, il che spiegava almeno in parte l'atteggiamento ostile di Lucia nei suoi confronti.

«Ho finito di raccontarti delle sette meraviglie della Cecoslovacchia?» le chiese Tomas, quando Laure accennò al litigio con Lucia. «Potrebbe aiutarti a capire.»

«Quanti anni ha Lucia?»

«La mia età.»

Era arrivato dopo lo spettacolo. Gli Anatomie avevano fatto un concerto in piazza Venceslao ed era senza voce. Gli brillavano gli occhi per la vodka e l'adrenalina e odorava di tabacco e sudore fresco. Sembrava così fragile, e tuttavia l'impatto che aveva su di lei era così intenso da farle tremare le ginocchia e venire le farfalle nello stomaco.

Erano nello stretto corridoio che collegava il palco alla cucina e la prese tra le braccia.

Tomas si chinò a sussurrarle all'orecchio. «Anche se i negozi sono vuoti, non ci manca niente. Anche se non ci manca niente, rubano tutti. » Posò le labbra sul suo collo, appena sotto la mandibola. «Anche se rubano tutti, non sparisce nulla. »

Non sapendo cosa rispondere, Laure lo abbracciò. Era così sottile e magro che si spaventò.

Lui si ritrasse e la guardò. «È umorismo ceco, Laure. È il nostro modo di sdrammatizzare, di ridere dell'assurdità dell'universo. Non abbiamo la pretesa che i forestieri lo capiscano. »

Gli posò una mano sul petto, cercando il battito del suo cuore, fin troppo consapevole di quanto fosse lontano, lacerata dal desiderio di raggiungerlo. «Nessuno si stanca mai di ricordarmi che sono una forestiera. »

«Ci autocommiseriamo anche, però. In particolare per il grande paradosso. »

«Quale? »

«La consapevolezza che il mondo è un posto terribile, perché ti costringe a scegliere tra una patria che promette di farti soffrire e la sofferenza che devono sopportare quelli che scelgono di rinunciare alla patria. » Sorrise. «Cosa si deve fare? »

«Quindi il paradosso è dover scegliere tra due sofferenze. »

«Tu quale sceglieresti? »

Era una domanda retorica, naturalmente. Laure fu travolta da un'ondata di euforia. In qualche modo – non sapeva bene come – era finita dentro una cerchia di persone che considerava importanti quegli argomenti.

«Se vieni alla *chata* questo fine settimana, te lo dico. Ci saranno anche i ragazzi. Ti piacerà. In quei frangenti diamo il meglio. »

Laure sapeva benissimo cosa voleva dire, quell'invito.

18

Il tardo pomeriggio di un caldo venerdì d'estate non era il momento migliore per prendere un treno alla stazione di Praga.

Si erano dati appuntamento alla biglietteria. C'era una fila lunghissima. Tomas indossava il suo panciotto di lino e aveva legato i capelli con un laccio da scarpe nero. «Saremo fortunati a trovare un posto a sedere.»

Il corridoio del treno era pieno di gente.

«Cosa preferisci? Morire qui o dentro uno scompartimento?»

S'infilarono dentro uno scompartimento, che era già al completo e soffocante.

«Scusate, permesso», disse Tomas ai passeggeri, tutto allegro. Prese lo zaino di Laure e lo infilò nel vano portabagagli, poi ci appoggiò sopra la chitarra.

Il passeggero accanto al finestrino alzò la testa e, dal suo sguardo sorpreso, Laure si rese conto che aveva riconosciuto Tomas. Il ragazzo gli rivolse uno dei suoi sorrisi irresistibili e scosse la testa quando l'uomo fece il gesto di cedergli il posto.

Per fortuna il viaggio fu breve. Il treno attraversò la periferia di Praga e poi sfrecciò in mezzo alla campagna punteggiata di betulle e frassini, e solcata di fiumi e torrenti.

Non che Laure riuscisse a vedere molto. Cercò di mantenere l'equilibrio e non fare caso all'odore dei panini che la donna di fronte a lei stava distribuendo alla famiglia.

Chata era il nome dato ai cottage di campagna in cui ogni uomo, donna e bambino si rifugiava ogni volta che ne aveva la possibilità.

«Se riesci ad aggirare il traffico delle concessioni edilizie, puoi costruire. Dipende da chi conosci. Se non puoi, lo affitti. In quanto musicisti decadenti, dobbiamo prenderlo in affitto.» Tomas era rimasto in silenzio per un paio di minuti. «Però non ci sono spie. Nessun limite. Niente propaganda.»

Laure guardò la famiglia che mangiava, chiedendosi con una certa apprensione se avesse messo in valigia i vestiti giusti. Blue jeans. Una gonna di cotone. L'abito che aveva sollevato tutte quelle obiezioni. Non le piaceva più così tanto. Le sembrava «inopportuno», anche se non sapeva bene perché.

Dalla stazione continuarono a piedi per venti minuti. All'ingresso di un villaggio, Tomas imboccò un sentiero in fondo al quale c'era una casetta di legno col tetto rosso. «Abbiamo corrotto i proprietari e li abbiamo convinti ad affittarcela per la stagione. E non è stato facile. Siamo degli appestati e nessuno vuole avere a che fare con noi.»

La tracolla dello zaino le segava la spalla, così Laure lo spostò sull'altra. «Ti hanno mai arrestato?»

Tomas le prese lo zaino. «Due volte. E ogni volta è come morire.» Guardò la sua espressione sconvolta. «Qui funziona così.»

Laure si massaggiò la spalla. «Hai mai pensato di fuggire in Occidente?»

Tomas cambiò subito atteggiamento. Un'espressione chiusa sostituì il suo sorriso disinvolto. «Perché continui a chiedermelo?»

«Io... scusa. Ti sei offeso?»

«Non fare quelle domande. Non farle e basta.» Poi le diede le spalle e bussò alla porta.

Manicki aprì la porta, chiaramente ubriaco. La zaffata alcolica del suo alito fece trasalire Laure. «Scusate, dovevo stare al passo con gli altri.» Li accompagnò in un soggiorno in cui c'erano una stufa e delle porte che conducevano ad altre stanze.

Regnava il caos più totale. Leo era prono sul divano e russava rumorosamente. Dietro il divano c'era qualcun altro, un maschio, a giudicare dagli scarponi stringati. La stanza era disseminata di bicchieri sporchi, sul tavolo c'erano un pezzo di salsiccia e briciole di pane e la stanza era impregnata di sudore, fumo di sigaretta e birra stantia.

Tomas diede un calcio alla persona dietro il divano. «Scusa, non doveva finire così.»

Laure era ancora scossa per il modo in cui la conversazione era degenerata e disgustata da quello squallore. «Devo andarmene?»

«No. Però magari va' a fare due passi, mentre sistemo le cose. Cerca di perdonarli.»

Lei si sforzò di sorridergli.

Fuori, inspirò a pieni polmoni. Era il calar del sole e le sue braccia nude rilasciavano il calore accumulato nel corso della giornata. Sulle strade che formavano il centro del villaggio, bordate di frassini rigogliosi, erano sparpagliate innumerevoli *chata* che si estendevano verso i boschi in lontananza. Non c'era modo di distrarsi, così fece un giro intorno al villaggio. La vegetazione estiva era arida e scarna e, dov'erano più fitti, gli alberi proiettavano lunghe ombre scure.

In molti giardini, le famiglie mangiavano ascoltando delle radioline a transistor. I bambini schiamazzavano e correvano liberi e i cani ansimavano all'ombra. Laure guardò due bambini sotto un albero, intenti a versare acqua da un secchio all'altro con delle tazze di latta.

Sembrava tutto così normale. *Era* normale.

Si sedette su una panchina all'incrocio tra due strade. Almeno gli alberi non cambiavano, e nemmeno il sole e il cielo, ed era un sollievo poterli guardare. In caso contrario, stava continuando a prendere cantonate, però in una cornice diversa.

Dopo un po' Tomas venne a cercarla. La raggiunse sul sentiero che portava nel bosco. Si era lavato, sbarbato e aveva indossato un paio di jeans malandati ma puliti e una maglietta. « A rapporto. »

Laure lo guardò sconcertata. « Spero che non sia un sacrificio. »

« Avevo dimenticato come si è insicuri, alla tua età », le disse dolcemente.

« Non sono molto più giovane di te. »

« Però mi sento molto più vecchio. »

« Ti ricordi quando mi hai detto che in questo Paese, anche se non manca niente, rubano tutti? » gli chiese, indicando una famiglia poco distante.

« In teoria non manca niente. »

« Ne hai parlato come se fosse l'anarchia, ma quello che vedo qui mi ricorda l'Inghilterra. »

« Non ruba nessuno, in Inghilterra? Ecco perché vuoi che ci vada. » Le toccò il seno, inarcando un sopracciglio. « Posso? »

Lei scoppiò a ridere e si sentì molto meglio. « Come sei educato. » Sentiva le sue dita ruvide sulla pelle morbida.

« A dire il vero, c'è un'ottava meraviglia del mondo, in Cecoslovacchia: sotto la guida del nostro grande presidente Husák, che possa vivere in eterno, queste regole hanno funzionato per quarant'anni. Basta che non pronunciamo mai la parola 'Russia'. »

Come in trance, Laure lasciò che Tomas la portasse nel bosco. Sotto le chiome degli alberi, le ombre della sera si stavano allungando sul terreno e gli uccelli avevano smesso di cinguettare. C'era odore di erba secca e pietre calde, e il terriccio le entrava nelle scarpe leggere.

Sapeva dove la stava portando. Ed era contenta. Follemente contenta.

Tomas si fermò. «Sei sicura? Possiamo tornare indietro, se vuoi.» Le rivolse un sorriso beffardo. «Il sesso può essere ridicolo. Divertente e serio e crudele.»

Non voleva sentirlo parlare delle sue esperienze, nemmeno in codice, soprattutto se avevano a che fare con... Lucia? Laure fece un respiro profondo. «Non ho molta esperienza.»

Lui la scrutò in viso. «Ho l'impressione che non ti sia piaciuto. Mi sbaglio?»

Parlare di Rob le dava ancora fastidio. «A me importava, a lui no. La solita storia.» Parlarne era sempre uno sbaglio, perché la scombussolava.

Tomas la prese per mano e tracciò un cerchio sul suo palmo. «Siamo in un bosco, un luogo di magia e nuove scoperte. Stai dormendo e sono venuto a svegliarti.»

«Sembriamo personaggi di una favola.»

«Lo siamo. Belli ed eccitanti.»

Laure arrossì timidamente. Era così evidente quanto desiderasse sperimentare l'amore? L'amore vero. Non la squallida ossessione che aveva provato per Rob, ma la risposta elementare ai sogni più intensi, alle aspettative e alle fantasticherie dei sensi... le parti sconosciute della mente, i luoghi misteriosi della psiche.

Si addentrarono nel bosco, dove l'aria era immobile, ma i colori vividi: verde scuro, grumi di arancio e giallo, il rosso sanguigno delle prime bacche. Lo scricchiolio dei ramoscelli sotto i piedi, il fruscio di un animale spaventato, il bagliore improvviso di un fungo tra le fenditure di una radice, ombre che proiettavano macchie di oscurità tra gli alberi. Il richiamo di un territorio antico, mitico, che li attirava verso il suo cuore profondo.

Quando Tomas si fermò in una radura, Laure era ormai

fradicia di sudore. Senza fiato, si sedette e si arrotolò le maniche della maglietta.

Tomas s'inginocchiò accanto a lei. «Sei la Bella Addormentata, credo.»

Lei si voltò e lo fissò dritto negli occhi. «Però non sei passato attraverso i rovi.»

«Invece sì. Tu dormivi.»

«Ci hai messo tanto tempo.»

«Non preoccuparti. Il Principe ci riesce sempre. In un modo o nell'altro.» Le toccò la maglietta bagnata. «Perché non la togli?»

In quel momento ebbe paura: di quello che sarebbe successo, del dolore che forse l'aspettava, dell'epilogo. Come poteva esserci un lieto fine?

Tomas le sfilò la maglietta. «Ti dispiace se lo facciamo qui? In questo Paese è difficile avere un po' di privacy.»

Istintivamente, lei si portò le mani al seno. «Dobbiamo farlo qui. Nel bosco.»

Tomas le accarezzò le spalle nude. «Non ti farò nessun male.»

No, non lo avrebbe mai fatto. Era l'unica cosa di cui era sicura, così aprì le braccia e lo strinse a sé.

Nonostante l'erba, il terreno era duro contro la schiena. La sua inesperienza era evidente e, tanto per cominciare, si sentì impacciata e svantaggiata.

«Smettila di preoccuparti. Andrà tutto bene.» Tomas le baciò un seno. «Sei bellissima e dolce. Hai delle foglie tra i capelli e sembri un folletto dei boschi.»

«Avevi detto che assomigliavo a una leonessa.»

«Anche.»

Il suo tono era così tenero che Laure credette di svenire per l'emozione.

«Hai ancora paura? Mi prenderò molta cura di te.»

Lo guardò negli occhi e vide che era sincero. «Non ho paura.»

Dopo un po', Laure non pensò più ai sassi che le premevano contro la schiena e si concentrò sul desiderio che la consumava. Tomas mantenne la parola e la fece sentire a suo agio. La sua premura le fece venire voglia di ridere e piangere.

Dopo, restarono sdraiati, in un groviglio di corpi sudati. Stava facendo buio. Il fruscio del sottobosco era aumentato e una brezza notturna muoveva le foglie degli alberi. Ma non era minaccioso, c'era soltanto un grande senso di pace.

Tomas posò la testa sulla spalla di Laure. Aveva un odore caldo, virile, seducente. L'intimità dei loro corpi avvinghiati le tolse il fiato. Innamorarsi ancora di più, come le stava succedendo, significava liberarsi da se stessi. Era la libertà di fondersi con qualcun altro e farsi carico del suo mondo.

Guardò le chiome degli alberi e pensò: ti prego, non voglio invecchiare.

Tomas si mosse. «A cosa stai pensando?»

«Per un istante, ho immaginato come dev'essere invecchiare senza... questo.» Gli posò una mano sulla schiena.

«Non sei vecchia. E non devi stare senza. No?»

Laure chiuse gli occhi, profondamente grata e felice.

Manicki e Leo erano troppo ubriachi per fare gli onori di casa. Quando Tomas e Laure tornarono, farfugliarono che l'alcol li aveva privati della capacità di parlare e si buttarono sulle sedie, cercando di smaltire la sbornia.

Avevano cercato di mettere in ordine. I piatti erano stati lavati e le bottiglie vuote erano fuori dalla porta. Ma l'aria puzzava ancora di sigarette e corpi maschili non lavati.

Tomas spalancò le finestre e socchiuse la porta. Manicki

brontolò per via degli insetti e Tomas rispose che avrebbero dovuto pensarci prima.

Laure aiutò Tomas a sparecchiare, poi lui le offrì pane e salsiccia. «Non è cibo raffinato, però sarai affamata.»

Coi sensi ancora accesi dal piacere, fece del suo meglio per mangiare la salsiccia. Era piccante e dovette masticare a lungo, e il pane non era tanto meglio, ma almeno riuscì a placare i morsi della fame.

Sbrigati i convenevoli, Tomas le chiese scusa, appoggiò le braccia sul tavolo, reclinò il capo e si addormentò.

Laure uscì, si accomodò sulla panchina e lasciò che i pensieri andassero alla deriva. Seduta nell'ombra screziata, sentì la voce di suo padre che la esortava a mettere in ordine. *Stanza disordinata, mente disordinata.* Le venne un groppo in gola, però allo stesso tempo il ricordo la fece sorridere.

A tarda sera, gli uomini si ripresero e tennero una jam session per strada. Quasi subito si raccolse una piccola folla. Fumarono, cantarono, ballarono tutti insieme. Una ragazza con un paio di jeans attillatissimi si avvicinò a Manicki con malcelato interesse. Un uomo anziano si sedette su un tronco d'albero e alzò il pollice in segno di approvazione. I bambini furono invitati a fare silenzio.

Grezzi e malconci – com'era prevedibile, visti gli eccessi di poco prima –, gli Anatomie cantarono in ceco. Brani provocatori, pensò Laure, a giudicare dall'effetto che avevano sul pubblico. Era preoccupata che corressero dei rischi.

Tra loro non si guardavano molto. Non era necessario. Musicalmente erano una cosa sola. Si muovevano all'unisono, eseguendo gli accordi in perfetta sincronia, travolgendo il pubblico col loro spregiudicato invito sessuale.

Uno sconosciuto la prese per mano e la fece ballare. Col cuore che batteva all'impazzata, Laure si lasciò trasportare finché non rimase senza fiato.

Il mondo incominciò a girare. Fu trascinata dal mormorio

segreto degli alberi, dal calore e dal profumo di quella notte d'estate. Era una creatura ultraterrena, una divinità pagana. Era fuoco e desiderio.

La ragazza che era arrivata in quel Paese soltanto qualche settimana prima era scomparsa.

Era quasi l'alba, quando Tomas la prese per mano. «Andiamo a letto.»

Entrarono in una stanza e si lasciarono cadere su un letto singolo. Le lenzuola erano ruvide, il materasso terribile, ma a Laure non importava. In corridoio, Leo e Manicki stavano barcollando verso le loro stanze. Dalla camera di Manicki si levò uno strillo di donna.

Tomas prese Laure tra le braccia. «Non ce la faccio, adesso. Ti dispiace?» mormorò, esausto.

Era una confessione così intima che Laure restò senza fiato. «No.»

Lui si lasciò sfuggire una risata stridula. «Non dovresti dire il contrario? Sarebbe un po' più lusinghiero.»

«Ma non sarebbe stato vero. Sono stanca e indolenzita, e ho bisogno di dormire.»

«Una risposta sincera.» La prese tra le braccia e chiuse gli occhi. «Profumi di fiori.» Dopo qualche secondo, si addormentò.

Laure fece più fatica. Non era abituata a condividere un letto, e cercò di restare immobile per non disturbare Tomas e non rotolare verso la depressione al centro del materasso. Inoltre era troppo esausta per dormire e con mille pensieri in testa. Aveva bisogno di dare un senso a quello che stava succedendo: il sesso, i sentimenti per Tomas, le scoperte che si stavano accumulando in fretta, in quel Paese complicato in cui si era ritrovata a vivere.

Però doveva essersi addormentata. Quando aprì gli occhi, il sole filtrava dalla finestra e accarezzava il pavimento. La luce era troppo intensa, così distolse lo sguardo e osservò le pareti rivestite di legno. I pannelli andavano da un caldo color miele al marrone scuro e disegnavano piacevoli arabeschi. Dalla finestra socchiusa filtrava il cinguettio degli uccelli, insieme con un profumo d'erba e di pineta. Avere Tomas addosso era scomodo, ma sopportabile. Se esisteva la felicità, doveva essere così.

Una mano le sfiorò una coscia e lei sospirò di piacere.

«È un sì?» le chiese Tomas.

«È un sì.»

L'istante dopo, Tomas fu sopra di lei. «Ti avverto, sono sporco, non mi sono pettinato e puzzo d'alcol.»

Non stava scherzando. «Non importa.»

Il sole le accarezzò il viso e lei socchiuse gli occhi.

«Lo sai che sei bellissima, Laure?»

Restarono a letto tutta la mattina e uscirono soltanto a pranzo. Leo e Manicki erano fuori a prendere il sole sulla panchina. Non c'era nessun altro in vista.

Leo li salutò e disse in inglese: «Vi ordino di parlare a bassa voce».

«Buongiorno, Leo», disse Laure.

Lui si tappò le orecchie con le mani: erano belle, con dita lunghe e affusolate. «Fate più piano. Più *piano*.»

Lei scoppiò a ridere. Cercò d'imprimere nella memoria ogni dettaglio di quella giornata. Il sole sulla pelle, il cinguettio degli uccelli, la terra sotto i piedi nudi. Il sapore gustoso dello stufato preparato da uno scarmigliato Manicki, che si era rivelato un ottimo cuoco. La vista di Leo, sdraiato sull'erba («È un tipo silenzioso. Ma, quando parla, è meglio fare molta attenzione», aveva detto Tomas, dandogli un colpetto con un piede). La sensazione di essere stata invitata in un regno esclusivo in cui gli altri non erano ammessi.

Cercò di essere discreta, però non riuscì a staccare gli occhi di dosso a Tomas, che indossava una maglietta azzurra come un cielo estivo. Il colore dell'amore. Aveva un modo tutto suo di gesticolare con la mano sinistra. Aveva i piedi lunghi e sottili ed era magro. Troppo, forse. Alla luce del sole, i capelli castani avevano riflessi color nocciola e rame.

Più di una volta i loro sguardi si erano incrociati e il miscuglio di desiderio, tenerezza ed eccitazione l'aveva folgorata come una scarica elettrica.

«Sai che lavoro fa il tuo capo, di preciso?» le chiese Manicki a un certo punto di quel lungo pomeriggio ozioso.

Stavano parlando dei privilegi riservati ai pochi eletti. O almeno quello era ciò che aveva capito Laure, dalle loro traduzioni frettolose. Auto di lusso, cure mediche private, appartamenti spaziosi. Laure rispose che, per quanto ne sapeva, Petr rappresentava la ditta farmaceutica per la quale lavorava in Francia.

«Non farti imbrogliare», continuò Manicki nel suo inglese discreto. Era sdraiato sull'erba. «Probabilmente si occupa di spionaggio industriale. È per questo che può avere un appartamento grande e te. È una ricompensa per le informazioni che porta.»

La teoria di Manicki aveva un senso. I sospetti vaghi e indistinti che aveva sempre avuto nella testa presero forma. Con sua grande sorpresa, Laure provò una delusione bruciante. A parte le cure che doveva prestare a Eva, stava incominciando a provare simpatia per Petr e lui la trattava bene. Ma doveva anche ammettere che aveva l'abitudine di prendere tutto per buono. Era più che possibile che Petr non fosse sincero.

«Tieni gli occhi aperti», aggiunse Manicki in tono deciso.

Laure si chiese se non intendesse dirle: *Non dovresti essere qui.*

Il treno per tornare a Praga partiva quella sera e, a malincuore, Laure andò in casa a fare i bagagli. Quando uscì, la conversazione si era scaldata.

Tomas le fece posto sulla panca. «Leo sta dicendo che le

linee di conflitto non sono più tra governanti e governati, ma tra i singoli individui. In altre parole, le persone non sanno più chi sono. Cosa sono. »

A casa, le conversazioni vertevano su ben altri argomenti: *Dove andiamo a prendere il fumo? Chi porta da bere?* Infilò le braccia nelle bretelle dello zaino. « Non capisco. »

Tomas l'aiutò a sistemare lo zaino sulla schiena. « Quello che Leo sta cercando di dire, male, come al solito... » Leo fece per dargli un calcio, ma Tomas lo schivò. « Quello che Leo sta cercando di dire *egregiamente*, come al solito, è che l'inganno e la divisione sono abbastanza naturali, per noi. Prendi per esempio un uomo qualunque. »

« O una donna. »

« O una donna. Qualcuno, tipo, che ha un negozio di frutta e verdura in città. O un macellaio. Noti qualcosa di particolare? »

« Hanno dei manifesti nei negozi. Per esempio: 'Lavoratori di tutto il mondo, unitevi'. »

« Bene, secondo te quest'uomo – o questa donna – crede davvero nella solidarietà internazionale dei lavoratori? Quasi certamente no. Quello che dice, con quel manifesto, è: *Mi comporto come vuoi tu, Stato, quindi devi lasciarmi in pace.* Ciò in cui crede non è importante. » Si girò verso Leo. « Ho ragione? »

Sdraiato sull'erba, Leo biascicò qualcosa tra i denti.

Tomas prese Laure per mano.

« Quindi quest'uomo qualunque ha accettato di comportarsi in un certo modo in cambio del quieto vivere e tollera il messaggio illegale dello Stato, che gli garantisce di farsi la sua vita. »

« Brava. Vedi, le opinioni possono avere tante sfumature diverse. »

Manicki prese la chitarra e suonò un accordo. « È così anche in Inghilterra? »

« A volte, credo. » Poi Laure scosse la testa. « No, lo Stato non agisce in questo modo. Nemmeno coi criminali. »

Leo si mise seduto e disse qualcosa in ceco, in tono rabbioso.

Tomas si chinò ad allacciare una scarpa. « Di persone come il mio macellaio ce ne sono milioni in tutto il Paese e il risultato è che siamo una nazione di morti viventi. Non abbiamo scelta. »

Manicki eseguì un altro accordo, questa volta malinconico, e Tomas cantò: « *Ti ho promesso che avremmo avuto una vita felice. Dov'è che abbiamo sbagliato, tesoro mio?* »

In quel Paese, la politica sembrava intrufolarsi ovunque e Laure non voleva pensarci. Voleva pensare all'amore e a quando avrebbe rivisto Tomas. « È ora che vada. »

« Ci vediamo. » Leo le diede un bacio sulla guancia, cogliendola di sorpresa, però Manicki evitò ogni contatto fisico.

« Manicki non si fida di me? » chiese a Tomas mentre andavano alla stazione.

« Non di te in particolare, ma della tua situazione. Pensa che potrebbe causare dei problemi. »

Laure si sentì avvampare. « Non ti tradirei mai. Non direi mai niente sul vostro conto. »

« Non si può mai sapere », disse lui, invece di rassicurarla. Erano quasi arrivati alla stazione, quando Tomas si fermò. « Ci facciamo una promessa? »

« Se vuoi. »

« Promettiamo di essere quello che siamo. Non permettiamo alla politica di mettersi in mezzo. Soltanto noi. Godiamoci questo momento. Ti va? »

« Oh, sì. »

La guardò salire sul treno e le diede un bacio languido, ma non disse quando si sarebbero rivisti.

Laure guardò la campagna scorrere lenta e cedere il passo alla periferia di Praga, coi suoi condomini, alcuni lunghi anche trecento metri, che sorgevano cupi nella pianura.

Chissà se la stavano sorvegliando. La donna col fazzoletto in testa, la ragazza con un livido sulla guancia? L'uomo seduto accanto a lei puzzava d'aglio e sembrava completamente disinteressato. O era soltanto un'impressione?

L'abitudine al sospetto aveva preso piede dentro di lei. Che fosse una cosa positiva o negativa era irrilevante. Era successo e basta.

19

Tornata dai Kobes, Laure svuotò lo zaino e si sforzò di non piangere. Avrebbe voluto essere alla *chata* a bere, respirare il profumo dell'estate, ascoltare il cinguettio degli uccellini. E soprattutto essere tra le braccia di Tomas.

Mise lo zaino nell'armadio e si sedette sul letto. Pensò che in ogni vita si verificavano eventi che non sembravano reali e non potevano essere spiegati completamente. Forse il segreto era non sforzarsi troppo.

Si alzò e andò alla finestra. Appoggiato al davanzale c'era lo specchio che aveva preso alla bancarella dello Stato nella città vecchia. Abbastanza piccolo da stare in borsetta, col manico decorato di stupide conchiglie, era l'unico specchio che aveva, a parte quello del bagno. La superficie era così ridotta che era costretta a guardare un dettaglio alla volta. Si controllò il naso, la bocca, i capelli che ricadevano sulla spalla destra.

L'esperienza con Rob Dance le aveva insegnato che innamorarsi metteva in svantaggio. Destabilizzava, lasciava i nervi scoperti. Non offriva risposte e aveva un grande cartello con la parola UMILIAZIONE. Ma forse Tomas aveva visto qualcosa, dietro i suoi occhi verdi, qualcosa di cui lei non era ancora consapevole? L'intelligenza? Di sicuro non l'esperienza. Forse il rifiuto di conformarsi, ogni giorno più forte. La volontà di dubitare, interrogarsi.

Forse a Tomas piaceva perché era una specie di foglio bianco, qualcosa che poteva riconoscere subito.

Erano tutte domande senza risposta.

Stare con Tomas significava correre il rischio di ritrovarsi di nuovo sotto quel cartello. Veniva da un mondo diverso. C'erano altre donne interessate a lui, un pensiero che le dava la nausea. Doveva imparare a essere discreta e astuta, due qualità non scontate per una donna di Brympton.

Una volta che ebbe portato quelle riflessioni alla loro logica conclusione, si convinse che il tempo trascorso con Tomas era stato una piacevole distrazione e niente più. Era improbabile che la cosa avesse un seguito.

Si buttò sul letto e affondò il viso nel cuscino.

Ti prego, ti prego. Fa' che Tomas non mi abbia usato. Non del tutto, almeno.

Il profumo del detersivo da due soldi con cui veniva lavata la biancheria in casa era troppo intenso, così prese la maglietta che aveva indossato quand'era con Tomas. Profumava di sole, sesso, alberi e... di lui.

Si girò di schiena e fissò il soffitto. In un angolo della mente, una voce le stava dicendo di fare attenzione. Per quanto Rob le avesse spezzato il cuore, non era niente in confronto a ciò che l'aspettava.

Si rigirò una ciocca di capelli tra le dita e guardò fuori dalla finestra, pensando quanto potesse essere sorprendente la vita e quanto l'amasse.

Nell'appartamento si moriva di caldo, soprattutto di notte.

Eva era fonte di crescente preoccupazione. Da quand'era stata male era diventata solitaria e restava nella sua camera da letto per periodi lunghi. In un paio di occasioni, quando Laure le chiese istruzioni, rispose che stava a lei decidere.

«È sicura di volere che sia io a decidere?» le chiese, a disagio, per mettere le cose in chiaro.

«Non ho appena detto così?»

I bambini soffrivano per il disinteresse della madre. Maria piangeva senza motivo apparente e Jan era aggressivo. Preoccupata, Laure decise di discuterne con Petr.

Dopo cena, quando i bambini ed Eva erano andati a letto, chiese a Petr se poteva parlargli.

«Certo», rispose lui, andando in soggiorno col suo bicchiere di birra. Posò il boccale, spalancò la finestra e vi si affacciò, apparentemente rapito dalla distesa di vecchi tetti e guglie fiabesche.

Laure si chiese se avesse frainteso e fece per andar via.

«Resta.»

«Sto disturbando la sua serata.»

«Un po'. Ma devi dirmi qualcosa.»

Di giorno, il salotto era usato anche dai bambini e i loro giochi erano accumulati in un angolo. Come il resto dell'appartamento, anche quella stanza aveva proporzioni magnifiche e un lampadario in cristallo di Boemia che pendeva dal soffitto stuccato. Peccato che, come la maggior parte delle case in cui Laure era stata, la vernice fosse scrostata e i mobili – sedie di plastica e un divano mezzo sfondato – fossero ridotti al minimo.

Laure si schiarì la voce e andò subito al sodo. «Volevo chiederle se sua moglie stia peggiorando. Lo so che non sono affari miei.» *Non lo sono, accidenti. Sì, invece.* Si fece coraggio e proseguì: «Io penso che stia peggiorando».

Petr distolse lo sguardo dai tetti della città e si girò. Come al solito, era ben vestito e curato, ma sembrava stanco morto. «Ne hai parlato coi bambini?»

Laure approvò la sua reazione istintiva di proteggerli. «No. Pensavo che fosse meglio rifletterci bene, nel caso ci fosse qualche problema.»

Lui annuì. «Grazie. Sei premurosa e sensibile.» Si sedette sul divano malandato e le fece segno di prendere una sedia. «Avrei dovuto parlartene prima. I medici le hanno diagnosticato una malattia grave. Stiamo predisponendo una cura. Speravamo di riprendere il trattamento a Parigi, ma a quanto pare resteremo qui fino all'anno prossimo. È uno dei motivi per cui ti abbiamo chiesto di fermarti in città. La situazione ti è più chiara, ora?» Si accese una sigaretta.

Laure impiegò qualche secondo a capire. «Voleva far curare la signora Kobes *a Parigi*?»

Lui distolse lo sguardo. «Era importante.»

«Oh, Dio. Cioè, mi dispiace tanto.»

Petr sospirò. «Vedremo come va. Forse riusciremo comunque ad andare a Parigi. Dipende da molte cose. Le autorità devono darci il permesso, ma ci sto lavorando.»

La malattia e la cura di Eva non erano l'argomento adatto per una discussione politica, però a Laure non sfuggì l'ironia della situazione. «Sì, ora è più chiaro. Ma i bambini hanno capito che c'è qualcosa che non va. *Forse* potrebbe essere una buona idea parlargliene.»

«Sentono la mancanza di Parigi, è normale.»

«Non è solo questo.»

Petr era stupito. «Sei sicura?»

Quella crepa nella solida sicurezza di Petr le diede coraggio. «Capiscono che la loro madre è assente. Ora mi ha spiegato il motivo, e capisco che non voglia farli preoccupare, ma forse dovrebbe cercare di parlare con loro. Appena possibile. I bambini hanno bisogno di rassicurazioni.»

Petr fece una smorfia. «Cercherò di non prenderla come una critica.»

«Non lo è, gliel'assicuro.»

Lui la guardò. «Siamo amici, non è vero? Stiamo incominciando a conoscerci piuttosto bene. Puoi darmi del tu, se vuoi.»

«È mio dovere dirti che i bambini sono inquieti.»

Lui sembrava contento che Laure avesse preso l'iniziativa di parlargli. «Cercherò di passare più tempo con loro. Potrei aggregarmi a una delle vostre gite pomeridiane.»

«A loro piacerebbe molto.»

«È meraviglioso saperlo. Sono molto contento che tu sia venuta a parlarmi.» Laure andò verso la porta e Petr prese la sua birra. «È un grande sollievo poter parlare con te. Anzi, è più di un sollievo: è un piacere.»

Laure capì che le stava chiedendo di restare a parlare e bere insieme con lui.

Petr la guardò negli occhi. *Per favore.*

«Sono contenta di essere d'aiuto. Buonanotte», rispose lei, desiderando con tutta se stessa di stare da sola e pensare a Tomas.

I bambini s'illuminarono come alberi di Natale, quando il pomeriggio seguente Petr disse che li avrebbe accompagnati al parco, e fecero a gara a chi lo prendeva per mano per primo.

Il parco era un'isola artificiale vicino al ponte Carlo, abbastanza grande perché i bambini potessero correre in giro. Ma soprattutto c'era dell'ombra. Illuminata dal sole, la Moldava sembrava un nastro liscio e brunito. Oltre il fiume, la città scintillava e il suo grigiore si era trasformato in un arcobaleno pastello.

All'ingresso del parco, Petr disse: «Voi andate avanti, vi raggiungo subito».

Laure guardò dietro di sé e lo vide parlare con un uomo stempiato che indossava un completo blu.

Li raggiunse poco dopo, con espressione accigliata. «Scusate, un collega.»

«Spero che non ci siano problemi al lavoro», disse Laure, più per educazione che altro.

Lui si rabbuiò. «Cosa ne sai, tu?»

«Niente», balbettò lei, sorpresa.

«Scusami. Non volevo essere scortese. Niente domande, però. Intesi?»

«Certo.»

Se anche chi sorvegliava era sorvegliato, com'era possibile non andare in paranoia? Qualunque fosse la spiegazione, ormai l'atmosfera era rovinata.

Trovarono un punto all'ombra in cui sedersi. Nonostante il caldo, Jan incominciò a giocare a palla. Molti alberi stavano già perdendo il fogliame e Maria iniziò a saltellare come un cucciolo tra i mucchi di foglie secche.

Petr cercò di farsi perdonare chiedendole dell'Inghilterra e della sua famiglia. Laure apprezzò lo sforzo e rispose in modo dettagliato. Ogni tanto, i bambini cercavano le attenzioni del padre e lui rispondeva con grande slancio.

«Ti vogliono molto bene», si lasciò sfuggire Laure.

«Grazie. Pensi che si abitueranno?»

«Sentono la mancanza di Parigi.» Esitò. «Dimenticheranno. Almeno in parte.»

«Speriamo.» Si accese una sigaretta. Francese, non ceca: ora Laure sapeva che era segno di privilegio. «Spero di portare Eva in Francia in autunno.»

«Ottimo.»

«Soffre di una malattia strana. I medici non sanno prevedere come potrebbe evolversi.» Si sbottonò i polsini e arrotolò le maniche della camicia.

«La possibilità di viaggiare dev'essere molto invidiata», azzardò Laure.

«Cosa te lo fa credere?»

Il suo tono tagliente la urtò. «Conosco persone che non possono farlo.»

«Ah, i ragazzi degli Anatomie.»

Era troppo tardi per rimangiarselo. «A dire il vero, non ne sono sicura. La lingua è un problema... Non capisco sempre quello che dicono.»

«Dev'essere difficile fare conversazione. Di cosa parlate?» le chiese, in tono gentile.

«Di niente in particolare.»

Lui inarcò un sopracciglio, ma sembrò prendere le sue parole per buone. «Lo sai che le donne ti detesteranno perché sei loro amica?»

Laure cercò di dissimulare la propria esultanza. «Come si arriva in Francia o in Italia, da qui?»

«Perché? I tuoi amici stanno pensando di fare un viaggio?» Il tono di Petr era di nuovo brusco.

Laure guardò il fiume: almeno lui era libero di scorrere senza impedimenti. «Non credo. È solo che mi sembra così strano non poter andare in Italia, per dire. O in Germania. In Austria. Tutto qui.»

«In Austria...»

In quel momento Maria corse tra le braccia del padre.

Petr le scostò dal viso i capelli bagnati di sudore. «Dovresti dire ai tuoi amici che, se stanno pensando di fare un viaggio, devono passare attraverso i canali ufficiali.»

«Sono soltanto musicisti cui piace dormire fino a tardi, come tutti gli artisti.»

«Sarà, ma devo avvertirti: si mormora che gli Anatomie siano sostenitori di Parallel Polis.»

Laure era infastidita e allarmata. «Non ho idea di cosa sia.»

«È un documento scritto da un sedicente filosofo. Un cattolico.» Lo disse con un pizzico di nostalgia. «Sostiene che dovremmo ignorare le istituzioni dello Stato e costituire strutture alternative, parallele. Approva il panorama musicale clandestino. E gli Anatomie ne fanno parte.»

«Non ne so niente.»

«Invece sì. In modo indiretto.»

«Soltanto perché ho degli amici non significa che sia d'accordo con le loro opinioni.»

«Siamo in Cecoslovacchia, Laure.»

Lei ripensò all'uomo in completo blu con cui aveva parlato Petr poco prima. Si guardò intorno e lo vide ciondolare all'ingresso del parco. Si era tolto la giacca e la teneva appesa a un dito sulla schiena. Sembrava patire il caldo e la noia.

«I tuoi amici parlano mai di questi argomenti?»

Jan stava tormentando Maria, buttandole in faccia manciate di foglie. La bambina non sapeva bene come reagire.

«Fa' attenzione, Jan.» Poi Petr tornò a rivolgersi a Laure. «Te lo chiedo soltanto perché sono curioso. Sono stato lontano molto a lungo e ho paura di non avere più il polso della situazione nel mio Paese.»

Ora Laure era doppiamente sicura di dover tenere la bocca chiusa. «Non lo so. Come dicevo, non capisco granché.»

Petr le prese la mano, cogliendola di sorpresa. In imbarazzo e preoccupata, Laure ebbe l'istinto di ritrarsi. Petr aveva mani belle e curate, ma non le voleva sulle proprie.

«Penso che tu sia meravigliosa. Intelligente e profonda. Cosa potrebbero volere di più, i miei figli?» Il suo tono era caldo e rassicurante.

Laure avvampò e si girò verso l'ingresso del parco. «Il tuo amico è ancora qui. All'entrata.»

Petr la lasciò andare subito, ma le sue dita le lasciarono una traccia sulla pelle. «Non preoccuparti, sei al sicuro con me. Non ho intenzione di approfittarmi di te.» Indicò i bambini.

Lei non rispose, ma si sentì enormemente sollevata.

«Però i tuoi amici devono fare attenzione. Sanno a cosa vanno incontro.» Esitò. «Ti devo avvertire: stanno correndo dei grossi rischi.» Petr cambiò discorso, cominciando a parlare dei bambini. Nelle ultime settimane Maria aveva iniziato a provocare il fratello, che stava dimostrando una pazienza ammirevole.

Laure gli diede il proprio parere, dal momento che trascorreva molto tempo in loro compagnia.

Petr ascoltò, le fece qualche domanda e sembrò apprezzare il suo punto di vista. « Li conosci meglio di me », le disse, scherzando.

Esatto. « Non credo, Petr. »

« Jan è un bravo bambino. Prima del tuo arrivo, era un ragazzino difficile. Si è molto calmato, da quando ci sei tu. »

Era un complimento inaspettato e le fece piacere. « Voglio molto bene a entrambi. »

« Sei parte della famiglia. »

Laure si sentì a disagio. E, allo stesso tempo, era incuriosita. Come se fossero i primi passi verso un grande intrigo.

« Ti ho confidato che Eva è malata. Pensiamo che tu sia perfetta per i bambini e ti siamo molto affezionati. Ma volevo dirti che ti ammiriamo anche per il modo in cui hai affrontato la tua situazione familiare. La morte di tuo padre, voglio dire. »

Jan scelse quel momento per abbandonare la sua recente galanteria e dare una spinta alla sorella.

Laure si alzò e andò a separarli, sedendosi sull'erba accanto a Maria, che era scoppiata a piangere, e consolandola con un abbraccio e parole rassicuranti. « Non permettere che ti faccia piangere. »

Maria si calmò. Laure le accarezzò i riccioli e le baciò la testolina. Petr le guardava, stordito e disorientato. Era come se gli avessero dato un pugno allo stomaco e stesse cercando di capire cosa fosse successo.

Poi Laure portò la piccola Maria, sporca ma rasserenata, dal padre, e la conversazione virò verso altri argomenti.

Da quel giorno Petr accompagnò spesso Laure e i bambini nelle loro gite pomeridiane, per la gioia dei piccoli. Stava attento a non interferire, ad ascoltare le opinioni della ragazza e a procurarsi qualche dolcetto – una torta, una confezione di biscotti – che condividevano in modo amichevole tutti insieme.

E spesso, dopo cena, dopo che Eva si era coricata, chiedeva a Laure di fargli compagnia e le raccontava di Parigi e della sua infanzia a Praga. Voleva sapere di quando Laure era bambina e insisteva per avere tutti i dettagli. Ma non ci furono mai più conversazioni come quella del parco. Se sfioravano la politica, Petr diceva qualcosa tipo «parliamo di cose più piacevoli», e Laure stava attenta a fingere ignoranza su tutto ciò che riguardava la Cecoslovacchia.

Berlino, 1996

Petr riconobbe che, a conti fatti, gli inglesi non erano davvero interessati alla sua presenza in città. In ogni caso, ci sarebbe voluto molto tempo prima che la paranoia nei confronti della Russia e dei Paesi dell'Est – cresciuta a dismisura dopo la seconda guerra mondiale – si placasse. Inoltre i suoi trascorsi con Laure lo avrebbero fatto salire in cima all'elenco delle persone da tenere d'occhio. Laure avrebbe sicuramente fatto rapporto ai suoi capi.

L'ironia della situazione non gli sfuggiva.

Era all'hotel Natalya e aspettava che Laure lo raggiungesse per la cena.

Era stata lei a invitarlo, suggerendo quel ristorante. « È famoso per il suo *kartoffelpuffer* e per gli *schnitzel.* »

Nella hall c'era un gruppo di turisti appena sceso da un pullman. I facchini facevano la spola coi carrelli portabagagli.

Come regola generale, i russi erano sempre elegantissimi e ostentavano pettinature azzardate. I tedeschi avevano uno stile più informale e gli uomini portavano spesso anelli vistosi all'anulare sinistro. Gli italiani amavano le cravatte di seta, ai polacchi piaceva il cuoio.

Le conversazioni erano poliglotte, nell'aria aleggiava un profumo femminile dozzinale, ma i sigari avevano un buon odore. D'un tratto scoppiò un alterco: un tedesco a un tavolo vicino aveva alzato la voce col suo commensale. «Metti sul mercato quegli immobili, cazzo. È il tuo lavoro.»

Petr registrò la parola «mercato». Era la prova che gli ex funzionari della Stasi si erano riciclati nel mercato immobiliare, nel marketing e nelle assicurazioni, lavori che nell'ex DDR non esistevano. Richiedevano però capacità amministrative e poteri di persuasione in cui la Stasi si era specializzata.

Il diverbio proseguì: «Voi dell'Ovest venite qui coi vostri vestiti eleganti e con le vostre auto e v'illudete che faremo quello che volete. Vi sbagliate di grosso».

Petr guardò il russo accanto a lui. «Tensioni tribali», mormorò in tedesco.

L'anonimato dell'albergo favoriva le confidenze.

Il russo sospirò. «Capisco. Noi russi abbiamo un cuore imperialista. Vogliamo tenere sotto controllo l'Europa dell'Est, come fa l'Ovest coi Paesi occidentali. Non c'è niente da fare.»

Il Natalya era un raro esempio di edificio del XVIII secolo sopravvissuto alla guerra. Non era in ottime condizioni, ma la maggior parte delle sue caratteristiche – le sculture in pietra, le modanature – era intatta.

L'atrio era rivestito di lastre in marmo, in parte attraversate da crepe. C'erano divani e poltrone, il cui rivestimento aveva visto giorni migliori, e un paio di ficus striminziti. Una densa nube di fumo di sigaro aleggiava sull'area bar. Gli avventori, perlopiù vestiti con impermeabili dello stesso modello e colore, ronzavano intorno al barman.

La scena gli fece tornare in mente Praga, prima che il Partito fosse dichiarato fuorilegge, quando ogni sforzo di rendere i locali eleganti e mondani falliva per la mancanza di soldi e per il terrore di essere ritenuti troppo filo-occidentali.

Scelse un punto dell'atrio in cui c'erano due poltrone e si

sedette ad aspettare. Non dovette attendere molto. Un'auto si fermò davanti all'ingresso dell'hotel e fece scendere la sua passeggera. Petr serrò la mano che teneva sul ginocchio.

Laure entrò nell'atrio e lasciò il cappotto al guardaroba. Si guardò intorno, lo vide e gli andò incontro. Sembrava non accorgersi dell'effetto che faceva. Non indossava nulla di appariscente. Anzi, il suo vestito grigio era di pessima fattura e riusciva a far apparire goffo persino il suo corpo elegante. E tuttavia il modo in cui camminava e la massa di capelli lucidi attiravano immancabilmente l'attenzione.

Petr si alzò e le tese la mano. «Sopravvissuta al viaggio?»

Lei ignorò la sua mano tesa. L'ostilità era tornata. «Sì, che tu ci creda o no. Ci hanno avvisato che Berlino Est è ancora territorio nemico, di notte. David, il mio capo, era molto preoccupato. È un tipo difficile. Gli ho assicurato che sei una persona importante.»

«Ma dai.»

«Dubito che una città straniera e un cambio di regime possano impedirti di fare il tuo interesse. Mi sbaglio?» Laure gli stava mandando un messaggio. Primo, i suoi capi sapevano dell'incontro. Secondo, l'avrebbero tenuta d'occhio. Probabilmente attraverso l'autista.

«Ho prenotato il tavolo. Sarà meglio che entriamo.»

La sala da pranzo era grande, occupata a un'estremità da una pista da ballo e piena di piante in vaso. Si accomodarono a un tavolo accanto alla finestra che dava sul palazzo di cemento di fronte. L'ingresso del palazzo era illuminato da una luce fioca, che ne metteva in evidenza il grigio sporco delle pareti e le finestre rotte.

Rimasero in silenzio, come se cercassero di stabilire come comportarsi. In modo affabile, sperava Petr.

«Petr, dovresti perdere l'abitudine di fissare la gente», esordì Laure con gentilezza.

«Davvero?» chiese lui, sorpreso.

«La giudichi. La osservi. Adesso sei un capitalista europeo.»

«Deformazione professionale, mi sa.»

Laure inclinò la testa. «Ti trovo bene. Il modo in cui ti vesti mi ha sempre affascinato. Così impeccabile. Non sei cambiato.» Sorrise.

Petr si guardò la giacca, che, in effetti, aveva acquistato a Parigi.

«Inoltre ho sempre pensato che indossassi solo scarpe fatte a mano.»

«Non sono mai arrivato a tanto.» Le sorrise. «Non potevo.»

Notò con piacere che anche a Laure sfuggì un sorriso. «No.»

Lasciò che il cameriere le posasse il tovagliolo in grembo, mentre Petr ordinava gulasch e cavolo per entrambi e cercava di estorcere una bottiglia di vino al cameriere. «Mi dispiace, dovremo accontentarci della birra», disse alla fine, rassegnato.

«Vada per il gulasch e il cavolo. Qui non puoi spendere i tuoi buoni Tuzex.»

«Ti prego», protestò lui, in tono gentile.

Laure lo stava punzecchiando. Negli ultimi anni di regime, i privilegiati – compresi i Kobes – avevano accesso ai negozi Tuzex, che vendevano beni di consumo introvabili: jeans, Lego, mandorle, scarpe da ginnastica, cioccolato Milka e dolciumi inglesi.

«Non ti dava fastidio sapere che era proprio il regime a sostenere il mercato nero? Ad aprire le porte alla criminalità organizzata? Mi chiedevo sempre perché le autorità lo permettessero, finché non ho capito che era esattamente ciò che volevano.»

«Il governo aveva bisogno di valuta forte. Era così anche

nella Germania dell'Est. Sono sicuro che in Francia e in Inghilterra non fosse diverso. »

« E perché avevano bisogno di valuta forte? » Il suo tono era disinvolto. Ironico.

Se ancora aveva qualche dubbio, ora ne era certo: quella non era la Laure di un tempo. Guardò il gruppo radunarsi sul lato opposto della sala da pranzo. Avevano l'aria esausta e deperita, e incominciarono a suonare fuori sincrono.

Laure si protese verso di lui. « Il 28 novembre 1989, il Partito comunista cecoslovacco ha annunciato che avrebbe smantellato lo Stato monopartitico. Il filo spinato e gli altri ostacoli sono stati rimossi dai confini con la Germania e l'Austria. Il 10 dicembre è stato nominato un governo a maggioranza non comunista e, nel 1990, quel governo ha concesso la liberalizzazione dei prezzi. »

« Dando origine a un aumento della disoccupazione e all'introduzione dei sussidi », intervenne lui, secco.

« Quello che sto cercando di dire è che la tua vita dev'essere cambiata, Petr. Non è vero? Non eri più al comando. Sei rimasto all'appartamento di Malá Strana? »

« Per un po'. » Non pensava mai all'appartamento, per molte ragioni, ma ogni tanto i ricordi diventavano quasi insopportabili.

Eva che scendeva dal letto, attraversava il cortile e arrivava in strada. Raggiungeva il fiume.

Il cameriere arrivò coi loro piatti e Laure aspettò che li posasse sul tavolo. « Ti sei risposato? »

« No. » Assaggiò il gulasch e fece una smorfia.

« Hai sentito i ragazzi? »

« Gli ho parlato e sono contenti che ci siamo incontrati. Maria dice che, se capiterai a Parigi, verrà a trovarti. »

Laure posò il cucchiaio. « Posso chiederti una cosa? Ci ho pensato molto. » Abbassò lo sguardo. « Riguarda la morte di

Eva. È stata improvvisa? Dal modo in cui me ne hai parlato, non sembrerebbe.»

«Non ho intenzione di risponderti.»

«Non puoi o non vuoi farlo?»

«Non posso.» Si guardò intorno, cercando di cambiare argomento. «Riguardo al tuo commento di prima sui miei vestiti, non c'è nessun motivo logico per cui una persona non possa apprezzare gli abiti eleganti ed essere comunque comunista.»

Laure mise un pezzo di cartilagine sul bordo del piatto. «Un comunista può guardare un re e copiarne l'abbigliamento?»

«Sei venuta qui per farmi arrabbiare?»

Lei fece un sorriso abbagliante. «Forse. Sono tentata.» Poi sembrò esitare. «Quindi sei rimasto alla Potio Pharma, ma come amministratore delegato invece che direttore internazionale delle vendite?»

«Il consiglio di amministrazione...»

«Il consiglio di amministrazione...? Adorabile.»

«Il consiglio ha ritenuto che fossi la persona giusta per sovrintendere il passaggio da azienda statale a società per azioni.»

Dopo il gulasch portarono pane e formaggio, entrambi sorprendentemente buoni. Poi fu la volta di una fetta di torta grigiastra con un po' di confettura. Guardarono perplessi quel trionfo di arte pasticciera.

«Eppure sul menu c'era scritto 'torte'.» Il tono di Laure fece tornare in mente a Petr la ragazza spensierata di un tempo.

Lui assaggiò la torta e allontanò il piatto. «Chiamala come vuoi, è terribile. Il tuo tedesco è buono quanto il tuo francese?»

«Quasi. L'ho studiato all'università, insieme col francese e con un po' d'italiano.»

Petr si pulì la bocca col tovagliolo. «Non volevi studiare Economia politica? Cos'è che ti ha fatto cambiare idea?»

«Che tu ci creda o no, volevo prendermi una pausa dalla politica. E comunque, per lavorare al ministero degli Esteri, avevo bisogno delle lingue. È strano che ci siamo incontrati. Ma succede. Sono le coincidenze che rendono la vita interessante.» Laure giocherellò con la forchetta da dessert, poi gli lanciò uno sguardo penetrante. «Cosa ci fai davvero a Berlino, Petr?»

«Te l'ho detto, sono amministratore delegato di una grossa ditta. Dobbiamo espanderci in Europa.»

«E quando mi hai visto al ricevimento?»

Pensò all'ultima volta in cui si erano visti e a cos'era successo. «Lo ammetto. Per un istante avrei voluto sapere se...»

«Se?»

«Se mi odiavi ancora.»

Laure rispose senza esitare. «Ti odiavo.» La immaginò raccogliere i cocci affilati di quell'odio. «È ancora così, Petr.»

Lui posò il tovagliolo sul tavolo. «Come tutto, anche l'odio invecchia. All'inizio è rovente, forte e a volte violento. Poi ammuffisce, si sgretola. Non sei d'accordo?»

«O magari col passare del tempo non puoi più farne a meno.»

Portarono il caffè. Era un surrogato acquoso, fumante. Accesero una sigaretta e lo sorseggiarono con calma.

Il gruppo suonava un lento sdolcinato e la pista si stava riempiendo.

Petr portò la tazzina alle labbra e le chiese: «Vuoi ballare?»

Laure si alzò. «Corri qualche rischio, se ti vedono con me?»

Lui scosse la testa. «E perché dovrei? I nostri precedenti sono verificabili. La Cecoslovacchia che conoscevi non esiste più. Il Muro di Berlino è un cumulo di macerie. Est e Ovest fanno affari insieme. Sono vedovo, senza legami. Essere visto con te non costituisce più un problema politico. »

« Non è un problema nemmeno per la tua società? »

Alcuni uomini stavano diventando rumorosi. Uno di loro cercò di salire su un tavolo, ma fu trascinato giù dai suoi amici.

Petr prese Laure tra le braccia e chiuse gli occhi, per un istante ineffabile.

« Com'è lavorare coi Paesi occidentali? Chissà quanta diffidenza c'è da ambo le parti. »

« Che tu ci creda o no, ce la caviamo, anche se siamo uomini delle caverne. » Petr accennò a un tavolo di energumeni vestiti di grigio, impegnati a tracannare vodka. « Quale peccato hai in mente, in particolare? Corruzione? Estorsione? Contrabbando? Ma la risposta breve è 'sì'. Ci sono un sacco di opportunità per diffidare. »

Laure gli tamburellò le dita sulla spalla. « Penso che voi cechi siate sia intelligenti, sia emotivi. Come i russi. I tedeschi dell'Est e gli inglesi sono diversi. Ma a tutti piace essere ricchi. O diventarlo ancora di più. »

« E quindi? »

Petr la stringeva delicatamente, facendo attenzione. Quella era la ragazza che aveva ballato a un concerto rock, con le guance arrossate dal sole. Ma anche la ragazza che aveva visto in una cella, seminuda e malmenata. Uno spettacolo che aveva spazzato via tutti i pensieri dalla sua mente, lasciando soltanto un desiderio insopprimibile di proteggerla. « Stai cercando di estrarre informazioni da me, Laure? Se è così, non è divertente? Sarebbe un colpo di scena clamoroso. »

Laure era addestrata troppo bene per tradirsi. « Dimmi cos'è successo a Eva. »

Petr la strinse in vita, godendo della sua snellezza, del suo calore. «Avevi ragione. Eva si è uccisa.»

Laure si ritrasse, come se fosse stata investita dall'onda d'urto di quelle parole. «Oh, Dio, mi dispiace. Mi dispiace tanto. Mi spiace per i bambini. Per te. Per Eva.» Lo guardò negli occhi. «Quand'ero con lei, al suo capezzale, mi parlava di te. Così spesso.»

«Davvero?» L'intimità che si era creata lo aveva reso goffo e a momenti perse l'equilibrio.

Passò un istante. «Eva ti amava moltissimo. Me l'ha detto lei. Voleva soltanto che fossi felice.»

«Era una persona meravigliosa. Sono stato fortunato ad averla come moglie. Soltanto che... era diventato tutto molto complicato.»

Se lo stava immaginando, o Laure si era avvicinata? La sua guancia sfiorava quasi la sua.

Continuarono a danzare e Petr sentì la felicità accarezzarlo, impalpabile come una garza sottile.

«Mi dispiace. La vita a volte è crudele.»

Petr la strinse a sé. Il suo corpo era caldo e arrendevole, come se gli appartenesse. Ciò che provava per lei era così forte e immutabile da togliergli il fiato.

Laure si fermò senza preavviso. «Ci sediamo?»

Si accomodarono al tavolo e ordinarono un altro caffè.

«Non parliamo più di Eva.»

Laure annuì.

La serata stava volgendo al termine e Petr aspettava di ricevere il colpo di grazia: il motivo per cui Laure gli aveva chiesto d'incontrarlo.

E quel momento arrivò.

Il vestito era risalito, scoprendole le gambe lunghe che, in quell'estate del 1986, gli abitini di cotone non riuscivano a nascondere. Vedendole, Petr fu travolto da un'ondata di desiderio. E di tenerezza.

Lei unì le mani in grembo. «Petr, lo so che sai cos'è successo a Tomas. Me l'hai fatto capire, la prima volta che ci siamo visti a Berlino. Perché non me lo dici?»

Lui ripensò al fumo e al sudiciume che il vento trasportava tra lui e Laure, nella stazione subito dopo il confine cecoslovacco. «Perché mi sono reso conto che è meglio lasciare le cose come stanno.»

«Mi stavi soltanto prendendo in giro. Avrei dovuto immaginarlo.» Fece una pausa. «Insisti a dire che non sei stato tu a tradire Tomas .Non è tutta la verità, non è vero?»

Tutti quegli anni di silenzio tormentato. Non gli piaceva pensare a quanto gli fosse costato. O quanto fosse costato a lei. «Come ti ho detto, la mia famiglia era in pericolo.»

«Cosa ti costa, Petr?»

Era molto esperto di giochi di potere e dei loro impercettibili aggiustamenti. La guardò negli occhi. *Cosa ti costa?*

Lei sostenne il suo sguardo.

«Buonasera, signori», disse qualcuno alle loro spalle.

«Passavamo da queste parti e vi abbiamo visto», disse una voce femminile che a Petr sembrò di riconoscere.

«David. Sonia.» Laure non sembrava sorpresa di vederli. «Vi ricordate Petr Kobes? Era al ricevimento. Ho lavorato per lui a Praga. Petr, ricordi il mio capo, David Brotton, e sua moglie Sonia? Volete farci compagnia per un drink?»

L'abito blu con le cuciture bianche. La donna alla festa.

Come sospettava, Laure aveva organizzato l'incontro tramite l'apparato dell'ambasciata, dimostrando una propensione alla cautela e all'osservanza del protocollo. Fece un cenno al cameriere.

Sonia Brotton era di nuovo brilla. Non ubriaca fradicia, ma sulla buona strada. Petr si chiese quanto fosse tollerato quel genere d'inconveniente e se avesse danneggiato la carriera del marito.

La donna si sedette accanto a Petr. «Laure mi ha raccontato del periodo che ha trascorso a Praga. Le marionette e le gite in campagna. »

Petr sbirciò Laure. «I cechi amano fingere di essere persone di campagna, in particolar modo i...» Cercò la parola giusta. «... i tipi di città. Durante il fine settimana le città si svuotano e vanno tutti nella loro *chata*. In estate si può stare all'aperto la maggior parte del tempo. Le foreste e i boschi sono molto frequentati. Quindi molte delle nostre storie e dei nostri racconti popolari sono ambientati nella foresta. »

Sonia gli faceva compassione. Aveva il rossetto sbavato, la mano che teneva il bicchiere le tremava e beveva con imbarazzante entusiasmo.

«Mi ricordo i barbecue», disse Laure. «L'odore di affumicato. I bambini ne andavano matti. Ricordo il fruscio degli alberi, mentre ero a letto con le finestre aperte. »

Sonia si appoggiò allo schienale della sedia. «Sono stanca. »

David Brotton guardò l'orologio. «L'auto sarà qui a momenti. » Si voltò verso Petr. «Immagino che conosca molto bene Parigi. »

«Sì. Mi piaceva viverci. »

David prese del ghiaccio, che era arrivato in un bicchiere insieme coi drink. «È proprio quello, il paradosso. Se vieni mandato all'estero, dovresti approfittarne il più possibile. Allo stesso tempo, non è saggio affezionarsi troppo a un posto. »

L'inglese di Petr non era buono quanto il suo francese, tuttavia lo capiva perfettamente e riusciva a coglierne le sfumature. «Non è quello che gli inglesi chiamano 'andare all'avventura'? »

«Esatto! Alcuni incominciano a indossare la gonna di paglia e a mettere un fiore all'orecchio. La sede centrale cerca d'inventarsi delle punizioni, ma cosa puoi farci? Se il tramonto ti accarezza la pelle e le ragazze sono disponibili...» Sonia stava incominciando a farfugliare.

«Sta' zitta, tesoro», disse David.

Petr pensò che una donna come Sonia non aveva idea di come andavano quelle cose, e che se lo avesse saputo si sarebbe messa a gridare in preda all'orrore. Da quelle parti, a chi andava all'avventura potevano capitare spiacevoli incidenti. E capitavano.

Durante le lezioni di sorveglianza gli avevano insegnato a cogliere i segnali di una possibile diserzione e avevano avuto il loro bel da fare a recuperare i fuggitivi. Se erano reticenti, c'era sempre la scopolamina, il siero della verità. Nel peggiore dei casi, la persona veniva giustiziata e le sue ceneri buttate sul ciglio di una strada fuori Praga.

Nei suoi anni più burrascosi, il suo amore per l'Occidente era stato documentato e sapeva di essersi fatto terra bruciata intorno. D'altro canto, aveva conseguito dei risultati.

Si guardò intorno. Chiunque li osservasse avrebbe immaginato che fossero quattro amici, rappresentanti del nuovo ordine europeo, che si godevano una serata insieme. Guardò Laure: stava parlando con Sonia, che però non era più in grado di rispondere e si limitava a canticchiare le melodie delle canzoni.

David Brotton era concentrato su Petr. L'impressione iniziale di un uomo esausto e animato da buone intenzioni, che non sarebbe mai arrivato ai piani alti a causa di una moglie imbarazzante, era fuorviante. «Sono colpito dal numero di chimici eminenti che lavorano alla Potio Pharma.» Brotton aveva fatto i compiti. «Gli antivirali sono destinati a cambiare la medicina moderna.»

La sua ammirazione era sincera e Petr sorrise. «La Repubblica Ceca è molto orgogliosa del dottor Holý e degli altri.»

«Il dottor Holý è tra i primi al mondo nella lotta contro l'AIDS, il vaiolo, l'epatite B e l'herpes zoster. Un bel curriculum, direi. Ma in passato... ci sono stati problemi di salute pubblica, credo. »

Si riferiva all'epoca in cui la concentrazione di anidride solforosa nell'aria sulla Boemia settentrionale era dieci volte superiore al limite massimo consentito.

« Come ha appena detto, è successo in passato. »

« Se la Potio Pharma sta pensando di espandersi, mi piacerebbe molto saperne di più sul vostro lavoro nel settore degli antivirali. »

Adesso ti piacerebbe, pensò Petr. Quando agli Stati comunisti d'Europa era stato proibito di commerciare con l'Occidente, privandoli così della valuta estera, la produzione era stata difficoltosa. Ora invece stava procedendo a pieno ritmo. « Certo. » Descrisse in termini vaghi il programma presentato dalla compagnia, tralasciando i dettagli che potevano essere utili agli inglesi. Se l'Inghilterra voleva un accordo alla pari, doveva pagare.

Brotton comprese perfettamente. Lanciò un'occhiata a Sonia. « Penso che sia ora di andare a dormire. La prossima volta che torna a Berlino, si faccia sentire. »

Si salutarono, poi i Brotton se ne andarono.

Laure si preparò a seguirli. « Petr? »

Lui la guardò e pensò alla ragazza di un tempo, quella che aveva conosciuto a Praga. Quando aspettava ancora che il futuro le si rivelasse. Il suo sguardo gioioso e curioso lo aveva spesso commosso profondamente. Amava anche la sua capacità di vedere il lato comico delle cose, e aveva visto il suo dolore per la morte del padre trasformarsi in gusto per la vita. Dava la sensazione di essere sospesa sull'orlo della scoperta. E, con la sua storia d'amore, era diventata uno splendore.

L'aveva invidiata, sognata, desiderata.

« Dimmi cos'è successo a Tomas. Devi dirmelo. »

Era appena passata mezzanotte, quando Petr tornò in albergo e prenotò il taxi che lo avrebbe portato all'aeroporto il mattino dopo.

Brotton lo aveva torchiato a dovere senza darlo a vedere e lui aveva restituito la cortesia. Quell'uomo doveva essere esausto almeno quanto lui.

Laure non era stupida. Aveva ragione, quando aveva detto che i cechi erano un popolo interessante. Fiutavano l'opportunità per trarre profitto politico ed economico dal nuovo sistema, pur restando ancorati a quello vecchio. Di sicuro, l'Occidente era interessato alla loro progressiva affermazione.

Si incamminò verso l'ascensore e notò una donna con un abito di viscosa color malva ferma in un angolo. Sorseggiava un drink e faceva del suo meglio per passare inosservata. Era di mezza età e quasi bella, se non fosse stato per la crocchia di capelli vistosamente ossigenati. Lo stava sorvegliando? Non poteva essere stata sguinzagliata dal Partito; forse dal nuovo Stato ceco, ansioso di proteggere i propri segreti industriali. O gli inglesi, ma quasi sicuramente no. Una ditta farmaceutica rivale?

O forse la sua abitudine a tenere sempre gli occhi ben aperti era dura a morire?

Se era lì per sorvegliarlo, non stava facendo un buon lavoro, perché era stato facile individuarla. Petr premette il pulsante dell'ascensore e le rivolse un cenno. Lei sussultò e arrossì. Per un istante pensò d'invitarla in camera, ma cambiò idea. Se lo stava davvero sorvegliando, avrebbero potuto toglierle l'incarico e sarebbe stato un peccato, dal momento che l'aveva riconosciuta con tanta facilità.

Entrato nella sua stanza, si sdraiò sul letto con le braccia lungo i fianchi e premette le mani sul materasso. Prima o poi Est e Ovest avrebbero smesso di fingere e ammesso che volevano strappare più informazioni possibili l'uno all'altro. A quel punto ci sarebbero stati grandi abbracci e dichiarazioni d'amore.

S'infilò sotto le lenzuola.

Pensò a sua moglie.

Grazie alle cure del Sainte-Anne di Parigi, Eva si era ripresa.

Quand'erano tornati a Praga, la situazione era degenerata. Le crisi erano sempre più violente. Nei momenti peggiori era in preda alle allucinazioni e si rifiutava di mangiare o di dormire. La vena oscura della malattia mentale attraversava la storia della sua famiglia e, come aveva scoperto, era riaffiorata dopo la nascita di Maria.

«Mi dispiace tanto», diceva Eva, dopo una crisi. «Mi dispiace, Petr. Perdonami.»

Ripensò alle promesse che si erano scambiati. Di rispettarsi. Di amarsi. D'impegnarsi a far funzionare il matrimonio. Di essere sinceri.

«Ti odio per non avermene parlato», le aveva detto una volta, mentre lei tremava come un animale ferito. «Pensa al rischio che abbiamo corso ad avere Jan e Maria.»

«Ti prego, non dirlo.»

Pensò a quando l'aveva conosciuta. Nel pieno della sua freschezza e, come lui, affamata di sesso e di felicità e pronta a impegnarsi con un uomo più giovane.

A differenza di Parigi, a Praga era difficile procurarsi i farmaci giusti, nel momento in cui ce n'era più bisogno. Ciò significava che Eva si chiudeva sempre più spesso in camera da letto e l'aiuto di Laure era diventato sempre più necessario.

Era stata un'estate calda, caldissima. Rovente.

La maggior parte delle sere, Eva si aggirava per la cucina cercando di preparare la cena. Beveva molto. «Per l'amor di Marx, voglio soltanto un po' di sollievo.» Il nome di Marx era pronunciato con sarcasmo. Andava a letto presto, lasciandolo spesso da solo con Laure.

Quelli erano i momenti di calma tra un episodio maniaco-depressivo e l'altro, quando Eva cercava di far funzionare le cose e chiedeva scusa per com'era diventata. In quelle occasioni cercava di spiegare a Petr cosa provava, mentre cercava con tutte le sue forze di non disintegrarsi del tutto. «È come se non ci fosse più niente di me. Dentro di me.

«Ti ho deluso.

«Ho paura.»

Ascoltarla gli era insopportabile. Petr aveva sempre paura che i bambini sentissero quei discorsi e faceva il possibile per proteggerli.

Il ritorno a Praga era stato catastrofico. Gli antichi fantasmi l'avevano presa alla gola e i miglioramenti fatti a Parigi erano stati spazzati via. «Farei meglio a morire», diceva spesso, quando usciva da una delle sue crisi.

Quella volta – quella volta in particolare – erano in bagno e si stavano preparando per andare a letto.

«Ti prego, no», aveva detto Eva, guardandosi intorno.

Petr aveva capito che stava per succedere qualcosa di brutto. L'istinto gli aveva detto di farla uscire da lì. Troppo tardi: Eva aveva preso il rasoio dalla mensola ed era fuggita in corridoio.

Sperando che i bambini fossero addormentati, l'aveva inseguita e l'aveva riportata in camera da letto. Eva era accanto alla finestra e teneva il rasoio sospeso sul polso sinistro, bianca come un lenzuolo. Aveva occhiaie scure e profonde e, sotto la camicia da notte, il suo corpo era gonfio per via dei farmaci. «Mi odio.»

«Se non t'importa di me, pensa a Jan e Maria.»

Ma Eva non lo stava ascoltando. Non lo ascoltava da tanto tempo, ormai. Non ascoltava più nessuno. Qualunque cosa si fosse impossessata di lei – il suo demone – le aveva rapito i pensieri, la mente, i sentimenti.

Petr era pronto a intervenire.

Quando Eva si era scagliata verso la porta, lui l'aveva raggiunta e immobilizzata sul letto.

«Lasciami!»

Lui le aveva preso i polsi. Eva si era dimenata e aveva battuto i piedi sul materasso. Petr aveva le mani scivolose e non era riuscita a tenerla stretta. Eva si era divincolata e lo aveva colpito all'avambraccio col rasoio.

Il dolore era stato lancinante. Subito dopo, sul braccio era incominciato a sgorgare il sangue, sempre più copioso. In un impeto di rabbia, era riuscito a bloccarle i polsi e a immobilizzarla.

In quella posizione, Eva si era calmata, si era girata su un fianco, con la camicia da notte macchiata di sangue e aveva chiesto, rivolta al muro: «Per quanto tempo ancora?»

Petr era senza fiato. Si era alzato e aveva aperto un cassetto. Ci aveva messo il rasoio e aveva preso un fazzoletto, che si era legato intorno al braccio. «Oh, mio Dio», aveva detto, invocando una divinità in cui non credeva.

Eva stava ansimando, ma era immobile, arresa.

Si era chinato a baciarle una spalla. Era un bacio di pace, che diceva: *Anche questa volta ce l'abbiamo fatta.*

Aveva alzato lo sguardo e aveva visto Laure sulla soglia.

Era paralizzata. Orrore? Paura? Incredulità?

Tutt'e tre le cose.

Quell'estate, a Praga, Laure si era insinuata dentro di lui, fino a diventare un'ossessione. Com'era accaduto? Petr adorava i bambini, il lavoro era impegnativo e lasciava poco tempo per tutto il resto. Adorava anche Eva. A modo suo. Aveva fatto del suo meglio per definire la propria posizione – morale, filosofica, pratica – e aveva tenuto fede ai suoi impegni.

Allo stesso tempo, ripensandoci, non era riuscito a capire le contraddizioni che aveva dentro di sé.

Petr fece una cosa che non faceva da tanto tempo. L'ultima volta, era stata quando aveva tenuto tra le mani la foto che gli aveva lasciato Eva, che ritraeva lui e i bambini davanti alla torre Eiffel.

Pianse.

21

Tornò a Berlino alla fine della primavera.

Era stato molto occupato. A casa c'era stata una crisi economica, il neonato mercato azionario ceco aveva oscillato pericolosamente, il tasso di crescita era negativo e lo avevano chiamato al timone della Potio Pharma per traghettarla fuori dalla crisi.

Dopo Pasqua, la situazione era migliorata e Petr si era considerato libero da impegni. La priorità era andare a Parigi a trovare Maria, che adorava la Francia e non era intenzionata a tornare a casa tanto presto. *Plus ça change.*

Maria ora vestiva gli abiti della studentessa con curata naturalezza, parlava *argot* e lo trascinava nelle *boîtes* che conoscevano soltanto i veri parigini, tutte cose che rafforzavano il suo legame con la figlia.

Stavano bevendo un espresso vicino a Pont des Arts, quando lei gli aveva chiesto cosa l'avesse colpito la prima volta che era venuto a Parigi. Petr aveva incominciato a descrivere gli ippocastani rigogliosi dei parchi, la varietà sorprendente di colori degli abiti femminili dopo il grigiore ceco, i cioccolatini incartati a uno a uno, i cestini dei rifiuti, i profumi di tutti i tipi: floreali, muschiati e pericolosi. «E i dentisti. Non dimentichiamo i bravi dentisti.»

«Voglio vivere a Parigi», gli aveva detto Maria. «Hai qualche obiezione?»

«Sì. Io e Jan non riusciremo a vederti. Ma, se lo desideri, allora devi.»

Maria aveva acceso una Gitane. «Farò avanti e indietro.»

Da Parigi, Petr aveva contattato l'ambasciata inglese a Berlino e aveva chiesto di parlare con Laure. La chiamata era stata trasferita parecchie volte e si erano sentiti dei *clic*, segno che la telefonata era registrata.

«Pronto?» aveva detto Laure alla fine.

«Sono Petr.»

«Petr. Stai bene?» Sembrava distaccata, come se l'avesse cancellato dalla sua rubrica mentale. Come se, forse, si fosse arresa e avesse smesso di farsi delle domande.

«Domani vengo a Berlino e mi fermo un paio di giorni. Possiamo cenare insieme? Magari riusciamo a scoprire qualcosa.»

All'altro capo del telefono, l'aveva sentita trasalire. «Vieni da me alle sette e mezzo.»

A Charlottenburg, un quartiere del vecchio settore Ovest di Berlino, gli alberi erano in pieno rigoglio. Un delicato profumo si levava da quelli già fioriti. Con un bouquet di rose arancioni costosissime in una mano e un pacchetto voluminoso nell'altra, Petr scese dal taxi e guardò il palazzo in cui viveva Laure.

Cosa le avrebbe detto? Non lo sapeva ancora. Per qualcuno così risoluto sul lavoro, quell'incertezza era insolita e destabilizzante.

L'appartamento di Laure era al terzo piano di un palazzo che l'ambasciata inglese dava in affitto ai suoi dipendenti. L'ingresso era freddo e i suoi passi riecheggiarono sulle scale di marmo.

Fuori dall'appartamento numero 7, si sistemò il bavero del soprabito costoso: un cappotto che sua madre avrebbe condannato come espressione delle vergognose brame borghesi. Lui, invece, lo considerava essenziale per sopravvivere.

Laure aprì la porta. Indossava un paio di pantaloni neri aderenti e un maglione blu, e aveva l'aria nervosa.

Lui le porse i fiori. « Un po' banali, ma avevano un certo non so che. I petali sono lisci come seta. »

« Banali o no, sono deliziosi. »

« Speravo di riuscire a confezionarli con un nastro elegante, ma non ne avevano. Soltanto un po' di spago. »

« Non ce n'è bisogno. » Lo accompagnò in soggiorno e scomparve per andare a prendere un vaso.

Petr si guardò intorno e rimase colpito dall'arredamento spartano, come se Laure non pensasse di dover vivere a lungo in quel posto. I mobili erano funzionali, le tende scadenti e non c'era quasi niente che suggerisse la volontà d'imprimere la propria personalità tra quelle pareti. Gli unici effetti personali erano sul tavolo, sistemati in modo curioso, come una collezione di oggetti sotto vetro.

« Sembra la teca di un museo. »

« Mi piace creare un legame tra gli oggetti. »

Petr prese uno specchietto col manico decorato da conchiglie, come quelli che aveva visto sulle bancarelle dei mercati di Praga. Era pacchiano, per usare un eufemismo, come la bandierina ceca di plastica che aveva visto nelle vecchie assemblee di Partito. Accanto, c'era un sasso: era quasi sicuro che fosse quello che aveva raccolto accanto al Tunnel 15.

Chissà che collegamenti aveva fatto Laure tra quegli oggetti.

Dopo avere messo il vaso sul tavolo, lei prese due bicchieri dalla credenza e una bottiglia di whisky. « Il tuo preferito, se non ricordo male. »

Lui annuì. Sorseggiò il whisky, indicando la stanza. « Sembra che ti sia sistemata bene. »

« Sì. Sono fortunata. E riconoscente. »

« Quando ci siamo visti l'ultima volta non ti ho chiesto della tua famiglia. »

« Mia madre è a Parigi. Mio fratello in giro per il mondo», rispose, gli occhi illuminati da una scintilla di umorismo. «Siamo diventati nomadi. A Brympton non se ne sono ancora fatti una ragione.»

Petr indicò una valigia sotto il tavolo. «Non è una coincidenza che tu sia finita all'ufficio esteri, vero? Ti hanno aiutato a uscire da Praga e di sicuro gliene sei stata grata. È un buon lavoro?»

«A Berlino non è uno spasso, in questo momento. Ma le cose cambieranno. E, sì, è un buon lavoro.»

«Immagino che tu sia stata tentata dallo spionaggio.» Stava tastando il terreno.

Laure lo guardò con una leggera sorpresa. «Sono un'addetta culturale. Niente di più, niente di meno.»

«Ma hai accesso alle informazioni.» Petr pensò ai documenti che gli aveva mostrato in auto.

«Tutte le ambasciate conservano dei documenti. È soltanto lavoro.» Il suo tono era pragmatico e distaccato.

Tuttavia la stanza desolata fu attraversata da una corrente sotterranea forte, persino sinistra. Petr la avvertì, ed era certo che lo avesse fatto anche Laure. Andò alla finestra, che si affacciava su una piazzetta circondata da giovani tigli.

Laure lo raggiunse, tenendosi un po' a distanza. «Ricordi quando sei venuto con me e coi bambini nel parco, a Praga?»

«Molto bene.»

«Continuavi a guardarmi. Ricordo che ero spaventata. Non capivo bene.»

«Cosa, di preciso?»

Impiegò qualche secondo a mettere in ordine i suoi pensieri. «Che tu... Che mi volevi. Magari non proprio me, ma la mia giovinezza. Mi sbaglio? È la solita vecchia storia, Petr. Il padre di famiglia che s'invaghisce della ragazza alla pari.»

Non fece caso al modo in cui aveva riassunto il suo tormento di allora e si difese: «Laure, sei libera di protestare, se vuoi, ma lo capivi eccome. Tu stessa eri innamorata. Sapevi esattamente cosa succede tra un uomo e una donna. Però, no, non ti sbagli».

«Grazie della tua sincerità.»

«Sono stato molto attento a non approfittarne.»

«Avevo vent'anni e tu eri il mio datore di lavoro, e avevi promesso a mia madre di prenderti cura di me. In quel periodo, credevo a ciò che mi dicevano le persone.» Si allontanò, prese il sasso dal tavolo e lo soppesò da una mano all'altra. «Poi sono cresciuta.» Laure stava parlando un po' troppo, ma probabilmente era tutto calcolato.

«Ho onorato la mia promessa. Ero un comunista, ma non un predatore.»

«Vero. Te lo concedo.»

La madre di Laure gli aveva spedito una lettera, tramite l'agenzia di collocamento francese, spiegandogli che, poiché Laure stava soffrendo per la morte improvvisa del padre, aveva deciso d'interrompere gli studi per un anno in modo da riprendersi. *Chiedo che lei, come padre di famiglia responsabile, si prenda cura di Laure insieme con sua moglie.*

«Ciononostante sapere che il tuo capo ha un debole per te è triste e spaventoso.»

Petr non aveva ancora capito dove volesse arrivare. «Non ti ha impedito di continuare a frequentare Tomas.»

«Tomas non era triste, né spaventoso.»

Petr sussultò. «A mia discolpa, nemmeno io lo ero.»

Laure sorrise. «Tomas non era vecchio e non aveva le rughe.»

«Sei tremenda.»

Per la prima volta, Laure aveva parlato del passato con umorismo e l'atmosfera si alleggerì.

Laure andò in cucina e tornò con una ciotola di olive. «Queste sono introvabili.» Le mise sul tavolo insieme con un piatto di salsiccia tedesca tagliata a fette.

Petr si mise un'oliva in bocca. Era saporita e aspra.

Laure si sedette di fronte a lui. «C'è una cosa che mi tormenta. Ho bisogno di sapere se ti ho mai detto qualcosa... Senza volerlo. Quando parlavamo, dopo che Eva era andata a dormire, oppure quando portavamo i bambini al parco.»

Era difficile ricordare quei momenti: ciò che aveva sentito era un'intimità sempre più profonda, la realtà della sua presenza fisica.

Ricordò l'entusiasmo represso di Laure, le sere in cui usciva. La sua felicità, quand'era tornata dalla *chata* degli Anatomie. Qualsiasi stupido avrebbe capito che c'erano state delle discussioni. Sesso e politica erano una miscela incendiaria e non c'era voluto molto per capire di cosa avessero parlato. «Qualche accenno, qua e là.»

Laure si morse il labbro inferiore.

«Gli Anatomie erano noti dissidenti. Tu eri un'occidentale. E alla fine non ti sei fidata e non hai voluto che ti aiutassi a uscire dalla Cecoslovacchia.»

Laure riempì di nuovo i bicchieri e avvitò la bottiglia con tale forza che fece tremare il vassoio. «Certo che no. Mi avevi detto che non l'avresti fatto, ti ricordi?»

Petr guardò la sua bocca, che lo affascinava così tanto. Quel giorno aveva un rossetto color cipria. Assumere Laure aveva messo in pericolo la sua vita, costruita con tanta attenzione, con esiti quasi disastrosi. Ormai per strada avevano acceso i lampioni, così Petr colse l'occasione per cambiare argomento. «Non riuscirò mai a capacitarmi dell'intensità delle luci, in Occidente. Dovrebbero fare attenzione a non sprecare le risorse. Noi abbiamo fatto di meglio.»

«Che sciocchezze dici? I vecchi tempi erano orrendi. Il Partito era orrendo. La vita era orrenda...» Gli puntò contro un'unghia laccata di rosso. «Potrei ricordarti che sei stato abbastanza furbo da fuggire a Parigi.»

« E ora, coi cambiamenti, sto diventando ricco. Non è ironico? »

« Abbastanza. » Laure rigirò il whisky nel bicchiere.

« Non volevo diventarlo, ma è successo. »

« E ti *piace*? »

« Sì. »

Laure sembrava pensierosa. « Forse doveva accadere. Adoravi vivere in Occidente. »

Non aveva intenzione di negarlo.

« Cos'hai in mente di fare, con le tue nuove ricchezze? »

La salsiccia era rosata e aveva un aspetto invitante. Ne assaggiò una fetta. « Penserò a qualcosa. »

« Istituirai un fondo per scoprire cos'è successo alle persone? »

Lo disse senza cattiveria, ma Petr si sentì punto sul vivo. « Ho intenzione di proteggere me stesso. Nel mio lavoro, ho fatto del mio meglio per portare a casa competenze indispensabili. L'Occidente non dovrebbe avere il monopolio della conoscenza. La seconda guerra mondiale ha portato terrore, distruzione e il crollo dell'ordine mondiale, e ci ha costretto ad affrontarne i risultati. Volevamo un sistema che curasse la nostra mente dolorante, il nostro sistema politico ammaccato, la nostra miopia sociale. Ne avevamo bisogno. Il comunismo ci ha promesso che eravamo tutti uguali, tutti sulla stessa barca. »

« Mente dolorante, sistema politico ammaccato, miopia sociale... Santo cielo, intendi i russi? » chiese Laure, sarcastica.

Petr guardò quel viso che, per tante ragioni, l'aveva perseguitato. « Stai registrando la conversazione? »

Laure accennò un sorriso. « A dire il vero, no. Ma, se facessi il lavoro di cui mi accusi, avrei potuto. Non preoccuparti. La tua visita qui è stata approvata. Non sei considerato una minaccia. »

Petr apprezzò l'informazione. « Potrei offendermi. »

« Come se agli inglesi importasse qualcosa. »

« Non è un discorso da addetta culturale, questo. »

Laure gli sorrise.

Petr strinse il bicchiere e si appoggiò allo schienale del divano, pensando che sarebbe potuto restare lì per sempre, a scambiarsi aneddoti, a condividere il passato.

E, sì, potevano anche restare immersi in un silenzio neutrale, forse soddisfacente.

Laure fu la prima a rompere il silenzio e l'armonia inaspettata. « Petr, devo sapere chi ci ha tradito. Sei stato tu? » Trangugiò il whisky come se fosse una medicina. « So che Lucia e Milos non l'avrebbero mai fatto. Ma magari uno degli altri. Ho *bisogno* di saperlo. Ce l'avresti anche tu, se qualcosa ti avesse quasi rovinato la vita. O te l'avesse rovinata del tutto. So che quello che mi è successo non è niente, in confronto a quello che ha dovuto sopportare Tomas. Io posso ancora rifarmi una vita. Sono passati dieci anni... »

Dieci anni difficili, pensò lui.

« E stiamo imparando tutti ad andare d'accordo. Hai la possibilità di dirmi la verità. È una cosa bella. »

« Non necessariamente... »

« Lucia aveva passato dei brutti momenti, questo lo so », lo interruppe. « I suoi genitori erano stati minacciati. Come tanti altri, viveva sul filo del rasoio. Ma avrebbe dato la vita per la causa. L'ammiravo, per questo. Era coraggiosa. »

« Forse. » Petr chiuse gli occhi per una frazione di secondo e prese la sua decisione. Le avrebbe detto qualcosa. « Però ti ha denunciato, Laure. »

« *Cosa?* Lucia? »

Dopo la caduta del regime, Petr si era imposto di scoprire che informazioni avesse lo Stato su di lui. La lettera era negli archivi, allegata al suo dossier. Ne citò un brano: « 'Petr Kobes ha assunto una persona che diffonde sentimenti anticomunisti e corrompe le nuove generazioni' ».

«Non posso credere che Lucia... *Lucia!*»

«I motivi che spingono le persone a compiere determinate scelte sono complicati. L'ho imparato a mie spese. Tardi, ma l'ho imparato. Prova a pensarci. Lucia ti voleva togliere di mezzo perché attiravi l'attenzione delle autorità. Era meglio farti sparire. Non era una questione personale.»

«Come faceva la polizia a sapere della riunione in teatro?»

«Chi può dirlo? Forse non scopriremo mai tutti i dettagli.» Laure stava cercando una punizione o l'assoluzione? «E *tu*? Hai mai cercato di scoprire cos'è successo a Tomas?»

«Sì, ma non ho ottenuto nessun risultato.»

«E lui non ti ha contattato?»

«No.» Era disperata. Si alzò di nuovo. «L'ultimo giorno, quando me ne sono andata... Chiudere un occhio era uno sport nazionale, in Cecoslovacchia. Perché non potevi farlo anche tu?» Gli si mise di fronte. «*Perché?*»

Avrebbe voluto dirle: *L'ho fatto per te.*

«Tomas non era così importante. Non era un politico. Non contava niente.»

Petr fece un sorriso gelido. «Se sei venerato dai giovani, conti eccome. Anche Eva lo desiderava.»

«Me n'ero dimenticata. Povera Eva.»

Non sapendo cos'altro fare, Petr prese una seconda fetta di salsiccia.

«Sono troppo invadente, se ti chiedo cos'è successo? Le volevo bene e mi piacerebbe saperlo.»

Perché non me l'hai detto? aveva chiesto a Eva quando la situazione era diventata insostenibile.

Perché volevo sposarmi, aveva risposto lei.

«Io ed Eva ci siamo sposati pochi mesi dopo esserci conosciuti. Mi ha tenuto all'oscuro della malattia che c'era nella sua famiglia. Forse era stata benissimo tutta la vita. I medici mi hanno detto che probabilmente erano state le due gravidanze a scatenarla. »

« E? »

« Quando sei arrivata tu, era in cura al Sainte-Anne di Parigi. Poi mi hanno richiamato a Praga, dove l'approccio dei medici è diverso. Volevano farle l'elettroshock, ma lei si è rifiutata. » Parlarne era un sollievo. E lo fu ancora di più quando – inaspettatamente – Laure lo prese per mano. Delicatamente, senza impegno. Ma era passato tanto tempo da quando qualcuno lo aveva toccato in quel modo.

Guardò la mano di Laure sulla sua e ripensò a quando aveva fatto lo stesso, quel pomeriggio al parco, poi incominciò a parlare. « Diceva che era come essere in prigione. Una notte è uscita di casa. Non so se l'abbia vista qualcuno. Ma è andata fino al fiume e si è buttata da un ponte. »

Laure serrò le dita intorno alla sua mano.

« Ha lasciato una foto di me coi bambini, scattata vicino alla torre Eiffel. Dietro, ha scritto che voleva lasciarci in pace e chiedeva il nostro perdono per averci deluso. »

« Dire che mi dispiace non rende l'idea. Ma mi dispiace. »

« Laure...? » Sulla tempia di Petr pulsava una vena minuscola.

Laure ritrasse la mano e lui fu attraversato da un'ondata di euforia.

« Le persone non muoiono, finché non le dimentichiamo. Anche se stiamo guardando un mucchio d'ossa. »

Lei gli rivolse uno sguardo duro, feroce. « Quindi lo *sai*. »

Era arrivato il momento di dirglielo. « C'è un motivo, se ti ho chiesto di vederci. Ho una cosa per te. » Si alzò, prese l'involucro e glielo porse.

Lei non si mosse. « Un regalo? »

« Da un certo punto di vista. »

« Perché? »

« Pensavo che potesse avvicinarci. »

« Non voglio prendere niente da te, Petr. Non lo farò mai. »

La frase lo ferì, sebbene non fosse del tutto inaspettata. « Pensalo come un regalo della compagnia teatrale, allora. »

« La compagnia? » chiese Laure, sorpresa. « Viene dalla *compagnia*? »

Petr le diede il pacchetto. Era avvolto in sudicia carta da pacchi e legato con lo spago. La guardò mentre scioglieva il nodo con difficoltà. Era una scatola stretta e poco profonda. All'interno c'era della carta di giornale ingiallita. Laure la scostò, sollevando una leggera nube di polvere.

Rivolse uno sguardo interrogativo a Petr.

« Va' avanti », le disse.

Laure tirò fuori dalla scatola una marionetta. « È lei? »

« Da' un'occhiata. » Aveva la ferrea sicurezza di essere arrivato sull'orlo di un precipizio da cui non c'era ritorno.

I fili della marionetta erano accuratamente annodati sulla schiena e la barra di controllo era legata con un nastro.

« È opera di Milos », disse lei, con tenerezza. « Era sempre molto meticoloso, quando riponeva le marionette. Sempre. Sempre. Era il lavoro della sua vita. » Toccò una mano della marionetta. « Lo sapevi che sono fatte in legno di tiglio e alcune sono molto pregiate? » Le tremava la voce. « È Marenka. La *conosco*. La riconoscerei ovunque. »

22

« È davvero Marenka », disse Petr.

Laure si lasciò sfuggire un grido e, tenendo la marionetta in grembo, la cullò come se fosse un bambino. « L'ho sognata tutti questi anni. Le ho sognate tutte. Ho sognato quei momenti. »

La guardò cercare di recuperare la calma. « Quando ti ho incontrato, ho capito che dovevi averla tu. La compagnia è stata sciolta e le loro cose sono state confiscate. Sono riuscito a prendere la marionetta e da allora è sempre rimasta nel mio ripostiglio. »

Laure accarezzò la testa di legno. « Hai aspettato in silenzio di tornare alla tua vita, Marenka? O hai gridato disperata e non ti ha sentito nessuno? »

« Smettila, ti prego. »

« Hanno un'anima anche loro. Le marionette. Hanno una vita. Soffrono. »

Era un lato di Laure che non conosceva. « No. *Noi* soffriamo. Non loro. »

Lei scosse la testa. « Marenka, il Principe, il Pierrot e gli altri sono vivi. Forse non lo capisci. » Gli sorrise educatamente, come se fosse uno sconosciuto. « Un bravo burattinaio sa che vivono un'esistenza parallela alla nostra. Bisogna amarle, se si vuole stabilire un legame con loro. »

Quella Marenka aveva la bocca scarlatta, occhi di colore diverso – uno azzurro e uno verde – incorniciati da ciglia folte e una crepa lungo l'orecchio destro. Laure sfiorò la fenditura col pollice. «Si è rotta quando Lucia l'ha fatta cadere. Stavamo litigando e ho sempre pensato che l'avesse fatto apposta.» Frugò nella scatola. «Chissà se... sì.» Tirò fuori un riquadro di tessuto che, aperto, diventava un velo da sposa. «C'è ancora. L'ha fatto Lucia, con un vecchio cimelio di famiglia. Me l'ha fatto vedere.» Accarezzò il pizzo e lo adagiò sul capo di Marenka. «Ne ero terrorizzata.»

Il romanticismo di Laure lo commosse. «Fanno parte della nostra cultura.»

«Allora non lo capivo. Il potere che hanno.» Laure slegò il nastro intorno alla barra di controllo ed esaminò i fili consumati. «Riesco a vedere Milos mentre lo lega. I fili devono essere attaccati alla testa, alla schiena, alle mani e appena sopra il ginocchio. Non mi sono dimenticata.» Tese la barra di controllo e abbassò Marenka finché i suoi piedi di legno non toccarono il pavimento, manovrandola goffamente lungo il divano.

«Gli occhi di colore diverso erano un messaggio.»

«Davvero?»

«Non c'è più bisogno di fingere, Laure. Era facile da capire.»

«Allora sai quanto fosse efficace», disse, smettendo di manovrare Marenka. Poi proseguì in tono più duro: «Tu e i tuoi... colleghi avrete sicuramente colto i significati nascosti degli spettacoli. Ma lo facevano anche gli altri, che coglievano molte più cose di quante ne avreste mai potuto cogliere voi. Conforto e risate. Verità che non potevano essere pronunciate ad alta voce. La compagnia era brillante, da questo punto di vista. Hai mai guardato il Pierrot, mentre ci spiavi?»

Petr soffocò la rabbia. «Sì.»

«Mi faceva sempre piangere. Ma era un miracolo. Una marionetta è tecnicamente un oggetto inanimato, ma è anche viva in un modo che non possiamo spiegare. Il Pierrot soffre, e noi insieme con lui. Era la cosa più tragica e *meravigliosa* del mondo. Non vedrai mai niente di simile. Si rifiuta di essere manovrato dal burattinaio. Sa cosa lo aspetta. Ci ha mostrato che potevamo fare delle scelte e potevamo accettare la morte.» Ora piangeva. «Perché era mosso soltanto dall'amore e amava così tanto la vita da rifiutare qualsiasi compromesso. Per questo si è tolto i fili. Ma non mi aspetto che tu capisca.» Si asciugò le lacrime con una manica.

Petr pensò a Jan e Maria che giocavano con le foglie del parco, in quel pomeriggio d'estate, a Eva che usciva di nascosto dall'appartamento per correre incontro alla morte. Pensò anche al momento in cui l'uomo del Partito col cappello di feltro gli aveva portato via la libertà.

«Cos'è successo a Milos e Lucia?»

Petr sapeva che, prima o poi, Laure gliel'avrebbe chiesto. Usando i suoi contatti, era riuscito a entrare in possesso dei documenti pertinenti. «È una vecchia abitudine ceca, quella di coalizzarsi contro i nemici pubblici. Probabilmente lo sai. Così si sentono tutti più al sicuro. Lucia e Milos erano collegati a Tomas e agli Anatomie e, quando il gruppo è stato arrestato, sono stati etichettati come nemici. Alla fine le acque si sono calmate. La situazione non era grave come negli anni '60. Se fosse successo allora, sarebbero stati fatti sparire di sicuro. Probabilmente vivono da qualche parte fuori Praga.»

«Ah...» Laure mise la marionetta in posizione verticale, facendola sbatacchiare.

Quel *clic clac* aveva il potere di evocare il passato. Il giorno del suo nono compleanno, la madre di Petr lo aveva portato a vedere uno spettacolo di marionette in cui un demone inseguiva un capitalista per il palco. I fili tesi, i denti scoperti, i volti bianchi come gesso. Sua madre gli avrebbe raccontato che le aveva stritolato la mano per la paura.

«Sono fuori esercizio», disse Laure.

Petr si mise a ridere.

Laure regolò i fili e aprì la barra di controllo e Marenka si raddrizzò: il velo le copriva pudicamente il viso e una lunga treccia scendeva lungo la schiena. «Sto incominciando a ricordare come si fa.» Mosse la barra e la marionetta si girò a guardare Petr. «È come andare in bicicletta. Ti sta facendo delle domande. Tipo: perché mi stai regalando a questa donna?»

Lui non rispose.

«Penso che tu lo sappia molto bene. È il senso di colpa.» Si concentrò sui fili della marionetta. «Ho imparato una cosa. Se ti senti in colpa per qualcosa, non vuoi lasciar correre. Ho scoperto che succede così. Ti piace tormentarti. Hai *bisogno* di tormentarti. Per me era così.»

Era una discussione talmente dolorosa che non riuscì a continuarla. «Ho pensato che dovessi averla tu.»

«Sei sempre stato generoso.» Laure diede uno strattone ai fili e Marenka sgambettò verso di lui con andatura da ubriaca. «L'altra domanda fondamentale che ti rivolge la marionetta è: dov'è il mio Principe? Dov'è andato?»

Petr fu costretto a rispondere. «Non è una bella domanda, né tantomeno saggia.»

«Cosa ne farò di te, Marenka?» Laure distese la marionetta sul divano e piegò le barre come le aveva insegnato Milos, poi le toccò una mano di legno. «Dovrebbe stare in un museo ceco, a maggior ragione perché era a Praga quand'è terminato tutto, alla fine di un'era. Ha un valore storico.»

«Non mi ringrazi?»

Laure lo guardò negli occhi. «Grazie.»

Lo disse in modo talmente semplice che Petr distolse lo sguardo.

«Ora, ti prego. Dimmi di Tomas.»

«Ancora Tomas.»

«Sì. Ma si tratta anche di te. Lo consideri un modo per riscattarti?»

Si guardarono negli occhi.

Un maldestro aggiustamento tra moralità, dolore e osservanza politica? Desiderio sepolto in profondità? Rimpianto?

Un accordo negoziato?

Laure prese un respiro profondo, come se si preparasse a tuffarsi da un trampolino, e sciolse la cravatta di Petr. «Francese, immagino.» Poi guardò l'etichetta. «Come ho fatto a indovinare?» La lasciò cadere per terra, lo prese per mano e lo portò in camera da letto.

Dopo solo qualche secondo, Petr si rese conto che era abilissima a dissimulare. Quello che Laure provava per lui era molto lontano da quello che Petr provava per lei. E, in effetti, sotto la superficie di quel corpo arrendevole, l'uomo percepì un profondo disprezzo.

Laure gli accarezzò il torace nudo e rabbrividì.

Lui l'abbracciò, si protese su di lei e le baciò la spalla, come aveva fatto tante volte con Eva. «È da tanto tempo che aspetto questo momento.»

Laure s'irrigidì. «Non sarebbe dovuto arrivare.»

Le prese il viso tra le mani e la baciò a lungo, teneramente.

Un attimo dopo avere incominciato a ricambiare, Laure si ritrasse. «Non farlo.»

«Perché no?»

«È troppo intimo.» Chiuse gli occhi e aspettò che fosse dentro di lei, prima di continuare: «Dimmi di Tomas». Aveva gli zigomi arrossati e, per qualche secondo, Petr si chiese se anche lei trovasse piacevole quell'incontro, anche soltanto un po'. «È... è morto?»

I morti erano facili da amare, pensò lui. Tomas non l'a-
vrebbe mai tradita, sarebbe sempre stato all'altezza delle
aspettative.

Laure si mosse appena, provocando un'ondata di piacere
in lui. «Petr, quello che è successo a Eva è terribile, ma tu *sai*
cosa le è successo. È ciò che rende possibile convivere col
dolore.»

Le sensazioni erano travolgenti. Petr chiuse gli occhi e
desiderò che quel momento fosse dolce, tenero, di commia-
to: un momento in cui non ci fossero più barriere. Le accarezzò una guancia. Forse ciò che provava per Laure era in
grado di dargli la pace interiore, la ricchezza che desiderava? «Non lo so. Non so cosa gli è successo», mentì.

Laure s'immobilizzò. «Allora sei finito nel mio letto con
l'inganno.» Si ritrasse bruscamente.

Petr imprecò in silenzio, seccato. «Torna qui.»

Lei si alzò e prese la vestaglia appesa dietro la porta. «Ti
ho fatto una domanda precisa.»

Petr restò sdraiato e si coprì gli occhi col braccio, consapevole che sarebbe stato malissimo per il resto della sera.
«Laure, se pensi di punirmi negandoti in questo modo, ti
sbagli.» Ma la verità era che ci andava vicino. La sua passione, il suo passato lo mettevano in una condizione di enorme
svantaggio, a maggior ragione perché era costretto a combattere con un'entità più forte e durevole: un fantasma.
«La tua ossessione per un uomo scomparso non è d'aiuto
a nessuno.»

«È un problema mio.»

I puntini luminosi dietro le palpebre chiuse gli fecero venire una leggera nausea. Tirò via le lenzuola, si alzò e andò
in bagno, sbattendo la porta. Lì, appoggiò le mani al lavandino e cercò di controllare la rabbia e l'enorme delusione.

Voleva ucciderla. Voleva ferirla. Voleva farla tacere. Inorridito, guardò l'immagine riflessa nello specchio e vide un uomo che non riconobbe.

Poi prese un asciugamano pulito dallo scaffale e si coprì. Laure era seduta sul letto, ma aveva indossato una vestaglia. Le si avvicinò. «Laure, hai corso un rischio davvero stupido. Le donne vengono picchiate per una cosa del genere. Avrei potuto metterti le mani addosso.»

«Forse. Ma non credo che tu sia il tipo.»

Il desiderio che scorreva nelle sue vene lo rese ancora più feroce. «È dannatamente stupido e tu non sei una stupida.» Quante emozioni violente era possibile provare, nell'arco di poche ore? Molte, dovette ammetterlo. E lo avevano sfinito. Guardò Laure e vide un'espressione trionfante sul suo viso, ma anche vergogna. «Mi dispiace. Per come sei cambiata.»

Lei si alzò e i capelli le scivolarono sulle spalle. «Dispiace anche a me, Petr. Ma quello che mi hai fatto tanti anni fa ha fatto sì che io mi comporti... be', come mi sono appena comportata.» Scrollò le spalle.

«Ne prendo atto.» Prese una sigaretta dalla tasca della giacca, poi cambiò idea. Le mise di nuovo in tasca. «Per quello che vale, Tomas è riuscito ad arrivare alla stazione, dov'è stato arrestato e messo in isolamento.»

Laure tornò da lui come un lampo. «In quale prigione?»

«La Bartolomějská. Una volta era un convento.» Si appoggiò alla testiera del letto. «Le stanze delle monache erano adatte allo scopo e la chiesa veniva usata come tiro a segno.»

«E non volevi dirmi nemmeno questo?»

«No.»

«Perché?»

«Perché ti perseguiterà tutta la vita.»

«Sarà lo stesso anche per te, no? Dovrebbe, almeno.»

«Abbi pietà.»

Lei annuì. «Come faccio a scoprirlo? La polizia segreta

avrà sicuramente conservato i registri. Come i nazisti e la Stasi. »

« Buona fortuna per la tua ricerca. »

« Sarai *tu* a cercare per me, Petr. Per rimediare al torto, per trovare la pace... sarai *tu* a trovare le informazioni. » Raccolse i capelli in una crocchia. « Sei stato tu a distruggere un futuro. Consideralo un risarcimento. »

Da qualche parte, aveva letto che l'amore era esaltato e reso più profondo dal dolore. Ma a tutto c'era un limite e lui era vicino al punto di rottura. « Laure, hai mai pensato che forse Tomas ti volesse soltanto usare? »

Laure sbiancò. « Hai già usato questa tattica, Petr. Com'è che si chiamava? Metodo della contaminazione? Lo usi ancora? » Spalancò la porta senza degnarlo di uno sguardo. « Tomas era un uomo che ha avuto il coraggio di sfidarvi tutti e non ha mai ceduto ai compromessi. Era coraggioso. E lo amavo. E lui amava... » Si fermò. « Vattene. Vattene subito. »

Petr infilò la camicia e incominciò ad abbottonarla.

Laure raccolse i suoi vestiti e li appoggiò su una sedia. « Sai dov'è la porta. » Poi andò in soggiorno.

Petr si sedette sul bordo del letto. Nella testa si mescolavano i dolori passati e il desiderio bruciante, insieme col whisky che giurò di non bere mai più.

Laure si muoveva nella stanza accanto. Sentì rumore di bicchieri, un'anta che si chiudeva. Poi calò il silenzio.

Si diresse verso la porta e andò a sbattere contro di lei, che stava tornando in camera. Si ritrovarono l'uno di fronte all'altra.

« Mi dispiace. Ma mi hai ferito », disse lei.

« Dispiace anche a me. »

L'amore era così impaziente da accontentarsi dei frammenti che venivano offerti.

Nei suoi occhi verdi affiorarono emozioni diverse, ma non riuscì a decifrarle. « Ho onorato la mia parte dell'accordo. »

«Sono *certa* che Tomas mi amava...» disse Laure, con una punta d'incertezza.

Eccolo, pensò lui. Il dubbio aveva messo radici. C'era voluto del tempo, ma era lì.

L'amore va d'accordo con la pietà? E col potere? O col tradimento e con la deprivazione?

Si fece coraggio. «Se ti dico quello che so, devi promettermi di dimenticartene e di vivere la tua vita.» Laure aveva uno sguardo così oppresso e turbato che si sentì trascinato nei suoi abissi. «Per la tua sanità mentale.»

Laure si sedette sul bordo del letto.

La nuova Repubblica Ceca non era un terreno a buon mercato nel quale operare: Petr aveva pagato profumatamente l'informazione che stava per dare a Laure. Da un certo punto di vista, era come se avesse comprato il proprio dolore. Convivere con ciò che aveva scoperto significava guardare in faccia i crimini e i reati che aveva appoggiato il regime. «Tomas era sulla lista nera. Era un noto dissidente. Spesso lo prelevavano e lo interrogavano, questo lo sai. E lo picchiavano. Pensavano che lui e il gruppo cercassero di ottenere informazioni per fuggire in Occidente. L'hanno arrestato mentre saliva su un treno diretto a Vienna e l'hanno portato alla Bartolomějská.»

Laure si lasciò sfuggire un gemito angosciato.

«I prigionieri erano divisi in tre categorie: criminali comuni, recidivi e pericolosi. In quest'ultima categoria di solito erano inclusi i prigionieri politici. Non era un bel posto in cui stare.» Non aveva intenzione di scendere nei particolari. In passato, i prigionieri politici venivano mandati nelle miniere d'uranio, che erano inferni tossici e violenti, controllate da delinquenti e assassini. Ma Laure non aveva bisogno di saperlo. Poteva fare *almeno* quello, per lei.

Laure incrociò le braccia.

«Vuoi che continui?»

«Sì», rispose lei, guardando da una parte all'altra della stanza.

«Tomas era nella categoria dei criminali pericolosi. Lo hanno interrogato tre giorni e poi è stato ricoverato nell'ospedale della prigione. I documenti dicono che aveva un braccio e una gamba fratturate e una brutta ferita alla testa.»

«E chissà cos'altro», mormorò Laure, prendendosi il viso tra le mani.

Petr osò accarezzarle i capelli. «Dovevano trasferirlo in una prigione fuori Praga.»

Sollevò il viso, pallido e sconvolto. «Oh, mio Dio. C'era scritto qualcos'altro?» Petr esitò e lei gli rivolse di nuovo la domanda, impaziente.

«Da quello che so, non risulta che abbia lasciato l'ospedale, il che potrebbe significare che è morto o che qualcuno è stato negligente. I documenti non sono infallibili e molti potrebbero essere stati distrutti.»

Laure sembrava avere recuperato il controllo, anche se parlò con un filo di voce. «Va bene. Potrebbe essere morto lì. Ma non lo sappiamo con sicurezza. Potrebbe essere uscito dalla Bartolomĕjská?» Il suo accento non era migliorato. Al contrario, era terribile, ma era una delle tante cose che gli piacevano di lei.

«Nelle sue condizioni, avrebbe dovuto avere degli amici molto potenti. Spero che riuscirai ad accettare l'idea che probabilmente Tomas non ce l'ha fatta.»

Ma Laure non lo stava ascoltando. «Quindi è possibile che lo abbiano fatto fuggire dall'ospedale e lo abbiano portato da qualche parte? Magari in Ungheria?»

«Anche se fosse, vivere in fuga sarebbe stato difficile. Molto. Senza documenti, né soldi.»

«Stai dicendo che l'hanno torturato?»

«Se non ha parlato, è quasi sicuro.»

«Tomas non avrebbe mai parlato.»

« Cara Laure. L'hanno picchiato a sangue. »

« No! Tomas era pronto. Preparato. Mentalmente, intendo, perché sapeva cosa sarebbe potuto succedergli. »

« Sappiamo entrambi che è impossibile sapere come può reagire una persona in quelle circostanze. A volte sono proprio i più duri a cedere. Ma le persone più miti e insospettabili possono sorprenderti. Trovano delle risorse inaspettate dentro di sé. Oppure si dicono che quella è la loro ultima possibilità di lasciare un segno, anche se nessuno lo verrà mai a sapere. »

Laure strinse i pugni. « Be', sei tu l'esperto. Lo sapevo, davvero. Lo sentivo. Ho sentito il suo dolore. »

« Ascoltami: Tomas è morto. È quasi certo. »

Laure restò in silenzio. Poi scosse la testa. « Finché non lo so con certezza, lascerò la porta aperta. Ma non posso perdonarti per averlo tradito. »

« Sei davvero sicura che sia vero? »

Lei impallidì. « È una reazione piuttosto comune, per i colpevoli, scaricare la responsabilità sugli altri. »

« Invece nascondere verità sgradevoli dietro la cosiddetta 'perdita di memoria' è un meccanismo di difesa della mente umana », disse lui, con gentilezza.

« Stai mentendo. Hai sempre mentito. »

« E tu sei stata imprudente, con le tue parole. Ci hai mai pensato? »

Ci fu una lunga pausa, in cui la vide farsi strada tra i ricordi. « Ero spaventata. »

« E arrabbiata con Tomas? »

Lei scosse la testa.

« Laure. Sono passati tanti anni. Devi guardare la tua storia d'amore sotto una luce diversa. Era un'avventura giovanile. Non era reale. »

Lei scosse di nuovo la testa. Quasi sprezzante. Impaziente.

Petr proseguì: « Avevo una famiglia, una moglie malata. Dimmi, cosa avresti fatto, al posto mio? »

« Pensavo che non avresti detto niente, perché eri innamorato di me. »

La camera da letto anonima, il letto disfatto, l'angoscia di Laure, le verità sgradevoli e brutali che stavano affiorando... sapeva che non avrebbe mai dimenticato quell'incontro.

E se l'avesse presa per un braccio e fatta sdraiare sul letto per soddisfare le proprie voglie, accarezzando la sua pelle di alabastro, le onde dei capelli, la linea sinuosa dei suoi fianchi? Avrebbe mormorato il suo nome e le avrebbe detto che sarebbe andato tutto bene e avrebbero fatto pace e le loro ideologie si sarebbero distese l'una accanto all'altra. Le avrebbe detto che l'amava da tanto tempo e custodire quell'amore per tutta la vita lo aveva svuotato, eppure era stato il suo piacere più grande. Avrebbe aggiunto che era un amore strano, contorto e corrotto, ma, a modo suo, sincero.

Cosa la spinse ad agire? Il dolore? O era soltanto più sensibile alla sofferenza di Petr? Forse le piaceva pensare di essere una persona che teneva fede agli impegni? Laure si girò verso Petr e gli mise le braccia al collo.

Colto di sorpresa, la baciò. Sapeva di olive e sigaretta. La fece sdraiare e si mise accanto a lei. Le accarezzò la coscia, disegnando la linea della vita e risalendo verso la rotondità di un seno.

Come accade spesso, la realtà fu diversa dall'abbandono vorace che aveva immaginato. Percorse le curve del suo corpo e le accarezzò un capezzolo, ma Laure s'irrigidì.

« Devo fermarmi? »

« No. »

Nella stanza faceva freddo e Laure aveva la pelle d'oca e la peluria fine delle braccia si era sollevata. Cercò un lenzuolo col quale coprirsi, ma riuscì soltanto a incastrare la

mano tra le pieghe del tessuto. Si liberò e cercò di accarez-
zarla tra le cosce. Lei si scostò.

«Non tiriamola per le lunghe.»

Durante il rapporto, Petr aprì gli occhi. Laure sembrava
controllata, leggermente indifferente, quasi materna. Molto
diversa dalla donna appassionata e ricettiva che avrebbe
desiderato. Ma era il meglio che potesse ottenere. Richiuse
gli occhi e lasciò che l'ondata di piacere lo travolgesse.

Verso la fine, Laure avvicinò il viso al suo e lo baciò. Per
alcuni istanti, fu bello anche così, finché non si rese conto
che lei stava baciando un ricordo.

Si rivestì, si guardò nello specchio del bagno e vide che
l'armadietto era praticamente vuoto. Si pettinò e annodò
la cravatta francese, prima di tornare in soggiorno.

Laure era in vestaglia, accanto a Marenka.

«Questo è un addio. In un'altra vita, le cose sarebbero
potute andare diversamente.»

Laure non alzò lo sguardo.

«Laure, ti prego, pensa alla tua vita. Vuoi passarla a spiare nell'ombra su ordine della tua ambasciata? Sì? Sono tutte
le cose che rifiutavi quando eri a Praga. Non farlo. Io ho vissuto la mia vita e fatto degli errori. Ma non voglio che tu faccia lo stesso.»

Lei si scostò i capelli dal viso, come a spazzare via una
realtà sgradita. «Spero che tu ottenga ciò che desideri.
Che tu sia felice.» Si alzò e lo guardò negli occhi.

Petr desiderò baciarla un'ultima volta.

«Sei un brav'uomo, ma diviso. Vuoi bene ai tuoi figli. Sei
stato generoso con me, ma la politica ti ha portato in un'altra direzione.»

Petr avrebbe voluto implorarla, chiederle di ricominciare, di costruire qualcosa da quel disastro, poi rinunciò all'i-
dea.

«Ricordi il numero del Pierrot di cui ti parlavo? La mario-

netta che si staccava i fili da sola? Avevo sempre paura che
fosse Tomas. Ma alla fine eri tu. Una volta hai detto che Tomas era un uomo distrutto, invece sei tu, quello distrutto.»

«Anche tu lo sei.»

Calò il silenzio.

«Noi due abbiamo chiuso», disse Laure. «Per sempre.»

Petr tornò nella sua camera d'albergo e restò a lungo appoggiato alla porta, incapace di muoversi.

Non si era sentito così nemmeno dopo la morte di Eva.
Consumato, come se le radici che lo tenevano legato alla vita fossero state strappate a una a una. Sarebbe mai riuscito a
fare ammenda per le cose che aveva fatto? Non lo sapeva.

Le contraddizioni della sua storia erano feroci, però anche
divertenti. Cosa sarebbe successo, se il Principe del racconto
avesse perso il controllo della situazione com'era successo a
lui? Cosa sarebbe successo, se il Principe avesse superato i
rovi e avesse scoperto che non solo la Bella Addormentata
non lo stava aspettando, ma era sul piede di guerra?

Fece una doccia bollente e restò sotto il getto dell'acqua il
più a lungo possibile. Si asciugò, infilò l'accappatoio dell'albergo, si preparò un drink con gli alcolici del minibar e lo
portò a letto.

Dalla caduta del Muro, la direzione dell'hotel aveva cercato di stare al passo con la concorrenza occidentale, però il
letto era tutt'altro che comodo e le lenzuola erano scivolose
e di pessima qualità. Dubitava che sarebbe riuscito a dormire. E così fu.

L'indomani andò alla riunione. Dopo, chiamò un taxi e si
fece accompagnare all'aeroporto, salì su un aereo e tornò alla sua vita a Praga, lasciando la città che un tempo era stata
divisa.

23

Parigi, oggi

Il pranzo alla Maison de Grasse fu sfarzoso e sofisticato, soddisfacendo tutte le aspettative di May. Osservando le sue reazioni, Laure si ricordò che trarre piacere dal lusso era una cosa sana e piacevole.

«È bellissimo. Così bello... che fa male», disse May, osservando il salone in cui avrebbero pranzato.

I fiori – gigli, fiori d'arancio e ortensie – erano stati fatti arrivare dal Sud della Francia. L'ingresso era decorato con un arco floreale. Altri bouquet ornavano i tavoli e ogni angolo disponibile. Il colpo d'occhio era straordinario e il profumo inebriante.

Le tavole erano raffinatissime, ognuna un incanto di batista, argenteria e fiori. Accanto a ogni coperto c'erano un flacone del profumo più costoso della Maison e un mazzolino di erbe aromatiche, incluso il rosmarino.

«Simboleggia il ricordo», disse Laure a May.

«Be', è la tua specialità.»

Gli ospiti di Laure – dopo il salmone e il Vacherin al ribes rosso – erano bendisposti, quando lei si alzò al termine del pranzo. Era la benevolenza che originava da un pranzo favoloso, dallo champagne e dalla magia di un bianco di Borgogna.

«Questa è un'occasione molto importante. È il giorno in cui due aspetti della nostra cultura s'incontrano. Quello che produce...» Accennò al tavolo della Maison de Grasse. «E quello che conserva.» Indicò il tavolo cui erano seduti Nic, May, Simon, gli avvocati e gli amministratori fiduciari.

Laure era abituata a parlare in pubblico e di solito non correva nessun pericolo. Ma era un momento che aveva pianificato a lungo e per il quale aveva lavorato molto, ed era profondamente emozionata. «Come per molti di voi, immagino, anche per me i musei sono fonte di fascino. Da bambina avevo allestito un museo dei bottoni. Perché i bottoni erano l'unica cosa su cui potevo mettere le mani. Facevo pagare sei penny alla mia paziente famiglia, per visitarlo. È stato allora che ho imparato che alle persone piace guardare gli oggetti, specialmente se sono legati da un filo conduttore. Chi potrebbe restare indifferente, in un modo o nell'altro, alle decorazioni su una tortiera che mostrano le aspirazioni di una casalinga in trappola? O alla foto di una tomba sul fianco di una montagna con la scritta: 'Avevi promesso di non correre rischi'. Ciò che rende speciale il Museo delle promesse infrante sono le didascalie. Nella maggior parte dei musei, sono gli esperti a fornire le informazioni. Nel nostro, siete *voi*, il pubblico. Il nostro museo dà voce alle persone, a differenza delle altre istituzioni.»

Dietro i fiori, Nic sorrise incoraggiante. Sapeva già cos'avrebbe detto.

«Ogni cultura deve avere i suoi musei, e un Paese che non li ha è un Paese che – deliberatamente o senza volerlo – distrugge il proprio passato. È sempre pericoloso.» Fece una pausa. «Si potrebbe sostenere, dunque, che i musei siano entità non soltanto culturali, ma anche politiche...» L'esperienza le aveva insegnato che aveva ancora un paio di minuti a disposizione e poi avrebbe perso l'attenzione del pubblico. «Perché un museo dedicato alle promesse infrante?» Guardò negli occhi una delle donne più eleganti, coi capelli accuratamente pettinati all'indietro e con un trucco leggero. «Chi di noi non ha mai vissuto sulla sua pelle gli effetti di una promessa non mantenuta? O l'abbiamo fatta e poi infranta, oppure qualcuno l'ha fatta a noi e non l'ha onorata. Le conseguenze possono essere divertenti, tragiche, passeggere o permanenti. Per quanto grandi o piccole, queste promesse infrante sono importanti. C'è anche la possibilità che una promessa che abbiamo creduto infranta in realtà non lo fosse. Ma occorre del tempo per capirlo. Chi lo sa? Le riflessioni e l'interpretazione di un evento possono essere molteplici e, col passare del tempo, la prospettiva varia. È uno dei motivi per cui gli oggetti del museo cambiano costantemente.»

May lanciò un'occhiata a Nic.

Il profumo dei gigli aleggiava nella sala. Qualcuno tossì.

«Credo che la verità sia questa: troviamo difficile accettare la fine delle cose. Della gioia, del dolore e della vita stessa. Ma, mentre siamo qui, osservare un rituale o compiere un gesto formale ci offre conforto e un'illusione di coerenza. Donare al Museo delle promesse infrante, dove gli oggetti sono trattati con cura, rispetto e un po' di umorismo, può avviare un processo di guarigione. Le storie che raccontiamo su noi stessi non sono sempre del tutto veritiere. Oppure non riusciamo a vedere con lucidità ciò che abbiamo fatto. Il museo offre la possibilità di stabilirlo e... di far affiorare la verità.» Fece una pausa, sopraffatta all'improvviso dal ricordo del panico e della paura. Il ricordo della fuga. Il dolore della mano ferita. Le lacrime.

La stanchezza del suo cuore infranto.

«Dico queste cose perché so... so per esperienza personale cosa significhi infrangere una promessa.» Tornò a sedersi, accompagnata da un applauso entusiasta.

Quella sera, dopo il lavoro, Laure ordinò al tassista di lasciarla al Canal Saint-Martin. Dopo tutto quello sfarzo, aveva bisogno di tornare coi piedi per terra, tra le strade in cui la vita era dura e banale. Si fermò da Chez Prune, ordinò un caffè lungo e lo sorseggiò, riconoscente. Era un po' amaro, ma andava benissimo.

Chez Prune era pieno. Laure salutò un paio di persone, prima di andarsene. Non aveva nessuna fretta di tornare a casa, così si fermò sul ponte e osservò il canale. L'acqua sembrava più pulita, con meno rifiuti del solito.

Ogni giorno le tende che costeggiavano le rive diventavano più numerose. Le conseguenze negative del capitalismo e le sue vittime. Era davvero ironico, pensò Laure.

Girò verso nord e prese la strada più lunga, passando accanto ai platani scorticati, alla tabaccheria, alla vecchia conceria d'angolo con la sua ringhiera di ferro battuto arrugginito e all'edificio medievale della casa di riposo.

Girò l'angolo e per poco non andò a sbattere contro una giovane coppia. Avevano entrambi pantaloni corti e lo zaino in spalla.

«Non so dove siamo. Ci siamo persi», stava dicendo lui in inglese.

La ragazza non perse tempo a guardarsi in giro e prese il cellulare dalla tasca. «Cerchiamo su Google.» Si misero a fissare lo schermo, incuranti di Laure che li superava.

Parigi è la mia vita, decise. Era un pensiero estremamente appagante. Invecchierò qui.

Laure entrò in casa e si lasciò cadere sul divano. La finestra era aperta. La teneva così nella speranza che Kočka tornasse, ma la temperatura stava scendendo e l'avrebbe chiusa presto.

Il suo cellulare squillò un paio di volte, ma lo ignorò. Aveva deciso di concedersi il lusso del silenzio: se l'era meritato.

Dopo un po', andò a chiudere la finestra. Le avevano chiesto di espandere il discorso per farne un articolo da pubblicare su una rivista d'arte, quindi si mise al tavolo e aprì il portatile.

Fu interrotta da un orribile verso stridulo e corse alla finestra. In cortile, Madame Poirier stava colpendo con un piumino da polvere una creaturina rannicchiata sotto il cespuglio fiorito.

Laure si precipitò fuori di casa e giù per le scale. «Madame, si fermi. Si fermi subito.»

Madame Poirier mise una mano su un fianco. «Come dice?»

Ma Laure non stava ascoltando. Era in ginocchio accanto alla vittima della violenza della portinaia. «Kočka! Oh, Kočka, sei tornata.»

La gatta fissò Laure coi suoi occhi tormentati. Era pelle e ossa, forse ferita, e troppo debole per reagire.

Laure la prese in braccio. Puzzava d'immondizia e Dio solo sapeva cos'altro, ma Laure non era mai stata tanto contenta di vedere qualcuno. «Sei venuta da me. Anche se non riesci nemmeno a camminare, sei tornata.»

«Se porta il gatto in casa, dovrò presentare un reclamo al padrone di casa», disse Madame Poirier.

Kočka posò la testa nell'incavo del gomito di Laure.

«Inoltri quello che vuole.»

«Dovrà andarsene.»

«Vorrà dire che me ne andrò. La gatta resta con me, stanotte.» Laure tornò in casa, chiuse la porta con un piede e posò Kočka sul cuscino che aveva occupato in precedenza, adagiandola con delicatezza.

Kočka sbatté le palpebre e si acciambellò. Laure andò a prendere dell'acqua e qualche croccantino, e glieli diede uno alla volta. «Domani ti porto dal veterinario.» Si sedette sui talloni e finalmente capì che c'era stata una transizione. E una transazione. «A quanto pare sei diventata mia.»

Qualcuno bussò alla porta.

Era May, con un mazzo di fiori dall'aria molto costosa. «Il Rottweiler travestito da portinaia mi ha chiesto di darti questi. Li hanno consegnati prima. Almeno, penso che mi abbia detto così. Sembrava arrabbiata.»

Laure studiò il mazzo di fiori. Rose arancioni... *arancioni*? Non era il suo colore preferito. Lo trovava inquietante.

«Nic mi ha tradotto il discorso. Pendevano dalle tue labbra. Una donna si è messa a piangere, quella coi capelli corti.»

«Grazie.» Non invitò May in casa, ma non riuscì a trattenersi e le chiese: «Ti sei divertita?»

«Era tutto così chic. Non vedo l'ora di raccontarlo a casa.»

«Quindi parli con tua madre?»

«No. Con Miss Melia non ci parlo.»

Laure stava imparando a conoscere May ed era piuttosto sicura che dietro l'allegria del suo ultimo commento si celasse del risentimento. Fece scorrere il lungo nastro bianco e nero del bouquet tra le dita. «Non sono affari miei, ma forse dovresti. È pur sempre tua madre.»

May sembrava affascinata dai fiori. «Ho passato più tempo di quanto tu non creda a decidere se ingraziarmi o no una madre che mi odia.»

«È davvero odio?»

«Be', di sicuro non è indifferenza. E non è amore. Quindi è odio. Fino a poco tempo fa non riuscivo a digerirlo, ma ora è passato. Però...» May si fece scura in volto, poi sorrise. «Ci sono altre persone cui posso raccontarlo. E loro mi ascoltano.» Continuò a esitare sulla soglia della porta, impaziente di entrare. «Ho delle domande. Importanti. Molto serie.»

Qualsiasi cosa scegliesse di fare, Laure era spacciata. «Cinque minuti. Ti siedi, ti alzi e te ne vai. Senza ficcare il naso.»

May entrò e si lasciò sfuggire un grido. «La gatta è tornata. Fantastico.»

Laure mise il mazzo di fiori sul tavolo. Aveva la sensazione che qualcosa, sepolto in profondità dentro di lei, stesse per essere sradicato. Non sapeva se fosse un processo naturale o no, ma la causa scatenante era stata Kočka, ne era sicura. «Cinque minuti.»

May si sedette di fronte a Laure. «Vengo subito al dunque. Sono brava nel mio lavoro e di solito ho buon fiuto. Ma con te non faccio progressi. Giriamo intorno alle domande. È anche colpa mia, però mi piaci molto, Laure.»

«Vuoi dire che ti piace Nic», la corresse Laure con gentilezza.

«Sì, mi piace Nic. La domanda è questa: perché rinunciare a una carriera promettente agli Affari esteri? Non voglio dare giudizi di valore, ma mi sembra strano. Sei stata licenziata?»

«No.» A dire il vero, era stata lei a licenziarsi. L'analisi di Petr era corretta, doveva ammetterlo. La vita in incognito dell'ambasciata, che sperava potesse dare un senso alla sua vita, non era servita a niente, anzi, si era aggiunta al groviglio di rimpianto e recriminazione che si portava sulle spalle. Era stato un errore di valutazione.

May non si arrese. «So che a Berlino ti occupavi di spionaggio di basso grado. Come tutti, immagino.»

Noi due abbiamo chiuso. Per sempre, aveva detto a Petr. «Quando lavoravo a Berlino, la Germania si stava riunificando. C'era uno scambio continuo d'informazioni. Normali cittadini, uomini d'affari, commercianti. Non c'è niente di strano. Durante una transizione, le persone fanno quello che possono. Devono farlo.» Significava che aveva fatto rapporto a David Brotton su Petr e le sue attività commerciali. Quelle che aveva scoperto.

« A Praga hai trascorso dei brutti momenti.»

«Non hai le prove che sia vero», disse in tono brusco.

« Ah. È così. Vediamo se indovino: vai a Praga, tutta giovane e innocente. Succede qualcosa. Un uomo, forse? O uno shock culturale e politico?»

« La Cecoslovacchia era un Paese comunista. Era per forza diverso.»

«Quindi ci sono due sistemi, il comunismo e il capitalismo, che lottano dentro di te.»

« Dovresti scrivere romanzi.»

«Il periodo che trascorri laggiù ti sconvolge. Forse sei inorridita o disgustata, così decidi di avventurarti nel mondo della diplomazia. Ma senza entusiasmo. Sei ancora disorientata e c'è qualcosa che ti tormenta. Così provi qualcos'altro...»

Il cellulare di Laure incominciò a squillare. Era Simon, che aveva cercato invano di contattarla più volte nelle ultime ventiquattro ore. «May, devo rispondere.»

Sentì la voce di Simon all'altro capo del telefono. «Il tuo sponsor misterioso ha deciso di tirarsi fuori. I motivi? Dice che ormai il museo è affermato e non avrai problemi a ottenere finanziamenti da altre fonti.»

Laure guardò i tetti incorniciati dalla finestra. Le cose stavano cambiando. Come sempre. Per fortuna, il pensiero di doversi concentrare sulla ricerca di nuove opzioni per il museo, le riunioni per trovare altri sponsor e la miriade di documenti che l'aspettava non avevano il potere di deprimerla. «Gli siamo incredibilmente riconoscenti. Possiamo ringraziarlo – o ringraziarla – in qualche modo?»

Lui rise sotto i baffi. «Potresti offrire il tuo corpo.»

« È un lui o una lei? »

« Vedrò cosa posso fare. »

Laure chiuse la telefonata. Posò il cellulare sul tavolo e lo sguardo le cadde sulle rose arancioni, legate con un nastro costoso.

Mio Dio. Un ricordo riaffiorò in superficie.

L'istante dopo, stava strappando il cellophane che avvolgeva il mazzo di fiori per trovare il biglietto.

May si fermò prima di porre la domanda successiva. « Va tutto bene? »

Laure era pietrificata.

May le prese il biglietto dalle mani. « Brutte notizie? Hai bisogno di qualcosa? Vuoi un po' d'acqua? »

« No. »

« C'entra la foto che è arrivata per posta? Nic ha detto che ti ha molto colpito. »

« No. »

Non era proprio la verità.

« C'entra il museo, allora? »

Laure si sfregò le mani. Da qualche parte, nella sua testa, voci di un altro mondo stavano facendo a gara tra loro. Erano fantasmi? Alcuni disperati. Altri ribelli. Divertenti. Scabrosi.

Ma quella che desiderava sentire da anni non c'era.

« Laure? Devo chiamare qualcuno? »

Laure posò il biglietto sul tavolo. « Sai cosa c'è scritto? » May scosse la testa e Laure tradusse dal francese. « 'Ho pagato i miei debiti.' »

« Sembra tanto una frase da Antico Testamento. »

Laure fece qualche respiro profondo, per placare la nausea.

May si sedette accanto a lei e le cinse le spalle con un braccio. « Ecco. Appoggiati. »

E Laure lo fece, trovando inaspettato conforto nel suo braccio sottile.

« Cos'è successo? Dev'essere successo qualcosa. »

« Non è niente. »

« Santo cielo, è impossibile. Sei bianca come le lenzuola del mio squallido hotel e sembri sul punto di vomitare. È successo qualcosa. »

« Non posso dirtelo. »

May la scosse. « Invece sì, *puoi*. »

Laure guardò quegli occhi grigio-azzurri e le complicazioni che nascondevano. « Non posso fidarmi di te. »

May le rivolse un sorriso sghembo. « Puoi, per le prossime due ore. »

Era molto tardi, quando May uscì dall'appartamento.

Laure restò immobile sulla sedia. Prosciugata. Purificata?

Aveva raccontato la sua storia alla persona meno probabile che potesse esserci.

Alla fine, May le aveva detto: « Non mi sorprende che ti senta così ».

Cosa ne sai? avrebbe voluto chiederle Laure, ma l'espressione della ragazza la fermò.

Tuttavia May era sembrata leggerle nel pensiero. « Perché anch'io sono una sopravvissuta. » Aveva insistito per aprire la bottiglia di brandy nella credenza della cucina e ne aveva versato un bel bicchiere a entrambe.

L'alcol aveva allentato i freni e Laure aveva confessato. « Quando vivi qualcosa di così... così intenso e bruciante... dopo è difficile accontentarsi. Forse è impossibile. Almeno per me è stato così. Comunque, non mi fidavo più di me stessa. Per un po' di tempo sono stata sposata, sai. Ma non faceva per me. Mi dispiace, mi dispiace di non essere riuscita a salvare il mio matrimonio. Ma, con un po' di fortuna, è possibile trovare qualcosa con cui sostituirlo. E io ci sono riuscita.»

May aveva annuito. «La cosa che mi colpisce è che non hai mai insistito per scoprire cosa sia successo a tutti quanti. Perché?»

«Ci ho provato.»

May l'aveva guardata con aria scettica. «Al giorno d'oggi ci sono così tanti modi per rintracciare eventi, persone, la verità. Come ha fatto il tuo finanziatore misterioso, a quanto pare. Forse...» Aveva guardato il bicchiere vuoto. «Forse non volevi. Non lo volevi veramente.»

Laure non aveva una risposta.

24

Praga, 1986

Nell'appartamento dei Kobes, Laure guardò fuori della finestra che si affacciava sul cortile.

In basso, vide una figura coi capelli castani e con un panciotto a righe che bighellonava vicino all'ingresso. Laure aprì la finestra e si affacciò. «Stavi lanciando dei sassi?»

Tomas alzò lo sguardo e le sorrise. «È la mia specialità, quando non sono su un palcoscenico.»

Col cuore che esplodeva di felicità, Laure ricambiò il sorriso. «Chi ti credi di essere, Romeo?»

Lui si riparò gli occhi con una mano. «Sì, e tu sei la mia bellissima Giulietta, e sono venuto a portarti via dalla casa della discordia.»

Era sabato e Petr aveva portato i bambini da una zia che viveva fuori Praga e non sarebbe tornato prima di sera. Eva era uscita dalla sua stanza, poi ci era tornata e aveva chiuso la porta.

Laure si guardò alle spalle. «Dammi cinque minuti.»

Quando lei uscì di casa, Tomas le prese una mano. «Oggi devi dimenticare tutto. Ci siamo soltanto io e te. Però devi sbrigarti.»

«Come facevi a sapere che ero libera?»

«Me lo sentivo», disse in tono serio, e lei scoppiò a ridere.

In cortile c'erano due biciclette in condizioni più o meno accettabili.

« Sai andare in bici? » le chiese Tomas, dubbioso, e Laure rise, vedendo la sua faccia. « Pensavo che potremmo fare un giro sul fiume e mangiare in un posto che conosco, fuori città. »

Tomas la guidò lungo l'alzaia – Laure era più incerta di quanto volesse ammettere – e poi si diressero a sud, allontanandosi dal centro. Poco dopo, le case lungo il fiume si diradarono. Mentre pedalavano veloci sulle increspature aride del terreno, le ruote sollevavano nuvole di polvere e, una volta preso il ritmo, Laure aumentò la velocità per stare dietro a Tomas.

Il traffico fluviale e il frastuono della città erano diminuiti, e si sentivano solo i rumori dell'estate. Lo sciabordio dell'acqua, il tubare dei piccioni, il tintinnio metallico di una radiolina. Dagli arbusti di caprifoglio si levava il ronzio delle api affamate. Da una grande aia arrivavano l'odore del fango secco e quello più lieve dei cavalli.

I muscoli fuori esercizio di Laure dolevano. Il sole picchiava sulle mani e sulla schiena. Le sarebbero spuntate le lentiggini, ma non le importava.

Tomas era davanti, concedendole il privilegio di guardarlo senza impedimenti. Laure osservò ogni singolo dettaglio con avidità: il piede sinistro rivolto verso l'interno sul pedale. Gli avambracci abbronzati. I capelli tagliati alla bell'e meglio sulla nuca.

Ogni tanto lui si girava per controllare che andasse tutto bene, un gesto che la gratificava enormemente.

« Ti va di fare una nuotata? » le disse, mentre si avvicinavano a un ponte. Girò a destra e la portò su un affluente.

Continuarono a pedalare controcorrente per più di un chilometro, e a Laure sembrava di essere vittima di un incantesimo. Non c'era niente, soltanto il cielo, il fiume, gli alberi e gli uccelli. Non c'era nessuno. Regnava una solitudine che non doveva essere molto diversa da quella del paradiso terrestre, pensò, profondamente colpita dal silenzio, dalla sua natura ultraterrena.

Lungo l'argine si stagliava una fila di pioppi, dalle cui radici era possibile entrare e uscire dal fiume. Tomas fermò la bici e scese, con un gemito.

«Fuori esercizio?» Prendere in giro Tomas era un vero piacere, perché non sempre stava al gioco.

Per un istante, infatti, la guardò sconcertato. Poi la prese per un polso. «Sei una strega.»

L'acqua del fiume s'increspava lungo gli argini. Nel campo alle loro spalle, le colture riarse frusciavano al vento e gli uccelli si tuffavano al suolo alla ricerca d'insetti e chicchi di grano, per poi risalire verso il cielo, lanciando grida penetranti.

Voleva appoggiare la testa sul corpo caldo di Tomas, ascoltare il battito del suo cuore. Voleva baciare il livido violaceo che aveva sul braccio e bagnarsi i piedi con l'acqua fresca del fiume.

In quei giorni reagiva in modo così viscerale, pensò, affascinata dai meccanismi della sua mente. Era tutta una questione di sesso, carne, istinto... e poi c'era quell'altra cosa, che l'aveva afferrata in modo così violento. L'amore.

«Vieni?» Tomas si tolse la maglietta e i pantaloni.

Laure si sfilò i pantaloncini e la maglietta con mani tremanti.

«Sembri un gelato. Lì sei tutto pallido...» disse, sfiorandogli l'inguine, poi gli posò una mano sul petto, cercando il battito del suo cuore. «E qui invece sei scuro.»

Tomas scoppiò a ridere. «Anche tu. Resta ferma così.» Lentamente, percorse il corpo di Laure con un dito. «Belle gambe abbronzate, fianchi da scriverci una poesia, spalle e braccia perfette. Un viso baciato dal sole, ma anche luminoso come la luna, e una bocca per la quale gli uomini sarebbero felici di morire.»

« Sembra una canzone. »

« Da un certo punto di vista, lo è. »

La prese per mano e la portò a riva. « Fa' attenzione a dove metti i piedi. »

Il terreno era duro come la roccia, ma diventò fangoso, una volta che entrarono in acqua. Con le dita dei piedi che affondavano nella melma, Laure cercò di non pensare agli insetti e ai vermi che strisciavano sul fondo. Inciampò su una radice e si aggrappò a Tomas.

Così abbracciati, guadarono il fiume, scivolando sul fondale irregolare.

A mano a mano che andavano al largo, l'acqua diventava più fredda, le correnti più forti. Laure lasciò che l'acqua fresca le accarezzasse il corpo accaldato.

Dopo pochi secondi, capì che Tomas non era un nuotatore esperto. Ma lei lo era, e incominciò a nuotare, risalendo con facilità la corrente.

Alzò le braccia e s'immerse sott'acqua.

Un'esplosione di bollicine affiorò in superficie, i capelli fluttuarono a pelo d'acqua, i contorni del suo corpo tremolarono e si scomposero in mille riflessi e, sul letto del fiume, le morbide alghe ondeggiarono, spinte dalla corrente.

Per un istante, si chiese se non fosse meglio restare sott'acqua e non interrompere quel momento perfetto. S'immaginò annaspare alla disperata ricerca di ossigeno, cercando conforto e sollievo nel viso di Tomas, mentre le tenebre avevano la meglio.

Risalì in superficie boccheggiando e tornò da lui.

« Conosci la leggenda della Rusalka? »

Si aggrappò a Tomas, senza peso. « No. Raccontamela. »

« È una creatura irrequieta e pericolosa che vive nel fiume. Seduce gli uomini, facendoli annegare. »

Laure appoggiò i piedi e si alzò. « Ti ho sedotto? »

Lui la prese tra le braccia. Odoravano di acqua di fiume,

calura e cose sommerse. «Non mi hai ucciso, Laure. Però mi hai lanciato un incantesimo.»

La portò a riva.

In quel momento, Laure era priva di dubbi e timori e sentiva che anche per Tomas era la stessa cosa. In quel luogo contornato di alberi e lambito dall'acqua, con gli uccelli che volavano liberi in cielo, sentiva di aver raggiunto una nuova consapevolezza. Il suo spirito era come rinato. Le ossa, la carne, l'anima si erano riallineate, creando una nuova Laure, che sussurrava all'infinito: *Ti amo*.

E tuttavia, durante il viaggio di ritorno, si sentì stranamente triste e Tomas diventò taciturno.

All'orizzonte si stagliò il profilo della città. Senza preavviso, Tomas frenò e scese dalla bici. «Fermiamoci.»

Laure obbedì.

Sporchi d'erba e di terriccio, si abbracciarono forte, quasi disperati, mentre il sole accarezzava loro il viso.

«Volevo farlo prima che ricominciasse tutto da capo», disse Tomas. «Mentre siamo lontani da tutto.»

«È successo qualcosa?»

«No.» Le prese i capelli e tirò dolcemente, rovesciandole la testa all'indietro. «Ho imparato che bisogna godere di momenti come questo. Svaniscono, naturalmente. Ma, prima che accada, possiamo portarli via.»

Laure si chiese cosa lo turbasse. Era qualcosa che non poteva dirle?

Ascoltò il battito del suo cuore e lo tenne tra le braccia. Voleva soltanto restare lì, immobile, senza pensare, il più a lungo possibile.

Tornati a Praga, la fece scendere dalla bicicletta prima di arrivare dai Kobes. «Prendo io la bici, tu vai. È meglio così.»

Lo guardò andare via, finché non scomparve.

A volte, Laure pensava di essere finita in un romanzo sur-realista ceco. Non c'era altra spiegazione.

Non poteva esserne certa, ma era sicura di essere seguita e la cosa le provocava un brivido effimero. D'altro canto, la paranoia era una malattia contagiosa. Perché prendere di mira proprio lei, un'anonima ragazza di Brympton?

Col passare dei giorni, trovò la situazione sempre meno intrigante e più inquietante. Quell'intrusione continua le dava sui nervi. Una volta, la situazione l'aveva esasperata al punto che si era girata e aveva mostrato il medio a chiun-que la stesse seguendo. Era un comportamento stupido, ma per un istante le aveva dato sollievo.

Avvertì Tomas. « Penso di essere diventata un obiettivo da sorvegliare. »

« Tutti gli stranieri lo sono. Qui è una condizione di vita. »

« Petr mi ha fatto delle domande. Mi ha detto di Parallel Polis. »

Tomas scrollò le spalle. « Non mi stupisce. Quell'uomo è un informatore e un tirapiedi. Un debole. Non sa cosa sta succedendo davvero. »

Aveva parlato con un disprezzo che Laure non riuscì a condividere. « Non so se è proprio così. Petr è un uomo di forti principi. »

« Chiedigli dove mette i suoi principi, quando fa la spia su qualcuno. »

« Ti sei fatto un'idea sbagliata. A lui non interessa fare la spia, lavora per la Potio Pharma. »

Tomas le posò un dito sulle labbra. « Lo sai, che sei molto dolce? »

Lei aprì la bocca e gli mordicchiò il polpastrello. « E ho anche ragione. Ricordatelo. »

« Può darsi. »

Era una delle cose belle che stava scoprendo di Tomas. Le dava ascolto e, di conseguenza, Laure stava sviluppando le risorse mentali che l'avrebbero aiutata a interpretare le esperienze che le stavano per capitare.

Erano al teatro delle marionette, dietro le quinte. Tomas le cingeva la vita con un braccio. «Gli hai detto qualcosa?»

«No, per quanto ne so.»

«È proprio questo il problema.» La prese tra le braccia, insinuando una gamba tra le sue. La baciò con trasporto e Laure fu travolta da un'ondata di dolcezza e desiderio. Poi Tomas appoggiò la fronte sulla sua. «È stato molto bello.»

Laure gli accarezzò la schiena, sfiorandogli le protuberanze delle vertebre. *Lo amo.*

Tomas la baciò di nuovo e un altro pensiero affiorò in superficie: *Darei la vita per lui.*

Poi andarono in cucina, dove Milos stava bevendo un tè alla menta. Sorrise a Laure e disse qualcosa in ceco a Tomas. Poi arrivarono anche Manicki e Leo, insieme con Václav, l'elettricista, e nacque una discussione animata che – per quello che riusciva a capire Laure – aveva a che fare con la necessità di riporre gli strumenti degli Anatomie in teatro.

Era come se li osservasse da dietro una parete di vetro, scesa all'improvviso a separarli. Erano simili agli uomini che aveva conosciuto in Inghilterra e, allo stesso tempo, erano diversi. Più piccoli, più pallidi, più magri, più eterei. Tomas le dava le spalle, ma Václav, col quale aveva stretto amicizia da poco, le sorrise.

Stavano parlando di lei.

«Tomas?»

«Vogliono sapere del tuo capo. Manicki è d'accordo con me, anche secondo lui lavora per il KSČ. Il Partito comunista.»

Manicki li interruppe in un inglese zoppicante: «Oppure lavora per i russi. È logico. Soltanto le persone più fidate possono lavorare all'estero. Probabilmente è controllato da qualcuno ai vertici del Partito». Si avvicinò a Laure. «Non devi dirgli *niente*. Mai.»

Manicki odorava leggermente di vestiti non lavati e lei si chiese se vivesse in clandestinità. Si affrettò a rispondergli, mentre Tomas faceva una traduzione succinta. «Va bene. Ne prendo atto. Lo so che per voi rappresento un problema, ma ricordatevi che posso sempre passarvi informazioni su di lui.»

Cosa le era saltato in testa?

Milos si lasciò sfuggire un fischio e alzò gli occhi al soffitto. Gli altri fissarono Laure e lei si rese conto di avere commesso un errore.

«Non scherziamo su queste cose», disse Manicki.

Laure avrebbe voluto dire che non stava affatto scherzando, ma capì che era meglio tacere. Nella stanza calò il silenzio – sembrava che avessero smesso tutti di respirare – finché Tomas non le posò una mano sulla spalla e non le diede un bacio sulla guancia. «Sei molto dolce, Laure, ma... non è un gioco. Ti prego.»

Dopo lo spettacolo, Laure ripose le marionette, mortificata. Era stata superficiale, poco professionale, e aveva trattato una questione molto seria come un gioco.

Tornando a casa, decise di non fare la solita strada. Invece di continuare dritto, come avrebbe fatto di solito, svoltò a destra e s'incamminò verso nord, fermandosi davanti a un negozio con l'insegna TRUHLÁŘ MARIONETY. In vetrina, facevano bella mostra di sé due marionette: Pinocchio e un giullare col berretto a sonagli.

Si avvicinò e vide che le marionette erano finemente intagliate, ma verniciate in modo grossolano. Guardò a lungo i loro volti bianchi. Sembrava che dicessero: *Siamo consapevoli che prendiamo vita soltanto quando lo volete voi. Però anche noi abbiamo un'anima. Sentiamo dolore e soffriamo. Vi offriamo l'estasi e l'irreale. Possiamo essere arrabbiati e cattivi.*

Si attardò davanti al negozio; un comportamento legitti-mo, dal momento che lavorava in un teatro delle marionet-te. Però stava anche usando il riflesso della vetrina per tene-re d'occhio i movimenti di un uomo con pantaloni beige e una camicia bianca che la stava seguendo. Messo alle strette dalla sua manovra, stava gironzolando nei pressi del ponte. Aveva lineamenti piatti, la bocca piccola e un'aria da duro.

Laure si chinò, fingendo di guardare meglio il giullare. Essere seguita le dava sui nervi e alla spavalderia si era so-stituito il timore di non riuscire a gestire la situazione.

Si calmò, si allontanò dalla vetrina e riprese la strada ver-so casa. Perché dare soddisfazione a quei brutti ceffi?

Un paio di sere dopo, gli Anatomie suonavano in un locale dalle parti di piazza Venceslao e il gruppo era al completo.

Laure era al teatro delle marionette, dove lo spettacolo serale della *Sposa venduta* rischiava di non andare in scena. Le luci non funzionavano e la compagnia si era riunita per cercare di risolvere il problema, tra un'imprecazione e l'al-tra. Non potendo dare una mano e con Lucia che la guarda-va in cagnesco, Laure si accontentò di raccogliere le tazze usate e portarle in cucina. Avevano bisogno di una bella pu-lita e trovare una spugna era un'impresa impossibile.

Milos entrò per prendere un bicchiere d'acqua e lei si fece da parte, in modo che potesse aprire il rubinetto. Il buratti-naio bevve avidamente e, nel suo inglese zoppicante, disse: «Tomas dice che il tuo capo fa delle domande».

Laure annuì.

Lui sciacquò il bicchiere. «Non rispondere mai alle do-mande. E non farne. Mai.»

«Come faccio a scoprire qualcosa, se non chiedo?»

«Non lo fai. Nessuno sa niente. È la regola.»

Laure lo guardò, con una mano sul fianco. «Questo Paese è un enigma. Niente domande. Niente risposte. Solo beata ignoranza.»

Milos le rivolse uno sguardo di approvazione. «Esatto. Il nostro romanzo più famoso, *Il buon soldato Sc'vèik*, racconta la storia di un uomo che lotta contro il militarismo e la burocrazia. Alla fine vince, ma solo per errore, perché il buon soldato è anche molto stupido.»

«Non puoi mai sapere cos'è proibito?»

Le rivolse un sorriso bonario, ma aveva lo sguardo triste. «Non è così anche nel tuo Paese?» Si portò il pugno alla fronte e fece il saluto militare. «Compagno Milos, pionieri, primo battaglione, di stanza presso il teatro delle marionette nella Repubblica Popolare della... Cecoslovacchia.»

Milos la faceva sempre ridere.

Risolto il problema alle luci, ci fu il delirio che precedeva sempre l'entrata in scena e Laure corse a fare la sua parte. Mancava una marionetta a forma di omino di pan di zenzero e andò a cercarla.

Era nascosta in una delle scatole in cucina. Milos la prese e scomparve. Laure incominciò a mettere in ordine e a preparare le marionette di riserva, nel caso ci fosse qualche problema nel corso dello spettacolo.

Ne sollevò una che si chiamava Marenka e tirò dolcemente i fili. «Buonasera, cara Marenka.»

Marenka interpretava la Bella Addormentata, Cenerentola e qualsiasi altra dolce fanciulla innocente.

«Marenka è la giovane ingenua che si ritrova in situazioni ingarbugliate, ma ne esce vittoriosa perché la sua innocenza ha il potere di sconfiggere le difficoltà», le aveva detto Milos. «E questa, in particolare, è una messaggera. Guardale gli occhi.» Marenka aveva un occhio azzurro e uno verde. Milos aveva continuato a parlare, in tono malizioso. «Vedi? Significa che ci sono modi diversi di vedere le cose.

Ma non devi *mai* dire niente», aveva aggiunto, portando un dito alle labbra.

«Hai una vita molto impegnata», disse Laure alla marionetta. Per un istante, le sembrò che gli occhi spaiati e la bocca rossa le rispondessero. Laure le toccò la guancia dipinta.

Marenka sospirò e tornò sul suo piedistallo.

I vestiti erano impilati accanto alle marionette, pronti per essere usati, compresi la camicia a quadri rossa del Principe e il costume da Pierrot. La camicia da notte della Bella Addormentata e il minuscolo velo nuziale usato per i matrimoni erano piegati lì accanto.

Incantata, Laure sollevò il velo e lo guardò in controluce. Sebbene non fosse un'esperta, si rese conto che il pizzo era di altissima qualità: chiunque avesse ricamato i minuscoli fiori al centro del velo era un artista raffinato.

«Vuoi sapere da dove viene?»

Laure si voltò e vide Lucia. Sembrava di cattivo umore, come se non vedesse l'ora di attaccare briga.

«È meraviglioso. Ha l'aria di essere vecchissimo. Cioè, sembra molto antico», si affrettò ad aggiungere, vedendo che Lucia si era rabbuiata.

Lucia andò alla credenza nell'angolo. Aprì l'anta, facendo cadere una pioggia di vernice sul pavimento, e prese una scatola dal ripiano. «Sei pronta?» Aprì la scatola e rimosse la carta velina ingiallita che ne avvolgeva il contenuto. «L'ha indossato mia madre, e mia nonna prima di lei, e la mia bisnonna. Se mi sposerò, lo indosserò anch'io. È molto vecchio. Nessuno sa quanto.» Prese uno straccio, spolverò il tavolo e tolse il velo dalla scatola per osservarlo meglio.

Il velo ricadde sul tavolo come una nuvola di pizzo. A parte un riquadro mancante in un angolo, il candido tulle di seta col suo bordo di pizzo floreale era intatto.

Lucia studiò la reazione di Laure. «È diverso, nel tuo Paese? Sì?»

Laure toccò il pizzo, simile a un raffinato nido d'ape. «Di solito le spose indossano il velo, ma non molte possono permettersene uno così bello.»

«Non approvi che lo abbia tagliato, vero?»

«No.» Laure aveva parlato prima di riflettere, poi si affrettò a correggersi: «Però non sono affari miei».

Lucia si rabbuiò. «Certo, non puoi capire. Come potresti? Nel tuo Paese potete conservare le cose anche se sono vecchie. Ma qui no. Dobbiamo sacrificare gli oggetti preziosi per il bene comune.»

«Capisco.» Laure non le chiese cosa c'entrasse la profanazione di un bellissimo velo col bene comune. Poi si vergognò, perché non riusciva a comprendere.

Lucia accarezzò un fiore di pizzo con amore e riverenza. «Invece non capisci, perché sei straniera. Le marionette hanno un grande significato, per la nostra cultura. Non sei una di noi.»

Lucia la stava insultando, ma Laure decise di lasciar correre.

«Non importa se ne manca un pezzo. Quello che facciamo qui è più importante. Senza le nostre storie, siamo finiti. Questo teatro è importante.» Lucia si mise il velo in testa. Era come se parlasse a un esercito prima della battaglia.

«Le marionette mandano dei messaggi?»

I lineamenti di Lucia erano nascosti dal velo di seta, ma era impossibile non scorgere il luccichio ostile dei suoi occhi. O la paura. «Perché lo vuoi sapere?»

«Sono curiosa.»

«Non dovresti fare queste domande. Non lo sai che non devi fare domande, qui? Soltanto gli stranieri, nella loro stupida ignoranza, le fanno.» Lo disse in un tono così intenso che Laure fece un passo indietro.

«Per san Nicola, c'è bisogno di aiuto», disse Milos facendo capolino dalla porta, per poi scomparire subito dopo.

«Perché non te ne torni in Inghilterra? Sarebbe meglio per tutti. Sei soltanto... come si dice? Un fastidio.»

«I miei datori di lavoro vogliono che rimanga.»

«Ah. E tu accetterai, immagino.» Lucia si fermò di colpo. «Togliti dalla testa di prendere Tomas.»

«Non dovrebbe decidere lui?»

«Non credere di essere speciale. Tutti quelli che possono si prendono una fidanzata occidentale. Bisogna fare così.»

Laure si raggelò. «E quindi?»

Lucia si tolse il velo, lo piegò e lo ripose nella sua scatola. Sembrò riflettere su cosa dire, o fare. «Il prossimo anno, lo indosserò.»

«Ti sposi?»

Lucia accostò il suo viso a quello di Laure e parlò lentamente. «Sì. Ci sposiamo. Con una bella cerimonia e in presenza di tutta la famiglia.»

Laure sentì lo stomaco chiudersi in una morsa. «Vi sposate? Dici tu e Tomas?»

Lucia non disse di sì. Non disse nemmeno di no. Rimise la scatola nella credenza. «Succederà. Tu te ne andrai. Presto, spero. Scomparirai come neve al sole. Qui non sei di nessuna utilità, sei soltanto un problema.» L'anta della credenza era storta, così Lucia dovette premere per chiuderla. Poi esclamò arrabbiata: «Che Dio ci aiuti, siamo senza mobili, senza serrature, senza un cazzo di futuro».

25

Sei fidanzato con Lucia? La sposerai? Hai deciso di sposare Lucia?
C'erano tanti modi per fare la domanda che le chiudeva
la gola al solo pensiero. Pensare a quale scegliere, a come e
quando sollevare l'argomento, le toglieva le forze. E la faceva arrabbiare.
Non c'è bisogno di fare la sciocca, ragazza. Le frasi di suo padre non erano d'aiuto: servivano soltanto a ricordarle che
aveva anche un'altra vita e poteva scegliere di riprenderse-
la. Ma sarebbe stato un ripiego. Laure voleva stare dov'era.
Proprio lì. In quel momento. Impigliata in quel groviglio
appiccicoso di politica e passione.
Era domenica pomeriggio e Tomas l'avrebbe portata a
bere una birra nella bettola di un amico, vicino al fiume.
Il suo telefono era sempre fuori uso – c'era da aspettarse-
lo – e aveva preso l'abitudine di lasciare un messaggio al
teatro delle marionette, quando voleva contattarla.
Come al solito, scelsero di percorrere i vicoli e le stradine
secondarie. Laure conosceva così bene il cuore nascosto della città, il selciato malmesso, disseminato di spazzatura, che
si era quasi convinta di essere una del posto. Facevano parte
dell'enigma di quella città e quegli itinerari lontani da occhi
indiscreti erano diventati un piacere segreto. Ma non quel
giorno.
Tomas le faceva strada e Laure guardò la sua sagoma sottile con una voglia che diventava più intensa ogni giorno.
Era sicura che nessuna donna – compresa Lucia – potesse

fare a meno di amare in modo appassionato e famelico la curva delle sue spalle, le mani magre, i folti capelli castani. Qualsiasi donna – compresa Lucia – avrebbe sentito la stessa mescolanza di gioia e dolore puro che provava lei.

Forse, in cambio, Tomas avrebbe visto in lei, la ragazza per metà francese, una morbidezza che Lucia, indurita dalla rabbia e dal sospetto, non aveva più.

Chissà se poteva vedere in Laure anche qualcuno in cui riporre la sua fiducia, qualcuno con cui immaginare un futuro luminoso e sicuro.

Tomas aspettò che lo raggiungesse. «Fai attenzione quando sei da sola?»

Le venne un groppo in gola. «Ti preoccupi per me?»

Lui sembrò infastidito dalla domanda. «Tu cosa credi?»

Laure fu travolta dall'euforia e da un desiderio bruciante. «Spero che...»

«Laure, mi sono innamorato di te. Tanto, in modo molto profondo. Devi saperlo.»

Era riuscito a toglierle il fiato. E l'onda d'urto aveva investito ogni singola cellula del suo corpo. «Ti amo anch'io», balbettò, incredula.

Tomas alzò le mani al cielo. «Oh, Dio, mi ama! Cosa posso chiedere di più dalla vita?»

«Anche se sono un'utile ragazza occidentale?»

Le scoccò un'occhiata. «*Soprattutto* perché sei una ragazza occidentale.»

La vescica infetta nel suo cuore era stata forata. Che importanza aveva, se era un'utile ragazza occidentale? Avrebbe corso il rischio. Cos'era l'amore, se non correre rischi?

«Ascolta, non preoccuparti, se ti accorgi che qualcuno ti sta seguendo. In realtà ti protegge. Ci sono un sacco di ubriachi e delinquenti che non vedrebbero l'ora di derubare una ragazza come te. O farti di peggio. Staranno alla larga, se ci sono delle spie nei paraggi.»

Erano arrivati al fiume, screziato dai riflessi del sole al tramonto. Tomas svoltò in una strada fiancheggiata da muri, oltre i quali sorgevano dei palazzi piuttosto alti. Tra due muri si apriva un giardino arredato con sedie e tavolini. Ci lavorava Radek, un vecchio amico di Tomas, che – in cambio delle visite occasionali degli Anatomie – gli faceva sempre trovare la sua birra preferita.

« Cosa vuol dire 'una ragazza come me'? » gli chiese, una volta che si furono seduti sull'argine del fiume con la loro birra.

Lui la guardò perplesso. « Non capisci proprio, cara Laure? Allora te lo dico io. » Le prese una ciocca di capelli. « Sei bella e molto curata. Luminosa. I tuoi capelli sono il risultato di un buon parrucchiere e anni di ottimo shampoo. »

Era una lettera d'amore tenera e seducente, e chiuse gli occhi per ascoltare.

Tomas le accarezzò una guancia. « La tua pelle è piena di vita. Mi dice che hai sempre mangiato bene. Frutta e verdura e carne di qualità tutta la vita. » Le prese una mano. « Hai le unghie forti e la pelle morbida. »

Laure sorrise, incantata.

« Questi dettagli dicono a un osservatore attento che sei un'ottima preda. Sono allenati a osservare i particolari. »

Il sorriso le morì sulle labbra.

Tomas l'abbracciò stretta. « Ma non parliamo più di loro. Fa troppo caldo per tenerti così? »

Era vero, sembrava di essere abbracciata a un termosifone, ma non le importava.

« Voglio assaporare fino in fondo ogni istante », le mormorò in un orecchio. « Quando vivi sotto un regime come il nostro, è un requisito fondamentale. Ogni birra gelata, il sole che ti riscalda la schiena, ogni canzone. » Le solleticò l'orecchio, risvegliando in lei un desiderio travolgente. « E il sesso. Soprattutto il sesso. »

Una birra dopo, Laure trovò il coraggio di fargli la fatidica domanda. «Lucia è... era la tua ragazza?»

Tomas non si scompose. «Una volta.»

Con suo grande disappunto, Laure si rese conto che le tremavano le mani.

Tomas le prese il bicchiere e lo appoggiò sull'erba. «Pensavo che soltanto i film fossero in bianco e nero», disse, in tono di rimprovero. «Lucia e io ci conosciamo da una vita. Siamo cresciuti nello stesso quartiere. Entrambe le nostre famiglie hanno sofferto. Siamo in debito l'uno con l'altra e, a meno che i nostri cari dirigenti di Partito non decidano di chiuderci la bocca e sbatterci in galera, resteremo legati per tutta la vita.»

Doveva crederci? «Mi ha detto che l'anno prossimo vi sposate e devo levarmi dai piedi. Sembrava molto convinta. Ti vuole ancora.»

Tomas sembrava divertito. «Dici? Lucia ha altro per la testa.» Le prese una ciocca di capelli e si protese a baciarla. «Però devi ricordarti una cosa. Prima o poi te ne andrai.»

«Cristo», mormorò lei, disperata.

Tomas la guardò e ciò che vide lo turbò. «Laure, Laure, non fare così. Cosa credevi?»

«Non lo so.»

«È impossibile. Non puoi restare qui.»

Riusciva a vedere la situazione dal punto di vista di Tomas. Da tutti i punti di vista. Una sana ragazza inglese precipita in un Paese che lotta per sopravvivere e vive sotto una tirannia travestita da paradiso in Terra. Un musicista rock s'invaghisce di lei. Forse qualcosa di più? Ma lei, d'altro canto, è sopraffatta dai sentimenti. Lo sanno tutti, e lo sa anche lei, sebbene si ostini a chiudere gli occhi, che questa storia d'amore non è altro che un'avventura estiva. Lo sanno, e lo sa anche lei, che, quando se ne andrà, sarà come scivolare nel fiume e le acque si chiuderanno per sempre su di lei.

Dimenticheranno. Mentre lei no.

Avvampò. « Tomas, non sono una di voi. Lo so. Ma questo non significa che io e te non siamo importanti. Devi capirlo. Nel profondo del cuore. »

Cercò di alzarsi, ma lui la tenne sdraiata sull'erba. « Fa soffrire anche me. E molto. »

« Se dici che provi... dei sentimenti nei miei confronti, se dici che mi ami... »

« Sarai nelle mie canzoni. Te lo prometto. » Le prese una mano e l'accarezzò. « Non rovinare le cose, Laure. C'è fin troppa tristezza in questo Paese. Accetta quello che abbiamo per ciò che è. Ti amo tanto. Sei una donna dei sogni. Una leonessa delle savane africane. »

« A dire il vero, vengo dallo Yorkshire. »

« Dallo Yorkshire, e sei intelligente e divertente e coraggiosa e ti voglio moltissimo. » Sorrise.

« Torneresti con Lucia? »

« Smettila. »

Perplessa, cercò di percorrere a ritroso quella conversazione dolorosa per capire dove avesse sbagliato. « Ma lo Stato vuole che siate così. Condiscendenti. Pensavo che la ribellione avvenisse nel cuore, non soltanto sulle strade. Se mi vuoi, devi fare qualcosa. »

« Sono tentato di dire che non sai di cosa stai parlando. Ma non è così. » Continuò ad accarezzarle la mano, soffermandosi su ogni articolazione, esplorando le linee del suo palmo.

Avrebbe potuto non essere d'accordo. Arrabbiarsi. Implorare... ma ebbe un'illuminazione folgorante e vide una via d'uscita: la politica. « Sanno che vuoi una nuova Cecoslovacchia, uno Stato di diritto, un sistema giudiziario indipendente, elezioni libere, un'economia di mercato, equità sociale... e, di conseguenza, potrebbero arrestarti da un momento all'altro. »

« Vero. Anche se stanno accadendo delle cose e il movimento sta guadagnando consensi, ci vorranno anni perché il sistema crolli. »

« Sei in pericolo? »

Dopo un istante lui annuì, controvoglia. « Probabilmente sì. Il telefono staccato era un avvertimento. »

« Allora devi andartene. Ti aiuterò io. »

Tomas si buttò di nuovo sull'erba e si coprì gli occhi con un braccio. « Come si dice in inglese? Non t'immischiare. »

« Potresti. Puoi combattere l'ideologia, fuggendo. » Era sempre più convinta che quella fosse la strada da seguire. « Conosci qualcuno che fa documenti falsi? »

« Sì. Non è facile e c'è il rischio di venire scoperti. E poi cosa faccio, quando sono uscito? »

« Mi sposi e prendi la cittadinanza inglese », rispose lei con voce calda, suadente e decisa.

Tomas tolse il braccio dagli occhi e la guardò. « Resto qui e combatto. Non sono un disertore. »

« La vera diserzione è smettere di credere nel tuo Paese. Ovunque tu sia. » L'amore le dava una nuova comprensione di Tomas. Si stava interrogando, stava pensando al futuro. « Pensi che, se vieni in Inghilterra, nessuno saprà chi sei. Un musicista senza pubblico. Un signor nessuno. È dura, dopo essere stati famosi. Invece puoi. Saresti famoso anche da un'altra parte. »

Una barca con una lanterna a prua scivolò leggera a pelo d'acqua. Era così bella da togliere il fiato.

Il calore accumulato durante la giornata si levava dal manto erboso. Laure si accese una sigaretta e ripensò a una conversazione avvenuta nella *chata*, quando Leo aveva spiegato che alle elezioni del maggio precedente era andato alle urne il 99,39 per cento degli aventi diritto e il 99,94 per cento di loro aveva votato i candidati scelti dal governo. Poi pensò alle marionette appese ai loro ganci, che aspettavano di essere chiamate a vivere. Combattere per una causa poteva creare dipendenza. Stava incominciando a rendersene conto. «Credi che scoppierà una rivoluzione? In futuro? Mai?»

«Sono domande difficili. Ma di sicuro non accadrà, se le persone come me se ne vanno.»

La barca fu raggiunta da altre due e insieme restarono ferme, al tramonto, disegnando arabeschi di luce sull'acqua.

Laure lo sentiva ritrarsi in un posto in cui non era la benvenuta. «L'hai detto tu che ci sono delle crepe nel regime. Mi hai raccontato dell'opposizione alle truppe sovietiche, quando hanno invaso la Cecoslovacchia nel 1968 e mi hai parlato della resistenza di questi giorni. Ma hai anche detto che ci vorrà molto tempo, per liberarsi del regime. Hai tutta la vita davanti. Non dovresti concederti la possibilità di viverla?»

«Abbassa la voce», disse Tomas in tono brusco.

«Stiamo litigando?»

«Non essere sciocca.»

Laure spense la sigaretta con cura, avvolse il mozzicone in un pezzetto di carta e lo diede a Tomas.

Lui guardò l'involucro minuscolo. «Sei diventata cittadina onorevole della Cecoslovacchia.»

«Onoraria.»

«Onoraria, giusto.» Restò in silenzio un istante. «Perché mi vuoi insegnare l'inglese?»

«Secondo te?»

Tomas scoppiò a ridere. «Ti va se andiamo da me?»

Non l'aveva mai invitata a casa sua. «Sì.»

«Non si sta molto comodi. Fa lo stesso?»

Risalirono l'argine, imboccarono una strada che correva parallela al fiume e si diressero al ponte. Sopraggiunsero un paio di auto e le fecero passare.

All'improvviso, Tomas prese il braccio di Laure così forte che per poco non le strappò un grido. «Vedi quel palazzo bianco là davanti? Raggiungilo, entra nel cortile e aspettami. Fa' come ti dico», le sibilò nell'orecchio. «Non fare domande.» Poi si girò e andò nella direzione opposta.

Laure obbedì alle istruzioni, camminò veloce verso il palazzo – uno dei più vecchi lungo il fiume – e non si voltò indietro nemmeno quando sentì lo stridore di pneumatici e l'odore di gomma bruciata.

Poi udì una portiera che sbatteva.

Era quasi paralizzata dalla paura. Erano venuti a prendere Tomas? E se cercavano anche lei?

Varcò l'ingresso e si ritrovò in un cortile simile a quello dei Kobes, circondato da appartamenti a tre piani con balconi in ferro battuto. Era pieno di piante e immerso in una quiete assoluta.

Non che Laure ci prestasse molta attenzione. Cercando di non farsi prendere dal panico, si appoggiò a un abbeveratoio di pietra e si accese un'altra sigaretta. Come facevano i cecoslovacchi a vivere così? In preda a un'ansia continua?

Qualche minuto dopo, Tomas varcò l'ingresso del cortile. Era pallido, sudato e si teneva una spalla. Laure si lasciò sfuggire un grido e si precipitò da lui. «Ti hanno fatto del male.»

Vedendola arrivare, trasalì. «Quegli idioti stavano inseguendo qualcuno che probabilmente è riuscito a scappare. Quindi erano di pessimo umore e non volevo dargli la soddisfazione di farmi beccare. Soltanto che mi hanno visto e hanno deciso di darmele di santa ragione, per dimostrarmi quanto mi vogliono bene.»

«Appoggiati.»

Sembrava esausto per lo shock. Per il dolore? «Non fa molto male. Mi verrà soltanto qualche livido. Ti ho mandato nella direzione opposta perché non volevo che finissi di mezzo.»

Il sollievo le infuse coraggio. Gli prese la testa tra le mani e lo baciò con passione.

«Sai di tabacco.»

«E tu di birra.»

Si ritrassero.

Dei due, era Laure che tremava, sconvolta. «Ti hanno picchiato senza motivo?»

Sopra di loro, qualcuno chiuse una finestra, facendo piovere calcinacci lungo il muro.

«Vuoi sederti?»

Tomas scosse la testa. «Andiamo via di qui.» Le cinse le spalle col braccio sano e s'incamminarono. Tomas zoppicava leggermente.

«Devo darti un consiglio, Laure. Se ti prendono, devi essere preparata. Conoscono le risposte prima ancora di farti le domande. È un vecchio trucco.»

«E?» Terrorizzata, Laure si rese conto che parlava a se stesso. Faceva le prove, tenendosi pronto per ciò che lo attendeva.

«Mi chiederebbero in cosa credo e risponderei che credo nella pace e nell'uguaglianza e chiunque m'interrogasse si metterebbe a ridere. E non è difficile da capire. Le loro ideologie non sono le mie. Il problema è che si riservano il diritto di costringerti a essere d'accordo con loro.»

A eccezione di una donna con una borsa di corda, la strada era deserta.

«Mi chiederanno delle canzoni e risponderò che non sono preparato a rispondere, perché non considero il mio interlocutore esponente di un'impresa che crea il mio tipo di musica. Mi faranno anche notare che la musica provoca agitazione nella società, e risponderò che non ho niente a che fare con l'agitazione, poiché la trovo ripugnante.»

«Credo di capire.»

«Sono stato arrestato più di una volta. È sempre più complicato, ma io sono anche più astuto. Però è rischioso.»

«E cosa farai con gli Anatomie? Perché?»

«Voglio dimostrare a me stesso che, nonostante la tua insinuazione, non sono inerte, che è quello di cui Jan Palach accusava noi cechi.»

Laure lo guardò senza capire.

«Nel 1969. Un brutto anno.»

«Chi era Palach?»

«Uno studente che si è dato fuoco in piazza Venceslao per protestare contro la nostra incapacità di resistere. Si è bruciato vivo per far capire che rifugiarsi nelle vignette, nell'opera e nella depressione come fa di solito il popolo ceco non è abbastanza. Purtroppo Palach aveva ragione.» Si prese un paio di secondi per riflettere. Sembrava molto provato. «Leo e Manicki la pensano come me, anche se non ne parliamo. È una storia bella e terribile al tempo stesso.»

Dolore. Odore di carne bruciata. Morire fra atroci sofferenze per una causa. Era troppo terribile per dire qualcosa.

«Ci ha lanciato una sfida per dimostrare che non siamo passivi.» Si fermò e, appoggiandosi a un muro, la baciò di nuovo, mordendole il labbro inferiore. Poi si ritrasse. «E nemmeno tu lo sei. Passiva, intendo.»

Archiviata l'immagine di Palach, almeno per il momento, Laure tirò un sospiro di sollievo. «Dico davvero, cosa farai?» gli chiese di nuovo, mentre attraversavano lentamente il ponte Carlo diretti a Mŭstek, il quartiere in cui Tomas viveva con un paio di musicisti, incluso Manicki.

«Sono un soldato del rock che combatte il sistema.»

Un paio di ragazze coi pantaloni sfilacciati li superarono sul ponte e li fissarono. Una di loro incenerì Laure con lo sguardo.

«Un *dio* del rock, vuoi dire.»

Un tempo, il palazzo in cui viveva Tomas era costoso e ambito, ma adesso era malandato e la cantina era così umida che poteva sopravviverci soltanto un'anatra.

Mentre entravano, Tomas le indicò i cornicioni di pietra. «Fa' attenzione. I piccioni stanno mettendo su famiglia.»

In effetti, il pavimento era cosparso di guano e da un nido sul davanzale proveniva il pigolio poderoso dei pulcini.

I bagni erano condivisi, compreso un water scheggiato cui sembrava non rimanesse molto da vivere.

«Scusa, scusa», disse Tomas, indicandolo.

«Non importa.»

Lui le mise una mano sulla schiena e la guidò su per le scale fino al primo piano, dove c'era la sua stanza. «Quando nevica ci dorme anche Manicki, perché il tetto perde. Ma oggi ce l'ho tutta per me.»

C'era una rete, ma il materasso era sul pavimento. Il motivo era ovvio: alla rete mancava una gamba. C'erano pile di vestiti, poster degli Anatomie alle pareti, un catino bianco e azzurro che sembrava antico e di valore, e la chitarra di Tomas appoggiata al muro.

Tomas si diresse verso una scatola di cartone nell'angolo. «Sei qui?»

«Con chi stai parlando?» chiese Laure, sorpresa.

Tomas mise le mani nella scatola e prese un gatto. «Ecco il mio vero amore. Si chiama Kočka, che vuol dire 'gatta'. Siamo anime gemelle.» Teneva l'animale nell'incavo del braccio e lo accarezzava. «È mia amica, le parlo, critica le mie canzoni e faccio il possibile per farla stare comoda e al sicuro. Però sta invecchiando. E non posso farci niente.»

«Non essere triste», disse Laure, quasi gelosa.

«Non m'interessa se mi succede qualcosa, ma non voglio che le capiti niente di male. I miei amici sanno che, se succede qualcosa, Kočka dev'essere al sicuro.»

«Al sicuro?»

« La devono portare dal veterinario. Ho nascosto del denaro per assicurarmi che venga soppressa in modo indolore. Quando l'ho presa con me, le ho fatto questa promessa. Le avrei dato la vita e la morte migliori che potevo. In cambio, mi ha amato incondizionatamente. E l'ho amata anch'io. » Baciò la testa di Kočka.

Laure guardò Tomas rimettere la gatta nella scatola, sentendosi inadeguata ad affrontare quel disastro incombente e, forse, la competizione con l'animale.

« Va tutto bene? »

Laure annuì.

Tomas si sfilò la maglietta, scoprendo il torace magro e sudato, coperto di ematomi ed escoriazioni. Sulla schiena, sopra il rene destro, si stava formando un grosso livido violaceo.

Laure si lasciò sfuggire un grido.

« Non è niente di grave. » Poi si voltò a guardarla, parlando in tono serio. « Dico davvero. Mi chiedi perché rimango. È per questo motivo. È molto semplice. In un libro proibito c'è scritto: 'Nessuna opinione filosofica, politica, scientifica, né attività artistica che si allontani anche soltanto in minima parte dall'ideologia o dall'estetica ufficiale è consentita'. Provo a ricordare le parole esatte. 'Non è permessa nessuna critica esplicita, non si ha diritto a una pubblica difesa e il ministero degli Interni è occupato a controllare la vita dei suoi cittadini, seguendo i loro spostamenti, spiandoli, ascoltando le loro conversazioni telefoniche e arrestandoli per la strada senza alcun capo d'accusa.' »

Stordita dal desiderio, cercò di metabolizzare le informazioni. « Quindi mi stai dicendo che non c'è alternativa. »

« Esatto. »

« Ma così potresti correre dei rischi. La tua vita potrebbe diventare così difficile da diventare una specie di morte. »

« Chi è che ha detto che ci sono molti tipi di morte? Arrendersi è uno. Jan Palach ha scelto la sua strada. Noi dobbiamo trovarne un'altra.»

Laure rabbrividì nonostante il caldo. «È insopportabile.»

«Puoi scegliere di non respirare?» La fece stendere sul materasso.

«Ma come?»

«C'è la musica. Ci sono le marionette che prendono in giro i fantasmi e i demoni, per renderli sopportabili. Possiamo punzecchiare quelli come il tuo capo, ma in modo così sottile che non se ne accorgono.»

Invece se ne accorgono, avrebbe voluto gridare.

Le fece alzare le braccia e le sfilò la maglietta. Anche la pelle di Laure era scivolosa per il sudore. Si chinò a baciarle una spalla. «Sei salata. Delizioso. Se la mia vita è in pericolo, mi ricorderò di questo.» Le mise una mano sul seno. «E mi ricorderò di te.» La guardò negli occhi con un miscuglio di amore, malinconia e lussuria. «Il pericolo acuisce i sensi. Vedrai.»

Ebbe la terribile sensazione che Tomas fosse attirato dal martirio. Come se lo chiamasse da un campo cosparso di fiori. Gli prese il viso tra le mani. «Il tuo dovere, il tuo unico dovere, è sopravvivere.»

Le condizioni di Eva non miglioravano. «È il caldo. Mi ha sempre fatto male.»

Poteva essere anche colpa del caldo. Negli ultimi giorni era cambiato. Più pesante, avvolgente. Appiccicoso. Ti schiacciava, ti bagnava i vestiti di sudore, bruciava la pelle nuda.

Le temperature alte mettevano tutti a dura prova, ma, con Eva di mezzo, c'era anche altro. Persino un cieco avrebbe notato le borse sotto gli occhi, la pelle cerea e la spossatezza che la coglieva dopo ogni sforzo. In un paio di occasioni, aveva trascorso la notte in ospedale ed era tornata a casa con le braccia graffiate e il segno di una puntura all'altezza del gomito.

In quei momenti, Eva era costretta a stare a letto e, se Petr non c'era, Laure metteva a dormire i bambini e le faceva compagnia. Le due donne non parlavano molto, a parte qualche scambio sui bambini. Laure era troppo occupata a pensare e sognare per preoccuparsi dei silenzi.

Quella sera, quando andò a controllare Eva, la trovò in camera da letto, sdraiata e con le braccia aperte, come in croce. Laure notò commossa che indossava una delle sue camicie da notte parigine, una creazione in seta color avorio e pizzo, difficilissima da stirare.

Laure si sedette. La stanza era in perfetto ordine e, quando pensò allo sforzo che doveva avere fatto Eva, ne ammirò la determinazione. Sul comodino, disposte con cura, c'erano le sue medicine e una pila di libri. Da quello che poteva dedurre, quello in cima era un saggio politico.

Eva aprì gli occhi e chiese un bicchier d'acqua. Laure la aiutò a mettersi seduta e glielo diede, poi guardò fuori della finestra, assorta nei suoi pensieri.

«Cosa ti dice?»

Laure tornò bruscamente alla realtà. «Non so di chi sta parlando.» Prese il bicchiere e lo appoggiò sul comodino.

«Non fare finta di non capire.»

«Se intende Tomas, non dice niente.»

«Davvero?»

«Davvero.»

Eva era malata, ma aveva ancora la mente lucida. «Ti sei presa una bella cotta.»

«Cosa?»

«La tua storia d'amore.»

«Oh.»

« Ti sta usando. Anche se ti fa delle promesse », disse, con una punta di cattiveria.

Laure si rabbuiò.

« Non mi credi, e immagino che sia giusto così. Ma non dimenticarlo. » Poi, stanca dell'argomento, Eva si concentrò sul proprio malessere. Cambiò posizione, lasciandosi sfuggire un gemito. « Se solo fossi a Parigi... »

« Non è possibile andarci? »

« Certo che lo è. Ma Petr deve stare molto attento a non indisporre le autorità, mentre durano le trattative. Dobbiamo fare attenzione tutti quanti. » Cambiò di nuovo posizione e gemette piano. « Se fossi a Parigi, potrei migliorare. »

« Ma *sta* migliorando. Lo dicono i dottori. Lo dice Petr. Deve crederci. »

Eva scoppiò a ridere. « È tutta la vita che credo. » Indicò la foto in cornice appesa alla parete che ritraeva Petr mentre riceveva un attestato di merito dal presidente Gustáv Husák. « Credere è un'arte. La lealtà è un'arte. » Chiuse gli occhi.

Il suo tono fanatico spaventò Laure, che cambiò argomento. « È cresciuta a Praga? »

Sui lineamenti spossati di Eva affiorò un accenno di vita. « No, in campagna. A nord della città, in un villaggio bellissimo. O almeno lo era. L'aria era pulita, non come qui. Sto male all'idea che i bambini la respirino, è terribile. Il Partito dovrebbe fare qualcosa. »

« Come ha conosciuto Petr? »

« Una delegazione è venuta al villaggio per le vacanze estive. C'era anche lui. Era più giovane di me, ma mi è bastato uno sguardo per decidere che volevo stare con lui. È stato semplice. »

« Questa sì che è fede. »

Eva girò la testa sul cuscino. « Immagino di sì. Molto forte. Nel corso di una vita, capita una volta o due di fare scelte fondamentali ed è importante restarvi fedeli, nonostante i dubbi. Mi ci è voluto un po' per imparare la lezione. La questione della fedeltà, intendo.»

Laure le sistemò le lenzuola di lino pesante, aiutando Eva a mettersi seduta. «Ora deve concentrarsi sulla sua salute.»

Eva si accasciò di nuovo sul cuscino. «Grazie.» Chiuse gli occhi. «Petr mi ha promesso che mi farà seppellire nel mio villaggio. Mi consola saperlo.»

«Non morirà.»

«Non si sa mai. Bisogna prepararsi a ogni eventualità. Grazie per essere rimasta a prenderti cura dei miei figli», aggiunse, mentre Laure usciva dalla stanza. «Anche Petr lo apprezza. Non solo i bambini.»

Laure strinse la maniglia della porta.

«Ma credo che sarai felice di tornare a casa, quando arriverà il momento. Non è vero? Stare lontano da casa non è una buona cosa. Voglio essere sincera con te. Se Petr rimarrà a Praga, sarà meglio assumere una ragazza ceca, per le faccende di casa. Oppure...» Ci fu una pausa lunga, significativa. «Oppure, farà bene a risposarsi. Tu sei molto carina e molto brava, ma sei giovane e non sai come funzionano le cose qui.»

Laure era sbalordita. «Cosa le viene in mente? Non ho intenzione di *sposare* suo marito. Non lo farà nessuno.»

Eva le rivolse un sorriso. «Ho imparato a non essere categorica riguardo al futuro.» Sembrava che non si considerasse più parte dell'equazione, il che era preoccupante quasi quanto l'allusione al matrimonio, che Laure considerò il vaneggiamento di una mente malata ed esausta.

«Eva, mi prenderò cura dei bambini fino a quando resterò qui, e lo farò nel migliore dei modi. Nient'altro.»

Quella sera, Petr e Laure cenarono insieme come di consueto, mangiando svogliatamente patate lesse e fagioli sotto il lampadario di cristallo. Petr usava il suo solito trucco, quello di far sentire Laure la persona più importante del mondo, ma lei reagiva senza troppo entusiasmo.

Lui se ne accorse. «Sembri preoccupata. È successo qualcosa?»

«No.»

«È molto bello averti qui. Altrimenti questa casa sarebbe molto vuota.» Bevve un sorso di birra e cambiò argomento, chiedendole di Brympton e distraendola con domande sui trasporti e sulla sanità pubblica.

Laure gli descrisse il treno che andava da Leeds a York, che prendeva per andare a scuola. «Era l'unico modo per arrivarci. T'interessa davvero sapere queste cose?»

«I treni sono importanti. Per esempio, per te era importante che arrivasse in orario e non fosse troppo costoso.» Finito di mangiare, Petr si schiarì la voce. «Mi dispiace, ma devo parlarti di una cosa che non posso ignorare.»

L'atmosfera cambiò in modo impercettibile e Laure non capì bene perché.

«Mi devi parlare di Eva?»

«Mi è stato riferito che hai rivolto un gesto volgare a un funzionario del Partito, per la strada.»

La stanza divenne improvvisamente soffocante. «Come fai a saperlo?»

«Ha importanza?»

«Be', sì, ce l'ha.»

«Il ministero degli Interni è occupato a controllare la vita dei suoi cittadini. Ne abbiamo già discusso, ricordi? I cittadini stranieri sono un bersaglio facile.»

«C'è qualcuno che non spiate?»

«Laure, gli hai rivolto quel gesto oppure no?»

Non avrebbe mentito per nessun motivo al mondo. «Sì.»

«Non ti chiederò perché l'hai fatto, anche se ne avrei il diritto, essendo responsabile per te. Però devo chiederti di non farlo mai più.»

Come osi? avrebbe voluto dirgli.

Petr parlò lentamente, come se fosse una bambina. «È chiaro che non capisci come ci si deve comportare qui. Atteggiamenti del genere finiscono col ripercuotersi inevitabilmente sulla mia famiglia.»

Laure si pentì di non avere più esperienza in quel genere di cose. «Tu sei uno di loro, godi della loro protezione. Che importanza ha quello che faccio? Soprattutto se è a malapena degno di nota.»

«Cosa vuoi dire?»

Laure alzò lo sguardo sul lampadario, alla ricerca d'ispirazione. Le pesanti gocce di cristallo riflettevano la luce del tramonto, proiettando una pioggia di puntini luminosi sulle pareti. «Sei ben inserito nel Partito. Fai delle cose per lui.»

Petr si alzò e le si avvicinò. I suoi occhi, di solito così gentili, non lo erano più.

Laure vacillò. «Non è così?»

«Non sai di cosa parli. Le autorità ti hanno inserito in un elenco di persone 'contrarie' al regime. Sarai descritta come 'borghese reazionaria' e, quando sarà il momento di preparare il tuo visto, ci sarà una nota negativa. Forse sufficiente per farti espellere.»

Laure si domandò se stesse esagerando apposta. Perché preoccuparsi, comunque? Sapeva – e lo sapeva anche Petr – che l'avrebbe avuta vinta lui, perché il solo pensiero di lasciare Tomas le faceva mancare il terreno sotto i piedi.

Laure non l'aveva mai visto così freddo e serio. «Pensi di poter lasciare il tuo lavoro e andare a vivere col tuo amante. E mi accusi di essere un tirapiedi del Partito. Forse è vero. Forse no. Ma, senza la mia protezione, saresti vulnerabile. Molto. E questo sì che è vero.»

Entrambi sapevano che stava dicendo la verità.

«Non dici niente?»

La cosa ironica era che, messa alle strette, le dispiaceva che Petr avesse una brutta opinione di lei. Era sconcertante. La loro relazione era, ovviamente, più complicata di quanto immaginasse. «Non accadrà mai più.»

26

Laure si svegliò alle sei. I bambini dormivano ancora. L'intervallo di tempo tra il momento in cui lei apriva gli occhi e quello in cui si svegliavano loro era tutto suo.

La camicia da notte le si era arrotolata sui fianchi. Spostandosi per sistemarla, si accarezzò lo stomaco, che era piacevolmente piatto. Appoggiò la mano sulla sporgenza dell'anca.

I giorni si erano succeduti l'uno all'altro come perle di una collana, che immaginava ognuna di un colore diverso. Rosse, come la passione. Azzurre, per indicare la seconda gita alla *chata* che Tomas amava tanto. Verdi, come la canzone che aveva scritto mentre lei era a letto, nuda, a guardarlo. Nere, come le marionette: spiriti della natura, principi e principesse, i folli e i mostri e la loro metamorfosi, che si compiva sotto il suo sguardo affascinato.

Le perle erano state contate e si stava avvicinando la fine di settembre. La notte faceva più fresco e il sole era meno impietoso.

Perché Tomas l'amava?

Era un dubbio sempre presente, come un secondo battito cardiaco. Poco tempo prima aveva deciso che fosse una domanda da non fare, cui non rispondere. Ma, come tutte le congetture, era disobbediente e tornava sempre in superficie.

Tomas amava gli Anatomie.

Amava il suo Paese.

« Dobbiamo far sì che le libertà fondamentali vengano ripristinate. Ogni essere umano ha il diritto di esprimere liberamente la propria arte. »

Le piaceva ricordare soprattutto una frase: « Tu sei diversa, Laure. Grazie al cielo ».

Un tempo le avrebbe considerate frasi senza importanza, ma, in quel Paese di scrittori e artisti, stava incominciando a considerare le parole con un rispetto nuovo. Erano cariche di significato e fonte di potere.

Tomas l'amava. E le parole non erano forse tutto?

Se non altro, Eva non era peggiorata e il calo delle temperature le aveva portato un po' di sollievo. I bambini si stavano preparando ad andare a scuola.

« Scuole d'élite », le aveva spiegato Petr, molto seriamente. « Altrimenti resterebbero indietro, nel caso in cui tornassimo a Parigi. »

Coi nuovi orari, Laure non avrebbe goduto della stessa libertà di andare e venire che aveva avuto in estate e avrebbe dovuto discuterne coi Kobes. Mise i piedi giù dal letto. Doveva godersi ogni momento.

Nel tardo pomeriggio, infilò un paio di jeans e una maglietta, annodò un foulard a fiori sui capelli, si diresse verso la Újezd e prese un tram per il giardino Kinský.

Il tram era stipato di lavoratori che tornavano a casa. Una coppia che aveva spazio a sufficienza per aprire un libro era immersa nella lettura di un volume di poesie e lei ne fu profondamente colpita. Tra i passeggeri c'era di sicuro più di un informatore e si chiese come avrebbero fatto i due a adattarsi alla situazione, nel caso in cui il regime fosse crollato. Guardò fuori del finestrino. Le persone che erano state spiate si sarebbero vendicate? Ci sarebbero state ritorsioni? Sangue? Paura e disprezzo?

Erano in agguato nell'animo di tutti.

Scese alla fermata e si unì alla folla di persone, quasi tutte giovani – alcune con un mazzo di fiori in mano –, che stava attraversando il Kinský diretta all'osservatorio Štefánik. Erano silenziose e fu colpita anche da quello.

Laure guardò alle proprie spalle, cercando d'indovinare chi fossero gli informatori. La ragazza coi capelli rossi sciolti sulla schiena? L'uomo con l'impermeabile sulle spalle e l'immancabile cappello di feltro?

Fuori dall'osservatorio era stato costruito il solito palco di fortuna, che dominava un'area erbosa dove gli elettricisti correvano come scarafaggi. Dal suolo si levava il profumo dell'erba e delle foglie secche: dolce, caldo e inconfondibile.

Lo zaino, in cui aveva messo una bottiglia d'acqua, pesava una tonnellata e se lo appoggiò a una spalla mentre si faceva largo con difficoltà verso il palco. Le persone difendevano con le unghie e coi denti il posto conquistato a fatica e non gradivano che una straniera si facesse largo tra la gente scusandosi in un pessimo ceco. Finalmente Laure raggiunse il palco e sorrise a Václav, l'elettricista. Non si scambiavano molte parole, ma andavano d'accordo. Lui le prese la mano e la issò sul palco.

Una marea di corpi si espandeva fino ai cespugli e all'erba alta, che formavano un confine naturale. Laure camminò sulle assi del palco, che echeggiarono vuote sotto i suoi passi.

Entrò in una tenda improvvisata dietro il palco, dove trovò Tomas intento a confabulare con Manicki e Leo.

Lui alzò lo sguardo, la vide e le rivolse un sorriso che era solo per lei e, per la centesima volta, Laure pensò che sarebbe potuta morire d'amore. La raggiunse. «Era ora! Com'è andata la giornata?»

Il loro manager gli stava addosso, gridando qualcosa in ceco e indicando l'orologio.

Sapendo che le autorità avevano dato il permesso di tenere il concerto a condizione che il gruppo rispettasse gli orari, Laure lo baciò. «Vai, ti stanno aspettando.»

Il pubblico dava segni d'impazienza – grida, cori, qualche rissa –, ma, non appena risuonarono le note della prima canzone, si calmarono tutti.

I brani erano stati commissionati per quel concerto: le parole erano di un poeta cui era stata vietata la pubblicazione e la musica era di Tomas. Molti dei brani avevano dei titoli con un nome di animali: *Orsi di mezzanotte*, *Il serpente nell'erba*, *Pesce morto*.

Laure si fece largo verso il lato del palco, da cui poteva osservare meglio. La musica di Tomas aveva subito un cambiamento sottile. Nell'influenza massiccia del pop-rock occidentale, nel frastuono ribelle e nel totale sconvolgimento dei sensi, si erano insinuati i ritmi delle danze slave, l'eco di una cornamusa boema e un riff strepitoso alla *Moldava* di Smetana.

Calò il sole. Il pubblico incominciò a scaldarsi, gridando, sbracciandosi al ritmo della musica. Sul palco, i riflettori illuminavano gli Anatomie come un dipinto, mentre migliaia di piccoli insetti volavano in controluce.

Laure gridò e ballò insieme con loro.

Quei corpi stipati non reagivano soltanto all'energia della musica. Nel crepuscolo, si stavano arrendendo a desideri e lealtà proibiti. Assaporavano la resistenza come vino sulla lingua.

Laure guardò il suo amante, mangiandoselo con gli occhi: il panciotto sbottonato, il torace sudato sotto la maglietta, il modo in cui stringeva la chitarra e il microfono.

«La resistenza cecoslovacca è molto speciale, perché è culturale», disse Tomas.

Assistere al concerto, sentirlo, con le orecchie e sulla pelle, era come accogliere l'eversione dentro di sé.

Perché non aveva prestato più attenzione alla Storia, a

scuola? Si sarebbe potuta fare un'idea più chiara del modo in cui i regimi morivano. *Se* morivano. C'erano così tanti strati da togliere. Così tante controcorrenti da dominare.

Quello che riusciva a vedere – e a sentire –, però, era lo spreco di vite e di sogni che generava. Un catalogo di morti inutili e la distruzione di talenti e opportunità. Un'abitudine radicata nella paura. Una popolazione cui erano stati strappati via i principi morali con la forza. Una forza che le autorità spacciavano per amore.

Dal palco, Tomas le rivolse uno sguardo complice, lascivo e tenero, e Laure dimenticò tutto, eccetto i propri desideri.

Troppo presto, Leo attaccò col penultimo pezzo. *Tunnelling* parlava di topi che raggiungevano un silo pieno di grano, scavando cunicoli sotterranei e passaggi nascosti.

«Puoi interpretarla come vuoi», aveva detto Tomas, quando Laure gli aveva chiesto il significato della canzone. «Ricordati che i topi sono bravi a infiltrarsi. Non li nota nessuno.»

Ci fu una pausa. Tomas alzò una mano e, mentre la folla andava in visibilio, attaccò con l'ultima canzone, *Kočka*.

Se un gatto vuole
uccidere il topo
prima deve prenderlo.

A metà del pezzo, mentre il pubblico in delirio ballava e cantava, le luci del palco si spensero con un crepitio e calò un buio fitto. Si udirono delle grida. Laure guardò in direzione del rumore e vide la folla muoversi e aprirsi su un lato. Subito dopo, come per un riflesso condizionato, una parte del pubblico si allontanò di corsa alla luce del crepuscolo. Sanno come fare, pensò. Alcuni, intrappolati al centro, cercarono di andarsene con la forza. Altri restarono sul posto. La situazione stava arrivando a un pericoloso punto morto.

Calpestando l'erba con gli stivali, la torcia al petto, decine di poliziotti in divisa verde uscirono dall'oscurità e, con una manovra perfetta, accerchiarono il pubblico. Precisi. Furtivi. Il comandante si posizionò accanto al palco e incominciò a impartire ordini incomprensibili con un megafono.

Gli Anatomie non si fermarono e la loro musica continuò a risuonare nel buio del palcoscenico.

Meraviglioso e coraggioso Tomas...

Una squadra di poliziotti formò un cordone e fece uscire il pubblico. I più corpulenti salirono sul palco e strapparono gli strumenti dalle mani dei musicisti.

Dalla sua posizione accanto al palco, Laure guardò Tomas cercare d'impedire a un poliziotto di portargli via la chitarra. Quando capì che rischiava di danneggiarla, gliela consegnò con una scrollata di spalle.

Ormai Laure aveva abbastanza esperienza per sapere che doveva rimanere nascosta, così s'incamminò verso la tenda per prendere lo zaino e uscire.

Troppo tardi. Dopo qualche secondo entrarono Leo, Manicki e Tomas scortati dal comandante della polizia e dal suo aiutante, con le loro potenti torce.

Manicki si tormentava i capelli, scostandoli da una parte all'altra. Leo fissava l'ingresso della tenda, da dove si vedeva la coda del pubblico che si disperdeva. Tomas si abbottonò il panciotto con deliberata lentezza.

Non guardò Laure. Lei non lo guardò. Fu quella la parte più difficile.

Alla fine, il comandante impartì un altro ordine e i tre furono scortati fuori dalla tenda. Il suo vice si rivolse a Laure e le disse qualcosa. Lei scosse la testa. Lui ripeté la frase. Più forte. Di nuovo, lei scosse la testa e alzò le mani, come a dire che non capiva.

Infastidito, l'uomo gridò qualcosa, la prese per un braccio e la spinse fuori dalla tenda, accompagnandola all'uscita.

Sul palco, gli elettricisti erano impegnati in un frenetico lavoro di smontaggio. Con un cavo in una mano, Václav la guardò di sottecchi e portò un dito alle labbra. *Non dire una parola.*

Non dire una parola.

Laure ripensò all'avvertimento di Václav, sempre più stupita di essere dov'era. Nessuno le avrebbe creduto, a Brympton. *Sei la solita esagerata,* avrebbe detto Jane.

Si trovava in una stanza senza finestre, disadorna eccetto due sedie di plastica cosparse di bruciature di sigaretta e un telefono di bachelite nero su un tavolo. Il cavo dell'apparecchio era infilato in un buco del tavolo e raggiungeva la scatola di connessione alla parete. Una sistemazione assurda, pensò. Se te ne dimenticavi, rischiavi d'inciampare e cadere. O forse era proprio quella l'intenzione?

Da quanto tempo era lì? Tre ore? Quattro? Quegli scagnozzi erano cattivi. Era riuscita a convincere la giovane guardia a darle un bicchiere d'acqua e a farle usare il bagno soltanto dopo ripetute richieste. Non aveva tanta paura, ma era arrabbiata e voleva disperatamente sapere dove fossero Tomas e gli altri.

Sapeva che avrebbe dovuto temere per la propria sorte e che era stupido sottovalutare la situazione, però non poteva fare a meno di essere affascinata dallo squallore dell'arredamento. Delle sedie di plastica e un telefono collegato in modo maldestro non erano oggetti particolarmente minacciosi, per quanto la riguardava.

Guardò l'ora per la nona volta. Erano quasi le dieci. Alle dieci in punto, si aprì la porta ed entrò un uomo che indossava un paio di pantaloni grigi curati e una camicia stirata. Il suo viso non le era nuovo. «Buonasera, sono il maggiore Hasík», disse in un inglese dal tono formale, appoggiando una valigetta sul pavimento. «Ci siamo già incontrati, col suo amico Tomas Josip. Le farò alcune domande e poi spero con tutto il cuore che possa tornare a casa.» Si accomodò sulla sedia di fronte alla sua. «Vuole un po' d'acqua?»

Laure scosse la testa. «Perché mi trovo qui?»

Lui la guardò con attenzione. «Forse pensa di essere vittima di un'ingiustizia. È corretto?»

Laure non rispose.

«Per dimostrarle che si sbaglia, abbiamo telefonato al suo datore di lavoro e gli abbiamo chiesto di venire qui. Con lui presente, sarà sicuramente più a suo agio.»

«Che pensiero gentile.»

«Ci porterà il suo passaporto, così potremo verificare che lei sia davvero chi dice di essere.»

Le avevano chiesto almeno cinque volte come si chiamava, da dove veniva e che lavoro faceva. «Sarà un sollievo.»

«Non dovrebbe fare dell'ironia su questo procedimento. È necessario, sa.»

Hasík era mite, persino compiacente, ma Laure colse un'ombra astuta e crudele nel suo sguardo. Cambiò posizione, a disagio.

L'uomo guardò il fascicolo che aveva portato con sé. «Il suo fidanzato è un membro degli Anatomie. Da quanto lo conosce?»

«Quattro mesi.»

«Con che frequenza vi vedete?»

«Due o tre volte alla settimana. Ogni volta che possiamo.»

«Andate a letto insieme?»

Lei si leccò le labbra secche. «È importante?»

«È un sì, quindi.» Si alzò e andò da lei, fermandosi dietro la sua sedia. «E di cosa parlate quando siete insieme, Miss Carlyle?»

«Non sono affari suoi.»

Hasík si chinò e le accostò la bocca all'orecchio. «Se si tratta d'idee proibite, allora, sì, sono affari miei.» Tornò a sedersi. «Che opinioni politiche ha il suo fidanzato?»

«Non ne ho idea.» Laure aveva la bocca riarsa e il cuore che le martellava nel petto.

«È una risposta stupida. Se sta con qualcuno, deve saperlo per forza.»

«La musica lo assorbe completamente. Non ha tempo per la politica.» *Non dire troppo.*

«Approva il modo in cui lo Stato gestisce l'economia?» Hasík aprì la valigetta ai suoi piedi, tirò fuori una barretta di cioccolato e la mise accanto al telefono. «Lo sa che questo è un prodotto capitalista proibito? L'hanno trovata nel suo zaino.»

«Non è mia.»

Lui scosse la testa con gentilezza. «È meglio che non mi contraddica. Dove l'ha presa?»

Laure non rispose.

«Ho motivo di credere che gliel'abbia data il suo fidanzato, che l'ha presa illegalmente in un negozio Tuzex.»

«Si riferisce a quei negozi in cui possono comprare soltanto i vertici del Partito?»

Lui non batté ciglio. «Non ha nessun senso essere scortese, Miss Carlyle. E nemmeno infantile.»

Laure si sforzò di pensare in modo lucido. «Mi scusi. Quindi possono entrare tutti, in quei negozi?»

«Certo. Sono i benvenuti. Ma non tutti hanno accesso alle corone spendibili nei negozi Tuzex. Di sicuro non il suo fidanzato, il che significa che ha ottenuto il denaro sul mercato nero. E questo è un reato punibile con la prigione.»

Laure cercò di restare calma, però Hasík era molto esperto e aveva fiutato il suo disagio.

«Se ci pensa, è logico. Lo stipendio medio di un lavoratore è di tremila corone al mese. Alcuni contrabbandieri arrivano a guadagnare fino a duecentocinquantamila corone al mese. »

« Non posso esprimere nessun giudizio in merito. Ma la barretta di cioccolato non è mia e non me l'ha data lui. »

Lui giunse le mani e la guardò con aria benevola. « Che peccato. »

La mancanza di aerazione stava facendo effetto e Laure incominciò a sperare con tutta se stessa che arrivasse Petr Kobes. « Mi state interrogando per una barretta di cioccolato? »

« Mia cara ragazza, pensa che la stia interrogando? Le sto soltanto facendo qualche domanda, tutto qui. »

Un punto a suo favore. Forse l'aveva convinto che la barretta non era sua. Tuttavia sapeva di non poter dimostrare che Tomas non aveva comprato i buoni al mercato nero, per poi spenderli nel negozio Tuzex.

Non c'era una procedura cui poteva appellarsi? Forse poteva chiedere che venisse qualcuno del consolato inglese. Ma c'era un consolato inglese, a Praga?

In quel momento squillò il telefono, un trillo penetrante e stridulo che lacerò il silenzio e per poco non le fece venire un infarto.

Il maggiore prese il ricevitore, disse il proprio nome e restò in ascolto. « Capisco. » Riattaccò. « Mi dispiace, ma il suo datore di lavoro è stato trattenuto, il che significa che saremo costretti a tenerla qui finché non potrà raggiungerla. »

Laure si alzò. « Tenermi dove? »

Hasík la guardò con aria dispiaciuta. « Qui. »

« Vorrei contattare qualcuno del consolato o dell'ambasciata inglese. Ciò che state facendo è illegale. »

Hasík le sorrise. « Mia cara ragazza, gli inglesi saranno tutti andati a dormire, ormai. Inoltre lei è soggetta alla legge cecoslovacca, dal momento che vive a Praga. Le stiamo garantendo la massima correttezza. »

Lo guardò, incredula. «Ho sentito bene? *La massima correttezza?* Sa dove deve mettersela, la sua correttezza?»

Lui restò seduto, con le mani giunte sul tavolo.

«Sono una cittadina inglese. Verranno.»

«Gli inglesi non fanno straordinari. Quindi non credo.»

«Ma non potete trattenere le persone per una barretta di cioccolato. È assurdo.»

«Ho mai detto che era quello il motivo?» Hasík prese la barretta, ormai mezza sciolta, e la rimise nella valigetta. «No, la stiamo trattenendo per un altro motivo.»

«Di cosa si tratta, allora?»

Lui si alzò e si avvicinò, minaccioso. «Devo essermi dimenticato di dirlo. Lei e il suo amico siete stati arrestati con l'accusa di aver organizzato una manifestazione contro la pace.» Sorrise di nuovo. «È tutta un'altra faccenda. E anche piuttosto grave.»

Non c'erano celle disponibili e il tipo che era di guardia – un prepotente coi capelli biondi – la informò gesticolando che sarebbe dovuta restare lì. Dopo un po', Laure prese la seconda sedia e cercò di stendersi.

Le si chiudevano gli occhi per la stanchezza e aveva mal di testa. Se doveva essere sincera, era terrorizzata e voleva soltanto dormire. Era appena riuscita ad assopirsi, quando squillò il telefono. Trasalì e quasi cadde dalla sedia.

Poi il telefono si zittì.

Ma non per molto.

Nel corso di quella notte lunga e disgustosa, mentre cercava di dormire, continuò a squillare. Più o meno ogni ora, lacerando il silenzio con sei o sette squilli per poi tacere.

Non aveva mai odiato niente quanto il suono di quel telefono e dubitava che lo avrebbe fatto in futuro.

Verso le cinque del mattino, con lo stomaco chiuso e stordita dall'ansia, si alzò in piedi. Se stavano facendo una cosa del genere a lei, che trattamento avrebbero riservato agli altri?

La porta si riaprì. Laure chiuse gli occhi e prese i bordi della sedia, sforzandosi di restare calma e preparandosi al peggio.

Aprì gli occhi. La guardia coi capelli biondi era di fronte a lei. Allungò una mano, le prese una ciocca di capelli e disse qualcosa in ceco. La fece alzare, le infilò una mano sotto la maglietta e gliela strappò. Aveva un sorriso vorace, determinato e spaventoso.

«Smettila, ti prego.»

La immobilizzò con un braccio e con l'altra mano si slacciò la cintura.

Laure gridò e gli piantò il gomito nel torace. Lui mollò la presa e si piegò in avanti, lasciandole un varco per fuggire dall'altra parte del tavolo. I pantaloni gli calarono alle ginocchia, rivelando il pene eretto.

Laure gridò di nuovo, facendolo infuriare. L'uomo si afferrò i pantaloni e le fu addosso, facendola sbattere violentemente contro il muro.

La bloccò mettendole una gamba tra le sue e le aprì i jeans, poi le abbassò le mutandine. Le insinuò le dita tra le cosce, frugando e spingendo. Lo sentì entrare dentro di lei, vincere le resistenze della sua carne.

Laure sussultò, lo prese per i capelli e tirò più forte che poté. In risposta, la guardia le allargò ancora di più le gambe e la scaraventò a terra. Si mise a cavalcioni su di lei e le tirò via i jeans e le mutandine, immobilizzandola col peso del suo corpo.

Ancora pochi secondi e si sarebbe preso ciò che voleva. Il suo pene le premeva contro la coscia. L'uomo la prese per il mento e la obbligò a girare la testa. Poi si mise sui gomiti, pronto a penetrarla con la forza.

Il dolore. Il disgusto. Il terrore.

Laure si lasciò sfuggire un gemito.

Con uno sforzo sovrumano, si girò su un fianco e tirò il cavo del telefono che fuoriusciva da sotto il tavolo, facendolo cadere.

L'apparecchio lo colpì a una spalla. Per un istante, l'uomo si paralizzò e Laure pensò di avere ottenuto una tregua. Poi urlò qualcosa d'incomprensibile, prese il telefono e glielo sbatté sulla testa.

Un'esplosione di puntini fluorescenti le annebbiò la vista. Sentì uno schianto nelle orecchie, seguito da una sensazione di galleggiamento e, da qualche parte, distante, il dolore.

In lontananza udì Petr impartire un ordine: «Basta».

Laure si girò prona, gemendo di dolore. Sospirò. Poi tutto diventò nero.

Nella sua stanza a Můstek, Tomas la cullava dolcemente. Erano sdraiati sul materasso e Kočka era sul davanzale della finestra, al sole. Laure aveva ancora un lato della testa ricoperto di lividi e il corpo dolorante.

«Quindi?»

Parlare le costava fatica. «Petr Kobes è arrivato mentre quell'uomo mi colpiva e mi ha portato via. L'ha...» Esitò, cercando di non piangere. «L'ha fermato. Gli ha impedito di... Non è riuscito a...» Lo guardò. «Hai capito.»

Petr aveva insistito per farla visitare da un dottore, che aveva dichiarato le sue ferite non gravi. «Mi dispiace tanto. Mi dispiace tanto», aveva ripetuto, il viso una maschera di sofferenza e vergogna. Avrebbe potuto dirle: *Ti avevo avvisato*, ma non aveva ceduto alla tentazione e Laure gliene era grata. Ma l'aveva convinta a non contattare il consolato inglese vicino a Thunovská. «Lo so che sei arrabbiata, Laure, ma sarebbe gentile da parte tua non creare problemi.»

La parola «gentile» era strana, date le circostanze, ma

pensò che intendesse dire che sarebbe stato più semplice per lei, oltre che per i Kobes, se la cosa fosse stata messa a tacere.

Petr si era fermato sulla soglia della camera da letto. «È soltanto un consiglio. Ho sistemato le cose coi piani alti.» Poi aveva fatto un passo in avanti, entrando nella stanza.

D'istinto, Laure si era coperta col lenzuolo e Petr non si era avvicinato ulteriormente.

«Eva e io siamo molto dispiaciuti e ti chiediamo scusa per quello che è successo. Ci pensiamo noi, ai bambini, tu puoi stare a letto.» Era sconvolto. Si era girato per uscire dalla stanza. «Un'altra cosa. Questa volta sono riuscito a proteggerti. La prossima volta non ci riuscirò. Lo capisci?»

«Non ci riuscirai? O non vorrai farlo?»

«Lascio decidere a te.»

Laure si mosse tra le braccia di Tomas. «E voi? Dove vi hanno rinchiuso?»

«In fondo al corridoio. Ti ho sentito gridare e insieme coi ragazzi abbiamo fatto un tale fracasso che sono stati costretti a intervenire. Kobes ha fatto il resto e ci hanno lasciato andare, con l'avvertimento che non ci saranno più concerti e ci terranno d'occhio.» Guardò Laure.

Lo shock e il terrore l'avevano sopraffatta e aveva le guance solcate di lacrime.

«Dimmi qualcos'altro.»

«È difficile...» Ogni volta che apriva bocca, il suo cervello si paralizzava.

Le asciugò una lacrima col pollice. «Ti fa bene parlarne. Credimi. Lo so. È un modo per sopravvivere.» Voleva far sì che il trauma si attenuasse, o almeno che diventasse qualcosa con cui poter convivere.

Laure chiuse gli occhi. «Una volta mi hai detto che abbiamo il dovere di sopravvivere. Ti ricordi?»

« Brava ragazza. Mia adorata Laure. Ora parlami, e ti sentirai più leggera. »

Il filmato è in bianco e nero e mostra una stanza di piccole dimensioni, arredata con un tavolo e due sedie l'una di fronte all'altra. Non ci sono finestre. In mezzo al tavolo c'è un ingombrante telefono a disco di bachelite nero, di quelli antiquati, col cavo e con la cornetta. Le sedie di plastica sono piene di bruciature di sigaretta e il pavimento è di legno grezzo. Non è possibile capire dove si trovi la stanza.

« Puzzava. Mi ha fatto male... Mi ha fatto tanto male e non so se riuscirò a farmi più toccare da nessuno. » Cercò di non concentrarsi sui dettagli fisici. Non deve ricordare il rumore sordo della sua testa contro la parete, quelle dita sfacciate, disgustose, dentro di lei. La carne lacerata. Deve dire a se stessa che sarebbe potuta andare peggio, e che invece in quel momento è lì, con Tomas. Si svegliò a sufficienza per chiedergli: « Che prigione era? »

Tomas fece scivolare un braccio sotto di lei, spostandola dolcemente, con cura, per metterla in una posizione più comoda. « La Bartolomějská. Era un convento, finché non hanno cacciato via le monache. Pensaci, leonessa. »

« Dio non c'era », rispose lei, con voce flebile.

« Non perdonerò mai quei bastardi. » Poco dopo, aggiunse: « Ora lo sai, Laure. Lo sai *davvero* ».

« Tomas. Se è questo che succede... il tuo futuro... vieni con me. Potresti rifarti una vita. » Lo guardò e vide con sgomento una luce fanatica nei suoi occhi. « Una vita: non è una buona causa? »

« È questa, la mia vita, Laure. »

Non le importava di farlo arrabbiare e continuò a insistere: « Hai paura che all'estero non sarai nessuno ».

« Probabilmente è vero. Ma, qualunque sia la mia motivazione, buona, cattiva o debole, resto qui. »

27

Un paio di settimane più tardi, Laure uscì dall'appartamento dei Kobes diretta al teatro delle marionette per lo spettacolo della sera. Aveva mal di testa e si sentiva ancora il cranio fragile come un guscio d'uovo, ma i lividi sulle gambe e sul torace stavano sbiadendo.

Naturalmente era seguita. Normale amministrazione, nella sua vita praghese.

Zainetto in spalla, attraversò la piazza con mille pensieri che le mulinavano nella testa.

Interrogatori. Violenza. Terrore.

Com'era possibile elaborare tutto quell'orrore?

Milos era sulla porta e le bloccò l'ingresso. «Hai bisogno di un permesso.»

Era stata una giornata calda e Laure si chiese se la birra che Milos stava tracannando non gli fosse andata alla testa. «Sta succedendo qualcosa?»

Lui le lanciò uno sguardo complice e sospettoso allo stesso tempo. «Siamo in sciopero, quindi niente spettacolo. Lucia avrebbe dovuto contattarti per dirti di non venire.»

«Be', non l'ha fatto, quindi... caro Milos, fammi entrare.»

Il burattinaio prese un foglietto, sul quale scrisse con inchiostro viola *Permesso di entrata e uscita* e glielo diede.

Lei gli sorrise e, come immaginava, Milos ricambiò, raggiante. «Cosa sta succedendo?»

«Le persone vogliono discutere alcune idee. Il teatro è

un buon posto dove riunirsi. Non è saggio, ma sta succedendo. »

Dietro le quinte era pieno di visi sconosciuti, incluso un uomo che faceva da guardia ai camerini con un giubbotto militare e i capelli raccolti in una coda di cavallo.

Nel corridoio, lo specchio incrinato rifletteva un andirivieni di gente con fogli e cartelline. Nel minuscolo camerino, le maschere e gli abiti neri avevano ceduto il posto ai posacenere e alle bottiglie di birra. L'aria era irrespirabile.

« Quali idee? » chiese Laure a Milos, che l'aveva seguita all'interno.

« Non c'è nessuna idea. E tu non hai visto niente. Intesi? »

« Intesi. Non ho visto niente. » Passò l'ora successiva a mettere in ordine. Stava riponendo le marionette sui loro ganci quando Milos fece capolino dalla porta.

Si sedette al tavolo e prese un foglio di carta nero e un paio di forbici. « Resta ferma così. »

Lei obbedì. « Perché? »

« Gira il viso verso la porta. »

Milos diede forma a una delle sue sagome tagliando la carta. Laure l'aveva osservato anche in altre occasioni e sapeva che ogni minuscolo colpo di forbici avrebbe dato vita a qualcosa di miracoloso.

Quella sera, l'inglese del burattinaio era fluente. « Hai un viso ideale per questo. E un collo da cigno. E capelli come un fiume. »

Laure rise, deliziata, poi si toccò il lato contuso della testa. « Un fiume. Grazie. Quanto tempo devo stare ferma così? »

« Il tempo che ci vuole. »

Non dovette aspettare molto. Dopo quindici minuti, Milos le mostrò la sagoma. Era bella. Molto bella. Laure la studiò con attenzione, curiosa di vedere se i cambiamenti di cui era consapevole fossero evidenti anche allo sguardo al-

trui. Stesso naso. Stessa linea della testa. Capelli un po' più
lunghi. «Grazie.»

«Non puoi tenerla. Me l'ha chiesta una persona.» Milos
si picchiettò il naso e Laure gli sorrise, raggiante.

«In cambio, posso avere quella che hai fatto per 'quella
persona'?»

«Te la metto nello zaino. È una delle migliori che abbia
mai fatto, prenditene cura.»

Dopo un po', la curiosità ebbe la meglio e Laure andò
dietro le quinte, dove stavano i burattinai durante lo spettacolo, e sbirciò da dietro la scenografia.

Le persone arrivavano alla spicciolata nella sala, che stava diventando un inferno di fumo di sigaretta, sudore e birra. A terra erano sedute diverse ragazze con una fascia tra i
capelli sulla quale era stata scritta la parola «libertà» in ceco. Un uomo con un paio di jeans sudici e una maglietta
bianca stava registrando qualcosa con un dittafono. Un altro suonava la chitarra e cantava *We Shall Overcome*. In un
angolo c'era un mazzo di fiori avvizziti. Qualcuno aveva attaccato un manifesto che raffigurava un grande orecchio appoggiato a un muro.

Milos le si avvicinò. «Non hai visto niente, Laure.»

«No, non ho visto niente.» Aveva capito il messaggio in
codice e ne era compiaciuta. Indicò in fondo alla sala, dov'e-
ra stato appeso un lenzuolo con una scritta. «Cosa dice
quello striscione, che non vedo?»

Milos impiegò un po' di tempo per tradurre. «'Il 1986 è
l'anno del manganello? Non aspettare. Fai qualcosa per fermarlo.'»

«E l'orecchio?»

«È una presa in giro dello Stato che ascolta, ma nel modo
sbagliato. La persona che l'ha disegnato si è data alla macchia. Questa è la sua opera più famosa.»

Era divertente e ripugnante al tempo stesso: dall'orecchio,

disegnato con un tratto brutale, spuntavano dei peli ispidi. A dare forza all'immagine era l'umorismo amaro e disperato, o almeno così le sembrò. «Quindi, se si usano le parole sbagliate, l'immagine diventa uno strumento più potente.»

«Hai centrato il punto. Il governo mente con le sue parole false. Noi rispondiamo in modo diverso.»

Arrivò Lucia, tutta infervorata e con indosso la sua tenuta da burattinaia. Si disfece della borsa a tracolla, lasciandola cadere a terra.

Laure distolse lo sguardo. «Tomas?»

«Lucia gli ha proibito di venire. Gli Anatomie devono stare nascosti.»

«Le autorità sono a conoscenza della riunione?»

Milos la guardò pensieroso. «Chi lo sa? Comunque sta accadendo.» Le mise una mano sulla spalla e lei sentì il suo respiro caldo sulla guancia.

Fu travolta da un'ondata di solidarietà, affetto ed euforia. «Fa' attenzione, Milos.»

«Anche tu.»

Lo abbracciò, trattenendo a stento le lacrime che la perseguitavano da quella notte in prigione. Lui ricambiò l'abbraccio. Laure trasalì per il dolore, ma non le importava. Soldato e *compañero*. «Non potrei farcela senza di te.»

Milos tornò in camerino, mentre Laure prese lo zaino, entrò in sala e si accomodò in fondo, accanto all'uscita. Aveva la testa molle. La paura era un virus che le scorreva nelle vene.

Lucia la raggiunse e si accovacciò accanto a lei. Il kajal intorno agli occhi le dava un aspetto minaccioso ed esotico allo stesso tempo. «Tomas mi ha raccontato cos'è successo. Ti avevo avvisato di non immischiarti.»

Era impossibile non essere colpiti da Lucia. Anche se le stava antipatica, Laure non era sicura di poter provare avversione per una donna così devota alla causa.

«Devi andartene da qui. Adesso sei un bersaglio e non va bene per noi.»

Laure si toccò la testa dolorante. «Anche se sono ferita?»

«Soprattutto se lo sei. Ci sono troppe cose che potresti mettere a repentaglio.» Lucia si alzò.

Da qualche parte, dentro la testa, una vocina disse: *Farei meglio a fuggire?*

Intorno alle otto e mezzo arrivò Tomas, con la chitarra in mano. Dalla folla di presenti si levò un mormorio entusiasta. Esterrefatta, Lucia lo prese per un braccio e lo rimproverò. Tomas sorrise. Poi andò da Laure, la prese per la cintura e la attirò a sé.

Lei lo abbracciò, premendo il proprio corpo contro il suo. Tomas le accarezzò il collo e lei inspirò il suo odore, che amava tanto.

«È sicuro?»

«No. Quindi?»

Milos uscì dai camerini con un piatto di panini provenienti dai bar dei dintorni. Vennero distribuiti e il pubblico si sedette sulle panchine e sul pavimento a mangiare. Tomas si accomodò per terra, facendo sedere Laure accanto a sé.

Si spensero le luci. Si aprì il sipario.

«Oh», disse Laure.

Il Pierrot e Lucia, la sua burattinaia, si presentarono al pubblico. Erano uniti l'uno all'altra, ma Laure si rese conto che non era la burattinaia ad avere il controllo. Il centro di gravità apparteneva al Pierrot, come sempre.

Il violino attaccò le prime note, sensuali, splendenti, affrante. Il Pierrot si alzò in piedi per affrontare il suo martirio e incominciò il viaggio verso la morte.

Braccia e gambe erano dolenti, piene di sentimento. Era innocente, eppure quel Pierrot sapeva tutto. Parlava di sofferenza, oppressione, amore, martirio e morte in vita. Si stava mettendo a nudo.

Staccò il primo filo. *Guardatemi. Per resistere, bisogna prima conoscere la disperazione.*

Qualche centimetro dietro di lui, la burattinaia fu costretta a trasformarsi da manipolatrice a spettatrice impotente. Se lui, il Pierrot, guardava nel baratro, doveva farlo anche Lucia.

« Non piangere », le sussurrò Tomas in un orecchio. « È una bella cosa. La marionetta rifiuta di arrendersi al suo padrone. Rifiuta di essere controllata. Sceglie l'annientamento. Sceglie la libertà, anche se significa la morte. »

Laure nascose il viso contro il petto di Tomas e scoppiò a piangere.

Lui le accarezzò i capelli. « Ricordati, il Pierrot torna ogni volta. Lui è noi. Noi, insieme. »

Laure posò una mano sul torace di Tomas e sentì il battito del suo cuore, sotto la pelle pallida e il torace esile.

Il sipario si chiuse e ciò che rimase del Pierrot scomparve.

Poi le persone incominciarono a parlare. Una ragazza alta, coi capelli neri, declamò con enfasi. Poi fu la volta di diverse altre persone, che parlarono con altrettanto fervore. I discorsi si conclusero e Lucia srotolò uno schermo davanti al palcoscenico.

« Ascoltami », disse Tomas. « Il mondo sopravvivrà, chiunque sia al potere. Ma noi non abbiamo bisogno di profeti. Abbiamo bisogno di dignità e onore. E lavoro. »

Accesero un proiettore.

« È un filmato proibito », le spiegò Tomas.

Le prime inquadrature sfocate proiettate sullo schermo di fortuna includevano una foto segnaletica di un sorridente Dubček, l'uomo che aveva cercato di liberalizzare la politica nel 1968. Tra il pubblico si levarono grida di esultanza. Tomas tradusse la voce fuori campo per Laure. I russi ave-

362

vano fatto pressione affinché la Cecoslovacchia si confor-
masse alla linea ufficiale del Partito e aveva cercato di fare
a pezzi le riforme, prima di mandare i carri armati. Le immagini successive mostravano il volto tirato di Dubček in
lacrime.

I panini stavano scomparendo velocemente. Laure ne
prese uno e si paralizzò, poi strinse la coscia di Tomas.
«Non guardare, ma c'è la polizia.»

All'ingresso del teatro c'era una figura in divisa verde.
Alle sue spalle ce n'erano altre, che sorreggevano un corpo
esanime.

«Quanti sono?»

«Sette, credo.»

Tomas non esitò un istante. «Vattene. Subito. Scavalca la
ringhiera del giardino.»

Lucia cercò di strappare via lo schermo, su cui continuavano a scorrere altri fotogrammi di un Dubček sempre più
abbattuto. Un poliziotto entrò e staccò il proiettore.

Poi trascinarono il prigioniero in sala.

«Oh, mio Dio, Leo», disse Laure.

Leo alzò la testa. Lo avevano picchiato. I capelli biondi
erano sudici, sporchi di sangue. Un rivolo rosso gli scendeva lungo le guance. Ma era vivo. Alzò le braccia e mostrò a
tutti qualcosa di orribile, raccapricciante. Gli spettatori più
vicini si ritrassero inorriditi. Le sue mani erano ridotte in
poltiglia.

Una donna strillò.

Per la prima volta da quando l'aveva conosciuto, Tomas
somigliava al Pierrot che guardava nell'abisso.

Il capo dei poliziotti studiò la scena. Il suo sguardo si posò su Tomas e Laure e sul suo viso inespressivo si aprì un
sorriso compiaciuto.

Il poliziotto si diresse verso Laure. «Nome?» le chiese in
ceco.

Lei esitò.

«Nome?»

Laure rispose. Il poliziotto prese un taccuino e glielo fece scrivere, poi si allontanò.

«Ecco cosa mi hanno fatto quei maiali. Mi hanno tolto tutto ciò che avevo», gridò Leo, l'uomo di poche parole, in inglese.

Il poliziotto prese Leo per i polsi, strappandogli un grido.

«Vattene», mormorò Tomas a Laure.

Nella mente di Laure si profilò uno scenario inconcepibile. «Non me ne vado senza di te. Questa volta ti uccideranno.»

Scaraventarono Leo su una panchina e lui scivolò a terra, imbrattando il pavimento di sangue.

Poi si scatenò l'inferno. Molti dei presenti si alzarono. I più temerari alzarono i pugni e inveirono contro gli uomini in divisa. Alcuni si avviarono verso la porta. Altri si sedettero a terra e rifiutarono di muoversi.

Laure chiamò a raccolta tutte le sue forze. Prese lo zaino e spinse Tomas verso la porta del giardino. «Se non vieni con me, mi consegno.»

Per un istante, lui sembrò irremovibile. Poi prese una decisione e spinse Laure verso il giardino. «Corri.»

Lei non se lo fece dire due volte. Urtò la mano contro la meridiana di pietra, così forte che perse la sensibilità alle dita.

Tomas scavalcò la ringhiera e aiutò Laure a fare lo stesso.

Si udirono le sirene, mentre i poliziotti impartivano ordini e calpestavano il selciato coi loro stivali pesanti. Dentro il teatro, il caos era inframmezzato da grida.

Tomas sapeva dove andare: evidentemente aveva già architettato un piano di fuga. Costeggiarono il muro, poi attraversarono un paio di giardini, diretti a un cancello in ferro battuto in fondo a una terrazza, e uscirono su un vicolo.

« Adesso mettimi un braccio intorno alla vita e non correre.»

Laure era senza fiato, ma si sentiva euforica e ribelle. Quei maledetti bastardi non li avrebbero presi.

Con uno sforzo sovrumano, fece come Tomas le aveva detto. Era fradicio di sudore, e anche lei.

Percorsero il vicolo, girarono a sinistra e quindi a destra su Železná. Poi Tomas si ritrasse e la portò in un vicolo coperto che offriva un po' di riparo.

« Dove stiamo andando? »

« Non lo so ancora, però probabilmente qui le nostre strade si divideranno.» Lei si lasciò sfuggire un grido e Tomas le accarezzò una guancia. « Lo sapevi. »

In lontananza echeggiava il lamento delle sirene.

In alcuni punti, l'ombra proiettata dalle arcate era fitta e il selciato dissestato rendeva difficile camminare. *La Praga segreta*. Nascondersi nel suo ventre non era più divertente, né un gioco. Era questione di vita o di morte.

Sbucarono nella Kožná.

« Adesso torna dai Kobes. Fingi di non sapere niente. »

« Quel poliziotto ha preso il mio nome, Petr lo verrà a sapere. Vuole tornare a Parigi e ha bisogno di tenersi buono il Partito. Mi ha detto che non mi aiuterà una seconda volta. »

Tomas si fermò. « Allora devi andartene dal Paese. Domani. Non posso aiutarti, Laure. Anche se lo vorrei tanto. »

Lei lo aveva già capito. « Andrò all'ambasciata inglese. » Posò la mano sana sulla sua nuca, costringendolo a guardarla. « Devi andare via anche tu. Sì? *Sì.* »

Tomas sembrò considerare le sue parole.

« Quello che hanno fatto a Leo è stato un avvertimento. Distruggeranno anche te. Ma, se sopravvivi, puoi tornare. Un giorno. Niente dura per sempre. Lo dice la Storia. »

Lui si rabbuiò e la portò all'ombra di un muro. « Mi piace, quando fai l'esperta. »

Lei lo fissò avidamente mentre Tomas guardava il cielo della sera e prendeva la sua decisione.

«Pensaci. Non fare il martire. Non sei di nessun aiuto, da morto.»

Lui abbassò gli occhi e Laure vide che qualcosa era cambiato. «Ci sono modi di andarsene. Milos li conosce. È tutto pronto, se qualcuno ne ha bisogno.»

«Me ne ha parlato. Quindi ci stavi pensando.»

«Ci pensiamo tutti. Per non impazzire. Però è l'ultima spiaggia. Se lo faccio, avrò bisogno di procurarmi dei documenti falsi e ci vorranno alcuni giorni. Sarò costretto a nascondermi. Milos ti avrà parlato del treno che tutti i martedì lascia Praga per Vienna.» Le accarezzò la fronte, spianando le rughe col pollice, come faceva sempre. «La guardia sul treno può essere corrotta. Ma devi fare una cosa per me.»

«Qualsiasi cosa.»

«Kočka. Prometti che...» Tomas si fece forza. «Voglio la tua parola che... che la porterai dal veterinario. I soldi sono dietro l'orologio sulla parete. È troppo vecchia. Non ce la farà, senza di me. Ne abbiamo passate troppe.»

«Te lo prometto», disse Laure, cercando di non piangere.

Tomas continuava a tenere d'occhio la strada. «Ascolta... Gmünd. Ripetilo.»

Lei obbedì.

«Gmünd è la stazione di confine con l'Austria, il punto più pericoloso del viaggio. La stazione successiva è quella in cui dovresti venire a prendermi. Dammi un giorno di tempo, non si sa mai.»

In quel momento, Laure capì che Tomas aveva deciso di stare con lei.

«Non devi farne parola con nessuno. Nessuno.»

Sarebbe stato facile. «Certo. Neanche una parola.»

Guardò alle spalle di Laure. «Ti potrebbero costringere a parlare.»

Laure rabbrividì.

«Non ascoltare quello che potrebbero dirti di me. Hai capito? Me lo prometti?»

Lei gli accarezzò una guancia, sentì il calore della sua pelle sotto il palmo. «Certo.»

Una madre con un bambino in braccio camminava verso di loro. La sua gonna grigia era macchiata. Il bambino piangeva e lei aveva l'aria preoccupata e stanca. Mentre passava, li guardò, poi scomparve.

«Ti aspetterò. Per tutto il tempo che ci vorrà. Hai bisogno di soldi? Prendi questi.» Laure frugò nello zaino e gli ficcò delle banconote in mano. «Hai i vestiti? I documenti?»

«Milos sa quale posto prenotare, qual è la stazione giusta, cosa dire.»

«Spero che non ti farai chiamare Wilhelm. Mi rifiuto di amare un Wilhelm. Meglio Viktor, in segno di 'vittoria'.»

C'erano così tante cose da dire e allo stesso tempo così poche.

In lontananza echeggiarono i rintocchi di una campana e il lamento delle sirene della polizia.

«Mio Dio. Devono aver sguinzagliato ogni singolo poliziotto di Praga.» Tomas guardò Laure. «È solo grazie a te che ho cambiato idea.»

Con suo grande imbarazzo, Laure provò un moto di gioia.

«Era già abbastanza brutto non poter andare all'università, né viaggiare, né entrare in una biblioteca. Ma lo accettavo. Sapevo come stavano le cose e lo accettavo. Come tutti. Però, quando sei arrivata tu, ho capito cos'è la libertà.» La baciò. «Non hai idea di quello che sto dicendo, ed è un complimento.»

Laure cercava di rimandare il momento dell'addio. «Dove andrai?»

«Conosco un posto sicuro. Starò lì finché i documenti

non saranno pronti. Pensiamo che sia gestito dagli inglesi », aggiunse, sarcastico.

« E come farò a sapere che è andato tutto bene? »

« Non lo saprai. Qualsiasi cosa tu faccia, non dire niente a nessuno. »

Laure desiderò che il nastro del tempo si riavvolgesse. In quel modo si sarebbe compiuto un miracolo: il segmento di tempo che conteneva il Tomas di quell'istante avrebbe potuto essere privato dei suoi pericoli e dei suoi tranelli. Devi credere, si disse. Credere come coloro che avevano edificato le meravigliose chiese barocche della città, e Tomas sarebbe stato al sicuro.

Laure si guardò alle spalle. « C'era qualcos'altro che volevi chiedermi? »

Lui esitò. Alla fine, si sfilò il panciotto, ne scucì l'orlo posteriore e tirò fuori un foglietto. « È un elenco di nomi che potrebbero interessare all'Occidente. Speculatori. Uomini d'affari. Membri del Partito che potrebbero essere manovrati. Li abbiamo raccolti negli anni, spesso pagandolo caro. »

Lei guardò il foglio e si sentì terribilmente delusa. « Quindi mi hai usato per tutto questo tempo. »

Lui le prese il mento, costringendola a guardarlo. « Cosa ne dici? »

Lo guardò avidamente. Davvero...? A cosa doveva credere?

Le infilò una mano sotto la maglietta, stringendole un seno. « Per ricordo. » Lasciò la mano sulla sua carne calda, mentre le sirene suonavano in lontananza. Sembrava più esile e magro che mai. Più vulnerabile. Più deciso. Il suo dio del rock. « Se soltanto sapessi, Laure. »

Lei gli accarezzò il viso con la mano ferita.

« Oh, mio Dio, Laure, la tua mano. Devo andare. » Poi le diede un bacio. Lungo, intenso.

Se ne andò, lasciando Laure stordita per il dolore dell'addio e in preda ai dubbi.

Ben presto avrebbero informato Petr che al teatro delle marionette si era tenuta una riunione clandestina cui era presente anche lei.

Aveva poche ore a disposizione.

Doveva agire con cautela. Comportarsi come una persona che aveva delle responsabilità, uno scopo e nemmeno un momento da perdere. Ma senza correre.

E non doveva farsi fermare.

Le abitudini acquisite di recente diventarono ossessive. Verifica che non ci sia nessuno nascosto nell'ombra. Passa attraverso i vicoli. Torna indietro, se sei indecisa.

La mano le faceva male, e per fortuna, perché concentrarsi sul dolore le impediva di farsi prendere dal panico. Eva e i bambini erano a cena da un amico di famiglia e Petr sarebbe andato a prenderli con la limousine alle dieci e mezzo per riportarli a casa.

Doveva entrare e uscire prima che fossero di ritorno.

Arrivò dai Kobes senza problemi e andò subito nel bagno padronale. Era in disordine, come al solito. Le medicine di Eva erano su una mensola, accanto al rasoio di Petr. Gli asciugamani non erano al loro posto e la vasca aveva bisogno di una ripulita. Non perse un secondo di più e aprì l'armadietto dei medicinali. Prese un'aspirina per recuperare un po' di lucidità e una benda che aveva usato con Maria quando si era tagliata un ginocchio – era ancora un po' insanguinata – per fasciare la mano.

Erano le dieci e dieci quando squillò il telefono nell'ingresso. Non rispose.

Andò nella sua stanza e si buttò sul letto.

Rifletti.

Mise il foglio sotto il polso e si fasciò la mano, assicurandosi che fosse ben nascosto. Il sangue di cui era macchiata la faceva sembrare più realistica.

Le girava la testa. Di nuovo. Era sconvolta. Di nuovo. Era caduta in una trappola di falso ottimismo. *Ogni sorta di cose sarà bene.* Quella era una città impregnata di spiriti e demoni che si prendevano crudelmente gioco delle fanciulle ingenue.

Come si faceva a pregare?

Doveva pregare i demoni e gli spiriti di Praga. Pregare pure che la sua fede fosse giustificata.

Si sedette sul letto e vagliò le opzioni che aveva. Prima di tutto doveva mettere nello zaino le cose che non poteva abbandonare. Lo specchietto. La sagoma di Milos. Aggiunse dei vestiti e il denaro che le era rimasto. Il passaporto, naturalmente.

Avrebbe lasciato lì la foto che le aveva scattato Václav al concerto del Kinský – era una prova schiacciante, nel caso in cui l'avessero presa – e il resto dei vestiti, incluso l'abito parigino.

E avrebbe lasciato lì anche la vecchia Laure.

Fatto lo zaino, stava aprendo la porta d'ingresso quando sentì i Kobes che rincasavano. Buttò lo zaino sul pavimento, spingendolo in un angolo col piede. «Vi ho sentiti arrivare.»

«Lo sapevo, che ci aspettavi», le disse Jan.

I bambini la circondarono e lei li abbracciò entrambi col braccio sano. Avevano bevuto una bibita gassata da due soldi e Maria aveva ancora le labbra macchiate.

Era chiaro che Eva aveva pianto. «Ci siamo divertiti tantissimo», disse tuttavia. Aveva di nuovo lo sguardo distante e si muoveva al rallentatore. «Ma adesso vado a letto.»

«Come stai? La testa?» le chiese Petr.

Laure rispose che stava bene.

«Non mi sembra. Cos'hai fatto alla mano?» La prese per guardarla meglio e Laure sussultò. Le alzò le dita a una a una per esaminarle. «Riesci a muoverle? Altrimenti potrebbero essere rotte.»

«Sono caduta uscendo dal teatro. È soltanto una contusione.»

Lui inclinò la testa. «Sei caduta?»

«Sì.»

«Dev'essere stata una brutta caduta. Aspettami in soggiorno. Vado a prenderti qualcosa.»

Lei obbedì e lo sentì zittire i bambini nelle loro camere da letto, invitandoli a mettersi il pigiama. Si guardò la mano, che giaceva inerte sul suo grembo. Due dita si erano gonfiate e il pollice era violaceo.

Petr rientrò con un bicchiere di brandy, poi le si sedette accanto. «Bevi.»

Laure lo fece, riconoscente.

«Adesso dimmi cos'è successo.»

La vicinanza era pericolosa. Chiuse gli occhi e le tornò tutto in mente.

Le dita dentro di lei... forse ancora peggio di uno stupro vero e proprio. Il dolore alla mano. Il terrore e il disgusto. L'umiliazione del proprio corpo mezzo nudo.

Squillò il telefono.

Petr la guardò con aria interrogativa. «Devo andare a rispondere?»

«Godiamoci il brandy.»

Continuò a suonare per trenta secondi. Dalla camera da letto, Eva gridò di farlo smettere.

«Le dà fastidio il rumore», spiegò Petr.

Poi calò il silenzio.

«La prossima volta – e ci sarà una prossima volta – dovrò andare a rispondere, prima che faccia stare Eva ancora peggio.»

Lei appoggiò la mano sulla coscia. «Devo andarmene. Mi dispiace.»

Lui non sembrò sorpreso, cosa che la lasciò interdetta. «Torni a casa? Lascia che ti prenda il biglietto.»

Si sentirono dei colpi nell'altra stanza. I bambini stavano giocando a rimpiattino.

«Sì. È molto gentile da parte tua, ma non è necessario.»

«Dove vai? Hai trovato un altro lavoro?»

«A dire il vero, sì.»

«Pensavi di non poterti fidare? Che non ti avrei protetto?» Era la prima volta che Petr ammetteva di avere esercitato la sua influenza dietro le quinte. Parlava in tono autorevole e Laure si chiese come avesse acquisito quella certezza interiore. «Quando un Paese raggiunge un certo grado di maturità, è in grado di tollerare un certo grado di dissenso. E i concerti rock sono una forma di dissenso. Dipende da come vengono affrontati.»

«Voglio ringraziare te ed Eva. Siete stati molto generosi...»

Quanto tempo sarebbe passato, prima della telefonata successiva? Cinque minuti? Tre?

«Spero di essere stata utile a te e alla tua famiglia. A Eva.»

Petr era immobile e la cosa era inquietante. «Non me l'aspettavo da te. Non è una cosa da poco, piantare in asso un datore di lavoro. Soprattutto quand'è stato buono con te.»

Laure arrossì. «Credo che sia meglio così. Ti ho creato dei problemi. Me l'hai detto chiaramente dopo... Mi hai salvato e non voglio che accada ancora.» Si tastò un dito dolorante. «Non ho intenzione di rinunciare al mio diritto a pensare in modo indipendente.»

«No», disse lui, con leggero disprezzo. Petr Kobes: un debole *apparatčik* di Partito, come credeva Tomas? La spada e lo scudo del sistema? Un padre di famiglia alle prese con un impossibile esercizio di equilibrio? « E ti sei già organizzata? I documenti? »

« Immagino che ci siano dei voli. O potrei prendere un treno, forse è più semplice. »

« Un treno per dove? Parigi? Berlino? Vienna? E quando? »

« Non appena io e te ci saremo messi d'accordo. »

Lui cambiò posizione e Laure avvertì un sentore di superiorità, di soddisfazione per avere carpito un'informazione, seppur parziale, e pensò: perché ho detto una cosa del genere? « Non posso farti andare via prima di un mese. Dobbiamo trovare qualcuno che ti sostituisca. »

Laure serrò la mano e il dolore improvviso cacciò tutto il resto fuori dalla sua testa. « Non è possibile. Ho detto al mio nuovo datore di lavoro che avrei cominciato il prima possibile. »

« Capisco. »

Sensibilizzata e illuminata dalle proprie recenti reazioni, percepì qualcosa di più profondo e di sinistro nel tono di Petr.

Gelosia. Delusione.

« Ti stava usando, Laure. » Fece una pausa, dandole il tempo di digerire le sue parole. « Ne ho le prove. Ti volevo risparmiare i dettagli, ma... » Si alzò, andò alla scrivania e prese un fascicolo.

« *Conosco* Tomas. »

Petr le mise una foto davanti. « Sapevi dell'americana? » Laure abbassò lo sguardo. La foto era sfocata, ma si vedeva Tomas col braccio sulle spalle di una ragazza bionda e alta, sulla riva del fiume. « Una brava ragazza. Bellissima. Hanno dovuto rimpatriarla. Stessa tattica. »

Laure distolse lo sguardo.

Il foglio che le graffiava il polso le ricordava che sapeva pochissimo e una vita di dubbi futuri incominciò a raccogliersi decisa in un angolo della sua mente.

Cercò di resistere. «Può mentire quanto vuole, non fa nessuna differenza.»

«Devi sapere che non riuscirete mai a stare insieme. Prima di te ci sono state tante altre donne, e non è mai successo. Ti sta prendendo in giro, Laure.» Il suo tono era dolce e sincero.

«Invece staremo insieme», ribadì lei, disperata.

«Insieme? Verrà con te?»

«No, era un lapsus.»

Petr tenne la foto di fronte a lei. «Quando dovresti incominciare col nuovo lavoro?»

Tomas aveva lo sguardo rivolto all'obiettivo, ma la ragazza stava guardando lui.

Le si annebbiò la vista. Cosa? Come? Quando?

«Quando?»

Cosa? Come? Quando? «All'inizio della prossima settimana.»

Petr annuì.

Il cuore di Laure incominciò a battere all'impazzata. Gli aveva dato un'informazione preziosa.

Lui le fece cenno di alzarsi, e lei obbedì. «Mi devi dire dove andrai. Altrimenti...»

«Altrimenti?»

«Altrimenti questo.» Le prese la mano ferita e le colpì l'avambraccio.

Laure si afflosciò, contorcendosi per il dolore.

«E questo.» Si piegò su di lei e le baciò il collo, stringendola in una morsa brutale.

In quel momento capì con certezza che Petr la desiderava. Riuscì a divincolarsi a fatica. «Lo sapevo, che eri capace di molte cose spregevoli, ma non pensavo anche questa.»

Non riuscì a decifrare la sua espressione. Rimpianto? Tenerezza? Lui si ritrasse, col fiato corto. «Ti sto mostrando cosa succederà se non collabori. Non sarò io a farti queste cose. Saranno altri uomini. Non avranno pietà di te. Ti faranno così male che li implorerai di ucciderti, e loro te ne faranno ancora. Credimi. »

Laure stava tremando come una foglia.

Petr fece valere la sua superiorità. Le prese la mano e gliela torse. « Ecco cosa ti faranno. Ti maltratteranno e ti violenteranno. »

Il dolore le tolse il fiato. Con gli occhi pieni di lacrime, si piegò in avanti e vomitò il brandy. « Mi dispiace », disse, mentre il liquido le colava sul mento e sulla maglietta.

Guardò la porta.

Un errore.

Petr si mise tra lei e l'unica via di fuga. « Ti denuncio alla polizia, se non ti decidi a dirmi quello che sai, in modo che mi occupi della situazione. » Poi sembrò ripensarci. « Nessuno è in grado di controllare le guardie, in quei posti. Tra qualche minuto squillerà il telefono e dovrò rispondere. Dove avevi intenzione di andare? »

Laure cercò di prendere fiato e riflettere. « Non sono affari tuoi, ma non resterò in questo Paese. »

« Quindi hai già fatto dei programmi. » Petr sapeva con freddezza e precisione come interpretare le domande e le risposte.

Laure fu di nuovo travolta dalla nausea e portò una mano alla bocca.

« Pensi che ne valga la pena, Laure? »

Lei si rifiutò di guardarlo.

« Non voglio farlo. Ma mi stai costringendo. » Petr prese il fascicolo e tenne un foglio davanti a lei. « Sai cos'è questo? »

« Non so leggere il ceco. »

« È un certificato di matrimonio tra Michelle Pitt e Tomas Josip, di un anno fa. »

Laure guardò Petr, sbalordita. Nonostante lo shock, riuscì a dire: « Hai pianificato tutto ».

«Pensavo di doverti proteggere.»

Era strano, ma Laure gli credeva. A modo suo, Petr voleva davvero proteggerla.

Davanti agli occhi le passò una sequenza d'immagini, lente ed eleganti, come se avesse tutto il tempo del mondo. Brympton in una assolata giornata d'inverno. Il suo arrivo alla Gare du Nord. La camera da letto nella *chata*. Tomas seminudo e ricoperto di lividi, con Kočka tra le braccia.

Le aveva mentito.

Quella volta la travolse un dolore diverso, un dolore che non credeva di riuscire a sopportare. Né poteva sopportare il disgusto che lo accompagnava.

Il cervello andò in corto circuito. La logica e la ragione svanirono, sostituite dalla gelosia per quella donna sconosciuta e da una rabbia bruciante e vendicativa.

Petr osservò le sue reazioni. «Sei così giovane, Laure. Quando ti ho visto in quella stanza, alla Bartolomějská, ho temuto che ti avessero tolto per sempre tutta la dolcezza e la fiducia.»

Il mondo di Laure aveva assunto una nuova forma. Tutte le sue certezze erano scomparse. Sapeva soltanto che doveva andarsene da quella città di demoni e repressione e menzogne e finzione, prima di perdere la capacità di distinguere ciò che era giusto da ciò che era sbagliato, ciò che era vero da ciò che era falso. «Mi hanno offerto un lavoro a...» Aveva la bocca così secca che non riusciva a pronunciare le parole, e ci provò di nuovo. «Vogliono che incominci non appena po...»

«All'inizio della prossima settimana», disse Petr, disinvolto.

Laure cercò invano di capire. «Pensavo che fosse la cosa migliore, visto quello che è successo dopo il concerto. Migliore per te e la tua famiglia.»

«Quindi andrai a Parigi in treno?»

Silenzio.

« A Berlino? Mi hanno detto che a Berlino Ovest, in alcuni punti, si può vedere al di là del Muro. » Stava valutando, soppesando, prendendo le misure. Accenni, probabilità, certezze, ricomponendoli con una mente allenata a farlo.

Silenzio.

« A Vienna, allora? »

Laure si conficcò un'unghia nel palmo. Fu un gesto impercettibile, ma lui se ne accorse. Le mise il certificato sotto il naso.

Tomas era sposato?

L'angoscia e la gelosia la spingevano verso un luogo oscuro. «Sì», rispose, dopo un istante.

Petr si alzò. « Sarà meglio che vada a parlare con mia moglie. Perché non ti siedi e non finisci il tuo brandy? » Poi uscì dalla stanza. Tornò dopo qualche minuto. « Laure... Il certificato di matrimonio era falso. È un vecchio trucco. Me l'hanno insegnato tanto tempo fa. »

Laure lo guardò, col sapore acre del vomito nella bocca riarsa. « Cosa...? »

« Mi dispiace. » Poi scomparve.

Lei corse al cestino della carta e vomitò la seconda volta, rigettando bile amarissima.

L'avevano raggirata e lei, stupida e diffidente, si era fatta fregare.

Sentì la porta della camera da letto richiudersi e poi delle voci concitate. Portò il bicchiere di brandy alle labbra con mano tremante e lo bevve tutto d'un fiato. Incominciò a tossire, con la vista annebbiata.

Posò il bicchiere sul tavolo, sperando che non lasciasse l'alone. Era stupido preoccuparsi di una cosa del genere, in quel frangente. Stupido essere ancora in casa quando i Kobes erano rientrati. Stupido essersi rivelata così meschina, così traditrice.

Per l'ultima volta, guardò la stanza. Il lampadario di cristallo, le sedie di plastica, la vernice scrostata. Le proporzioni magnifiche della sala. Era tutto irreale. Il tipo di storia messo in scena al teatro delle marionette.

Una ragazza viene risvegliata da un bel principe che la trae in salvo e le streghe malvagie li inseguono.

I bambini si erano zittiti. Dovevano essere stanchi ed erano andati nelle rispettive camere da letto. In corridoio, Laure si soffermò fuori dalle loro stanze, desiderando disperatamente di poterli salutare.

Dietro la porta chiusa della sua camera, Eva gridò e incominciò a singhiozzare.

Nell'ingresso squillò il telefono.

Una scarica di adrenalina attraversò Laure dalla testa ai piedi e lei prese lo zaino.

Qualche secondo dopo era in cortile, diretta verso l'uscita. Prima d'imboccare la strada, si girò.

Petr era alla finestra e la fissava.

Sapeva dove cercarla, e ne erano entrambi consapevoli.

Non ne era sicura, ma, mentre s'incamminava verso Malá Strana, le sembrò che la salutasse.

La mano le faceva male a ogni passo.

Se Petr l'amava, le avrebbe dato una possibilità. A lei e a Tomas. Non avrebbe detto ciò che sapeva.

Ciò che lei gli aveva rivelato.

Dopo un po' rallentò il passo. La prima tappa: l'appartamento di Tomas, per occuparsi di Kočka.

Seconda tappa: l'ambasciata inglese.

Non ascoltare quello che potrebbero dirti di me. La sua voce, nell'orecchio. *Hai capito?*

Me lo prometti?

Ma lei aveva ascoltato...

28

Parigi, oggi

L'evento della Maison de Grasse aveva avuto una grande risonanza sulla stampa e tutte le parti in causa erano soddisfatte.

Per il museo si prospettavano molti cambiamenti dal punto di vista finanziario, di visibilità ed economico.

« Continuano a chiedere copie del tuo discorso », disse Nic a Laure, quando entrò in ufficio un paio di settimane dopo. « Ma cos'abbiamo, qui? »

Laure appoggiò il trasportino a terra. « Una gatta. No, la *mia* gatta. »

« E? »

« Vivrà qui. Il veterinario dice che sarebbe meglio. Il mio appartamento è troppo piccolo. Qui c'è più spazio. Ha vissuto per strada, non si adatta agli spazi troppo ristretti. »

« E il fine settimana? »

« La porterò da me. Probabilmente sarò costretta a trasferirmi, se non riesco a trovare un accordo col padrone di casa. »

Nic sbirciò nel trasportino e guardò la gatta pelle e ossa stropicciata. « È orribile. »

« Non ferire i suoi sentimenti. Ha già avuto una vita abbastanza difficile. »

Nic guardò Laure tirare fuori diversi oggetti, incluso un

cuscino. «Non c'è spazio per muoversi, qui: dove hai intenzione di metterlo?»

«Sul davanzale della finestra, in modo che possa prendere il sole.»

Nic non si scompose. «Va bene. Questa mattina hai due colloqui: un uomo con un violino di plastica viola e un altro che rifiuta di darmi il suo nome ma giura di non essere né un assassino né un terrorista. Te la senti di correre il rischio?»

Laure notò che sembrava abbattuto. «Senti la mancanza di May.»

Come Laure aveva previsto, May era tornata in America a scrivere il suo pezzo. Parigi era costosa e aveva bisogno di guadagnarsi da vivere. Triste e rassegnata, non si era dilungata in saluti.

Laure si era astenuta dal chiedere come si erano lasciati, lei e Nic. L'aveva contattata via Internet? Dalla sua espressione, sembrava di no.

May aveva lasciato un vuoto. Era una ficcanaso, pericolosa e divertente, e le sue braccia sottili erano state stranamente rassicuranti.

L'uomo senza nome in realtà si chiamava John Irvins, ed era un ragazzo robusto e con la barba. Dopo le presentazioni, col viso rosso per l'indignazione, appoggiò una pallina da golf sulla scrivania. «La Astic è una compagnia specializzata nell'acquisizione di terreni per campi da golf. Hanno comprato una striscia di terra che confina con la nostra cittadina e che in parte era un'oasi protetta. Volevano assorbire i terreni di proprietà collettiva che erano stati lasciati al paese in perpetuo. Ne è seguita una battaglia all'ultimo sangue.»

Laure aveva un'idea di dove volesse andare a parare.

«La giunta era debole e a corto di soldi. Gli abitanti hanno perso la battaglia e il campo da golf è stato costruito. Tuttavia siamo riusciti a strappare la promessa scritta che non avrebbero edificato nell'oasi protetta. Non appena il contratto è stato firmato, però, sono arrivati i camion per erigere un circolo enorme.» Le mostrò le foto dei nidi distrutti, dell'habitat devastato e, peggio di tutto, dei corpi dei pulcini i cui genitori erano stati uccisi dalle ruspe. Irvins era triste e arrabbiato di fronte all'impotenza propria e altrui dinnanzi alla questione. «La gente comune è stata privata dei suoi diritti. Sono stati schiacciati e sfruttati dai ricchi predatori. È il capitalismo nella sua espressione peggiore, più rapace e bugiarda e non abbiamo potuto farci niente. Vorrei donare la pallina da golf al museo...»

«Ah, il capitalismo.» Laure prese la pallina.

Più tardi, mentre scriveva le sue osservazioni sugli incontri, sentì Nic esclamare: «Ma cosa...?»

Sulla soglia della porta, preceduta dall'ondata di energia quasi palpabile che la caratterizzava, c'era May, con un vassoio di caffè in mano.

Nic sembrava indeciso se rabbuiarsi o sorridere. «Cosa ci fai qui?»

May gli porse il vassoio. «Sembra quasi che tu non sia contento di vedermi. Comunque sono qui per finire un lavoro.» Si girò verso Laure. «Una volta mi hai chiesto cosa porterei al museo. Ecco la mia risposta.» Si fece da parte e chiamò qualcuno che aspettava fuori dalla porta.

«Nego categoricamente di avere ricevuto un'educazione borghese», disse una voce in un inglese dall'accento pesante.

Una figura apparve sulla soglia.

A Laure sembrò che il cuore le esplodesse nel petto. Si alzò, facendo stridere la sedia sul pavimento. «Ma, Spejbl... Spejbl, tuo padre era un commerciante molto conosciuto. Non si dicono le bugie davanti agli ospiti.»

Nic stava fissando Laure come se lei fosse impazzita.

L'uomo aveva più o meno l'età di Laure e indossava un giubbotto e un paio di jeans. Aveva i capelli brizzolati e una fronte resa ancora più ampia dalla stempiatura. Fece un gran sorriso, mettendo in mostra i denti bianchissimi. «Vuoi dire davanti alle persone che conosci. Gli ospiti non sapranno mai se stai mentendo, quindi a loro non importa.»

Tutto d'un tratto, Laure era di nuovo al teatro delle marionette, a sbirciare da dietro la scenografia, tutta desiderio, amore e gioia di essere parte della resistenza. Si aggrappò alla scrivania, sotto lo sguardo sconvolto di Nic, poi tese le mani. «Milos? Milos, sei tu?»

Lui fece lo stesso e si abbracciarono.

«Quanto tempo.»

«Dove? Da dove vieni?»

«Da Praga. Mi ha trovato la tua collega e mi ha ordinato di venire. Non capisce il significato della parola 'no'.» Poi aggiunse: «Ora possiamo viaggiare, sai?»

«Lo so, lo so.» Laure incominciò a piangere, con singhiozzi strazianti, rumorosi.

May cinse le spalle di Laure con un braccio e Nic, sgomento, disse: «Vado a fare un tè».

Una volta che si fu calmata, Laure gli chiese: «Stai bene? Come va la tua vita? Accomodati».

Si guardarono senza parlare, attraversando nella loro mente i buchi neri e i terreni dissestati del loro passato.

«Sono cambiato. Tu non tanto. Sei più elegante e più bella. E hai questo...»

«Ho questo. E tu?»

L'uomo stava prendendo confidenza con l'inglese. «Ho un teatro delle marionette a Praga. Una famiglia. Ho sposato Lucia.»

Laure era sbalordita. Riuscì soltanto a dire: «Spero che sia riuscita a indossare il suo velo».

« È stato distrutto quando le autorità hanno chiuso il teatro. »

« Voglio sapere tutto. *Tutto.* »

I rumori di Parigi filtravano dalla finestra aperta. Auto, furgoni, le grida dei negozianti.

« Come ha fatto May a trovarti? »

May mise timidamente una mano su quella di Nic, che gliela strinse. « Facile. Dopo che abbiamo parlato, sono andata a Praga – te la consiglio – e ho incominciato a cercare i teatri delle marionette. Non c'è voluto molto. Ed eccoci qui. » Fece una pausa. « Te lo dovevo. »

« Quindi non sei tornata a casa », disse Nic.

« No, ovvio. Ti sembra che sia a New York? »

Buona fortuna, Nic, pensò Laure con un fremito al cuore. Buona fortuna per il futuro. Perché May ti tiene decisamente in pugno.

Milos posò un involucro malandato sul tavolo. « Ho una cosa per te. L'ho conservata per tutti questi anni. Per qualsiasi evenienza. »

Laure guardò il pacchetto. Il tempo fece un salto all'indietro. All'improvviso fu più consapevole della propria pelle, del proprio respiro, del proprio battito cardiaco.

Milos scartò il pacchetto e la carta velina si aprì per rivelare una marionetta disarticolata, simile a un mucchietto d'ossa in un ossario.

Il cuore di Laure incominciò a battere più forte.

Vide un berretto nero, delle mani di legno, arti piegati, il volto di una marionetta, fili intricati, e si lasciò sfuggire un grido. « Pierrot. »

« Tomas mi ha fatto promettere che, se gli fosse successo qualcosa, dovevo portarlo da te. Ha insistito. Ha detto che era la cosa più importante che potesse fare. La cosa più importante... »

Laure era immobile.

«Tomas mi ha detto che avresti capito.»

Laure chiuse gli occhi e si aggrappò al tavolo.

Nic tossì, a disagio. May smise di scrivere.

«Mi ha anche detto che dovevi promettere di riattaccare i fili.»

Come al solito, Chez Prune era pieno, ma Laure riuscì a trovare un tavolo vicino alla finestra e ordinò una caraffa di vino rosso.

Arrivò insieme con un piatto di noccioline. Laure riempì i bicchieri e ne diede uno a Milos. Li alzarono e brindarono al Pierrot.

All'inizio, non parlarono tanto.

Laure si mise le mani in grembo. «Raccontami tutto.»

Milos aveva già vuotato il bicchiere e si versò altro vino.

Dopo che Laure era fuggita, avevano chiuso il teatro e si erano tutti persi di vista. Leo era stato scarcerato, ma gli avevano amputato la mano sinistra. Gli avevano dato un ruolo marginale nella nuova Repubblica Ceca. Manicki era sparito dalla circolazione. Stando alle voci, si era tagliato i capelli e faceva il barbiere. Milos e Lucia erano saliti su un autobus ed erano andati a vivere vicino a Tábor, dove Milos aveva messo in piedi una falegnameria, e aveva sopportato fino alla fine del regime. Avevano due bambini. Quand'erano cresciuti, lui e Lucia erano tornati a Praga per aprire il teatro.

«È il nostro unico vero amore.»

Laure strinse il bicchiere di vino. «È stata Lucia a tradirmi?»

Milos posò il bicchiere e la prese per mano. Era ruvida, a causa degli anni di lavoro, ma, come sempre, la fece sentire al sicuro. Si conoscevano da una vita. Era sufficiente. «Sì. Ma aveva le sue ragioni. Devi perdonarla.»

« Lucia mi chiede perdono? »

« No, te lo chiedo io. È mia moglie. » I denti nuovi erano sconcertanti, ma Laure era contenta che li avesse aggiustati. « Te lo chiedo per lei. Ha il tuo perdono? »

Laure pensò al suo orto del Getsemani. Alla terra arida del rimpianto. Al senso di colpa. Alla condanna di non poter vivere un solo giorno spensierato. Gli strinse la mano. « Sì. »

« Allora devi venire a Praga e, forse, potremmo sistemare le cose tra voi. » Il suo sorriso svanì. « Potremmo fare un giro e... dire addio per sempre. »

« Sì. Mi piacerebbe. Molto. »

Camminarono lungo le rive del Canal Saint-Martin. Era quasi buio, ormai. I negozi costosi erano illuminati. Qualcuno aveva attaccato delle lucine colorate su uno dei ponti in ferro battuto. I senzatetto si preparavano da mangiare dove potevano, sistemando le loro tende.

L'acqua lambiva dolcemente le rive del canale.

Laure si fermò. « E Tomas? » chiese, con una nota di disperazione e terrore nella voce.

Milos continuò a camminare, poi si girò e tornò indietro. « Tomas è morto. L'hanno ucciso, in un modo o nell'altro. Lo sai. »

Laure restò in silenzio a lungo, poi sospirò. « Una piccola parte di me ha sempre... sperato. Pregato. Che fosse sopravvissuto. Ho rivelato il suo piano di fuga perché ero arrabbiata. Mi avevano detto che Tomas aveva sposato una ragazza americana. Poi mi sono resa conto che era una bugia, ma non mi sono potuta rimangiare le mie parole. »

« Una ragazza americana? »

Lei gli raccontò tutto.

Milos scosse la testa. « Hai ragione. Erano tutte bugie, Laure. »

« Mi aveva avvertito di non credere a quello che avrebbero detto di lui. Non ce l'ho fatta. » Guardò Milos negli occhi. «In quel momento terribile ho perso la fiducia, ed è stato sufficiente. »

«Ma è stata Lucia a informare la polizia. E a provocare l'irruzione. Pensaci. Era il sistema che sfruttava i nostri sentimenti, quello che facevamo. Una catena di piccole repressioni, che davano origine a una più grande. La maggior parte delle persone si è resa responsabile di tradimenti minuscoli. Era il prezzo da pagare, continuare a esistere. Guardami, Laure. Dobbiamo crederci, se vogliamo sopravvivere. »

«Riuscirò mai a perdonarmi? »

«Dobbiamo. »

Pensò agli ultimi istanti di Tomas. Forse aveva avuto paura e, senza dubbio, aveva sofferto. Sperò che non avesse perso la fede. *Ti prego, fa' che si sia aggrappato alla sua fede.* Forse si era fatto forza pensando alla musica.

Forse, forse, verso la fine aveva pensato a lei.

Milos la prese a braccetto e s'incamminarono lungo la riva del canale. «Prima di andarmene, attaccherò i fili al Pierrot. »

È sera e le temperature sono precipitate. Parigi si prepara a indossare i suoi sobri colori invernali.

Laure fa il giro di ricognizione del museo.

In ufficio, Kočka è acciambellata vicino al termosifone e Laure le prepara la ciotola del cibo e la lettiera per la notte. Negli ultimi tempi, la gatta le ha permesso di baciarla e Laure avvicina le labbra alla pelliccia, che ora è folta e lucida.

Laure chiude gli scuri delle finestre.

Le sale sono silenziose, il riscaldamento è abbassato per la notte. Nella Sala 7, Laure raddrizza la cornice con la federa del cuscino e nella 3 toglie un velo di polvere dal davanzale della finestra.

Nella Sala 2 le luci sono già spente e gli oggetti sono nascosti dalla luce del crepuscolo, eccetto il velo nuziale che brilla debolmente.

Si ferma alla finestra. Le luci illuminano i tetti e un paio di piccioni zampettano sulle tegole. Molto tempo fa ha lanciato molliche di pane ai piccioni di Praga insieme con Petr e pensa a lui, e a come ha scelto di saldare il suo debito.

Gli è grata.

«Torna in Alabama», dice a May, prima che se ne vada con Nic. «Va' a casa e sistema le cose con tua madre. Non devi lasciare le cose in sospeso.»

«Come hai fatto tu.»

«Esatto.»

Questa è la sua casa. La sua vita.

Il flusso dei pensieri è interrotto da un rumore. Si gira.

Alla parete sono attaccate due marionette, così vicine che si toccano. La femmina indossa un velo e ha una treccia castana. Il maschio ha un berretto nero, un costume da Pierrot e un viso appena ridipinto.

Spesso, quando la brezza entra dalla finestra, o nella sala ci sono tanti visitatori, si crea corrente e le marionette oscillano al vento. A volte sembra che si tengano per mano.

Si ferma di fronte a loro e le guarda in viso. Non finisce mai di stupirla, quel loro sguardo che sembra vedere tutto, la loro anima tenera e maliziosa insieme. Prendersene cura significa amarle ed esserne amata.

Alza una mano e appoggia un dito sul torace del Pierrot, cercando il battito del cuore che è Tomas.

È lì.

E lì c'è anche il perdono.

Il suo lungo cammino verso la consolazione è tracciato.

Clac, l'ho amato.

Clac, mi ha amato.

RINGRAZIAMENTI

Alcuni anni fa nostro figlio ci ha mandato a trascorrere un fine settimana a Praga e siamo capitati al Museo del comunismo. All'epoca gli oggetti non erano esposti nella nuovissima e impressionante sede attuale, bensì in un paio di sale. E tuttavia hanno lasciato un segno indelebile su di me, soprattutto il telefono nero dentro una minuscola cella che squillava ogni volta che entravi.

Il romanzo è il risultato di quella visita. Ciononostante non avrei potuto scriverlo senza documentarmi. Vorrei segnalare in particolare *Communist Czechoslovakia, 1945-89*, di Kevin McDermott. Chiunque voglia tentare di cogliere le complessità di quel periodo storico dovrebbe leggerlo. Cito inoltre *My Crazy Century, a Memoir*, di Ivan Klíma, *The Magic Lantern: The Revolution of '89 witnessed in Warsaw, Budapest, Berlin and Prague*, di Timothy Garton, *Under a Cruel Star: a Life in Prague, 1941-1968*, di Heda Margolius Kovály e il magnifico *Stasiland: Stories from Behind the Berlin Wall*, di Anna Funder. Ho preso fatti, atmosfera e scenari da tutti loro. Qualsiasi errore rimasto è mio.

Vorrei ringraziare la mia fantastica editor, Sara O'Keeffe, e la squadra della Corvus. Grazie anche alla mia agente Judith Murray, senza la quale nulla di tutto questo sarebbe potuto accadere, e a Justine Taylor per il suo puntuale e attento lavoro di revisione. Grazie alle mie colleghe Fanny Blake e Isabelle Grey, sempre pronte ad asciugarmi il sudore dalla fronte. La mia gratitudine anche ai cari amici che sono venuti a trovarmi portando medicine e risate: non lo dimenticherò mai. Un ringraziamento di cuore alle mie sorelle Alison Souter e Rosie Hobhouse. A Jane Thynne, autrice di una serie di romanzi ambientati a Berlino, e a Jim Mitchell, entrambi esperti della città, che mi hanno consigliato i luoghi da visitare: vi sono profondamente riconoscente. Se ho sbagliato qualcosa, so che me lo direte. Ho inventato un paio di strade intorno a Canal Saint-Martin a Parigi: spero che mi perdonerete.

Vorrei ringraziare Barnaby di www.insidertour.com per l'affascinante passeggiata sui luoghi della guerra fredda a Berlino. Ne sono rimasta incantata.

Grazie a Benjie, a Adam e Lucinda, a Eleanore Henry, ad Alexia e Flora... è per voi che ne vale la pena.

www.tealibri.it

Visitando il sito internet della TEA potrai:
- **Scoprire subito le novità dei tuoi autori
  e dei tuoi generi preferiti**
- **Esplorare il catalogo on-line trovando descrizioni
  complete per ogni titolo**
- **Fare ricerche nel catalogo per argomento,
  genere, ambientazione, personaggi...
  e trovare il libro che fa per te**
- **Conoscere i tuoi prossimi autori preferiti**
- **Votare i libri che ti sono piaciuti di più**
- **Segnalare agli amici i libri che ti hanno colpito**
- **E molto altro ancora...**

www.illibraio.it

Il sito di chi ama leggere

Ti è piaciuto questo libro?
Vuoi scoprire nuovi autori?

Vieni a trovarci su **IlLibraio.it**, dove potrai:
- scoprire le **novità editoriali** e sfogliare le prime pagine **in anteprima**
- seguire i **generi letterari** che preferisci
- accedere a **contenuti gratuiti**: racconti, articoli, interviste e approfondimenti
- **leggere** la trama dei libri, **conoscere** i dietro le quinte dei casi editoriali, **guardare** i booktrailer
- iscriverti alla nostra **newsletter settimanale**
- unirti a **migliaia di appassionati** lettori sui nostri account **facebook**, **twitter**, **google+**

« La vita di un libro non finisce con l'ultima pagina. »

Finito di stampare nel mese di febbraio 2021
per conto della TEA S.r.l.
da Reggiani Print s.r.l. - Brezzo di Bedero (VA)
Printed in Italy